Les Trois Mousquetaires

Alexandre Dumas

Les Trois Mousquetaires

1

Les trois présents
de M. d'Artagnan père

Le premier lundi du mois d'avril 1625, le bourg de
Meung semblait être dans une révolution aussi entière
que si les huguenots[1] en fussent venus faire une
seconde Rochelle. Plusieurs bourgeois, voyant s'enfuir
les femmes du côté de la Grande-Rue, entendant les
enfants crier sur le seuil des portes, se hâtaient d'endosser la cuirasse et, appuyant leur contenance
quelque peu incertaine d'un mousquet ou d'une pertuisane[2], se dirigeaient vers l'hôtellerie du *Franc Meunier*, devant laquelle s'empressait, en grossissant de

---

1. Les protestants français.
2. Mousquet : ancêtre du fusil ; pertuisane : pique légère.

minute en minute, un groupe compact, bruyant et plein de curiosité.

Arrivé là, chacun put voir et reconnaître la cause de cette rumeur.

Un jeune homme... – traçons son portrait d'un seul trait de plume : figurez-vous don Quichotte[1] à dix-huit ans, don Quichotte décorcelé[2], sans haubert[3] et sans cuissards, don Quichotte revêtu d'un pourpoint[4] de laine dont la couleur bleue s'était transformée en une nuance insaisissable de lie-de-vin et d'azur céleste. Visage long et brun ; la pommette des joues saillante, signe d'astuce ; les muscles maxillaires énormément développés, indice infaillible auquel on reconnaît le Gascon, même sans béret, et notre jeune homme portait un béret orné d'une espèce de plume ; l'œil ouvert et intelligent ; le nez crochu, mais finement dessiné ; trop grand pour un adolescent, trop petit pour un homme fait, et qu'un œil peu exercé eût pris pour un fils de fermier en voyage, sans sa longue épée qui, pendue à un baudrier[5] de peau, battait les mollets de son propriétaire quand il était à pied, et le poil hérissé de sa monture quand il était à cheval.

Car notre jeune homme avait une monture, et cette monture était même si remarquable, qu'elle fut remar-

---

1. Héros éponyme du roman de Cervantes (1605-1615).
2. Dépouillé de sa cuirasse (mot inventé par l'auteur).
3. Sorte de chemise en mailles d'acier.
4. Sorte de veste ajustée couvrant le haut du corps.
5. Bande mise en bandoulière qui sert à porter l'épée.

quée : c'était un bidet du Béarn, âgé de douze ou quatorze ans, jaune de robe, sans crins à la queue, mais non pas sans javarts[1] aux jambes, et qui, tout en marchant la tête plus bas que les genoux, ce qui rendait inutile l'application de la martingale[2], faisait encore également ses huit lieues[3] par jour. Malheureusement les qualités de ce cheval étaient si bien cachées sous son poil étrange et son allure incongrue, que dans un temps où tout le monde se connaissait en chevaux, l'apparition du susdit bidet à Meung, où il était entré il y avait un quart d'heure à peu près par la porte de Beaugency, produisit une sensation dont la défaveur rejaillit jusqu'à son cavalier.

Et cette sensation avait été d'autant plus pénible au jeune d'Artagnan (ainsi s'appelait le don Quichotte de cette autre Rossinante), qu'il ne se cachait pas le côté ridicule que lui donnait, si bon cavalier qu'il fût, une pareille monture ; aussi avait-il fort soupiré en acceptant le don que lui en avait fait M. d'Artagnan père. Il n'ignorait pas qu'une pareille bête valait au moins vingt livres[4] ; il est vrai que les paroles dont le présent avait été accompagné n'avaient pas de prix.

— Mon fils, avait dit le gentilhomme gascon – dans ce pur patois de Béarn dont Henri IV n'avait jamais pu parvenir à se défaire –, mon fils, ce cheval est né dans

---

1. Abcès, tumeurs.
2. Pièce de harnais.
3. Une lieue équivalait à environ quatre km.
4. Ancienne monnaie de compte.

la maison de votre père, il y a tantôt treize ans, et y est resté depuis ce temps-là, ce qui doit vous porter à l'aimer. Ne le vendez jamais, laissez-le mourir tranquillement et honorablement de vieillesse, et si vous faites campagne avec lui, ménagez-le comme vous ménageriez un vieux serviteur. À la cour, continua M. d'Artagnan père, si toutefois vous avez l'honneur d'y aller, honneur auquel, du reste, votre vieille noblesse vous donne des droits, soutenez dignement votre nom de gentilhomme, qui a été porté dignement par vos ancêtres depuis plus de cinq cents ans. Pour vous et pour les vôtres – par les vôtres, j'entends vos parents et vos amis, ne supportez jamais rien que de M. le cardinal et du roi. C'est par son courage, entendez-vous bien, par son courage seul, qu'un gentilhomme fait son chemin aujourd'hui. Quiconque tremble une seconde laisse peut-être échapper l'appât que, pendant cette seconde justement, la fortune lui tendait. Vous êtes jeune, vous devez être brave par deux raisons : la première, c'est que vous êtes Gascon, et la seconde, c'est que vous êtes mon fils. Ne craignez pas les occasions et cherchez les aventures. Je vous ai fait apprendre à manier l'épée ; vous avez un jarret de fer, un poignet d'acier ; battez-vous à tout propos ; battez-vous d'autant plus que les duels sont défendus, et que, par conséquent, il y a deux fois du courage à se battre. Je n'ai, mon fils, à vous donner que quinze écus[1], mon

---

1. Un écu valait trois livres.

cheval et les conseils que vous venez d'entendre. Votre mère y ajoutera la recette d'un certain baume qu'elle tient d'une bohémienne, et qui a une vertu miraculeuse pour guérir toute blessure qui n'atteint pas le cœur. Faites votre profit du tout, et vivez heureusement et longtemps. – Je n'ai plus qu'un mot à ajouter, et c'est un exemple que je vous propose, non pas le mien, car je n'ai, moi, jamais paru à la cour et n'ai fait que les guerres de religion en volontaire ; je veux parler de M. de Tréville, qui était mon voisin autrefois, et qui a eu l'honneur de jouer tout enfant avec notre roi Louis treizième, que Dieu conserve ! Quelquefois leurs jeux dégénéraient en bataille, et dans ces batailles le roi n'était pas toujours le plus fort. Les coups qu'il en reçut lui donnèrent beaucoup d'estime et d'amitié pour M. de Tréville. Plus tard, M. de Tréville se battit contre d'autres dans son premier voyage à Paris, cinq fois ; depuis la mort du feu roi jusqu'à la majorité du jeune sans compter les guerres et les sièges, sept fois ; et depuis cette majorité jusqu'aujourd'hui, cent fois peut-être ! – Aussi, malgré les édits, les ordonnances et les arrêts, le voilà capitaine des mousquetaires, c'est-à-dire chef d'une légion de Césars dont le roi fait un très grand cas, et que M. le cardinal redoute, lui qui ne redoute pas grand-chose, comme chacun sait. De plus, M. de Tréville gagne dix mille écus par an ; c'est donc un fort grand seigneur. – Il a commencé comme vous ; allez le voir avec cette lettre, et réglez-vous sur lui, afin de faire comme lui.

Sur quoi, M. d'Artagnan père ceignit à son fils sa propre épée, l'embrassa tendrement sur les deux joues et lui donna sa bénédiction.

En sortant de la chambre paternelle, le jeune homme trouva sa mère qui l'attendait avec la fameuse recette dont les conseils que nous venons de rapporter devaient nécessiter un assez fréquent emploi. Les adieux furent de ce côté plus longs et plus tendres qu'ils ne l'avaient été de l'autre, non pas que M. d'Artagnan n'aimât son fils, qui était sa seule progéniture, mais M. d'Artagnan était un homme, et il eût regardé comme indigne d'un homme de se laisser aller à son émotion, tandis que Mme d'Artagnan était femme et, de plus, était mère. – Elle pleura abondamment, et, disons-le à la louange de M. d'Artagnan fils, quelques efforts qu'il tentât pour rester ferme comme le devait être un futur mousquetaire, la nature l'emporta, et il versa force larmes, dont il parvint à grand-peine à cacher la moitié.

Le même jour le jeune homme se mit en route, muni des trois présents paternels et qui se composaient, comme nous l'avons dit, de quinze écus, du cheval et de la lettre pour M. de Tréville ; comme on le pense bien, les conseils avaient été donnés par-dessus le marché.

Avec un pareil vade-mecum[1], d'Artagnan se trouva, au moral comme au physique, une copie exacte du héros de Cervantes, auquel nous l'avons si heureusement comparé lorsque nos devoirs d'historien nous ont fait une nécessité de tracer son portrait. Don Quichotte prenait les moulins à vent pour des géants et les moutons pour des armées, d'Artagnan prit chaque sourire pour une insulte et chaque regard pour une provocation. Il en résulta qu'il eut toujours le poing fermé depuis Tarbes jusqu'à Meung, et que l'un dans l'autre il porta la main au pommeau de son épée dix fois par jour ; toutefois le poing ne descendit sur aucune mâchoire, et l'épée ne sortit point de son fourreau. Ce n'est pas que la vue du malencontreux bidet jaune n'épanouît bien des sourires sur les visages des passants ; mais, comme au-dessus du bidet sonnait une épée de taille respectable et qu'au-dessus de cette épée brillait un œil plutôt féroce que fier, les passants réprimaient leur hilarité, ou, si l'hilarité l'emportait sur la prudence, ils tâchaient au moins de ne rire que d'un seul côté, comme les masques antiques. D'Artagnan demeura donc majestueux et intact dans sa susceptibilité jusqu'à cette malheureuse ville de Meung.

Mais là, comme il descendait de cheval à la porte du *Franc Meunier* sans que personne, hôte, garçon ou palefrenier, fût venu prendre l'étrier au montoir[2],

---

1. Guide (mots latins).
2. Bloc dont on se servait pour monter à cheval.

d'Artagnan avisa à une fenêtre entrouverte du rez-de-chaussée un gentilhomme de belle taille et de haute mine, quoique au visage légèrement renfrogné, lequel causait avec deux personnes qui paraissaient l'écouter avec déférence. D'Artagnan crut tout naturellement, selon son habitude, être l'objet de la conversation et écouta. Cette fois, d'Artagnan ne s'était trompé qu'à moitié : ce n'était pas de lui qu'il était question, mais de son cheval. Le gentilhomme paraissait énumérer à ses auditeurs toutes ses qualités, et comme, ainsi que je l'ai dit, les auditeurs paraissaient avoir une grande déférence pour le narrateur, ils éclataient de rire à tout moment. Or, comme un demi-sourire suffisait pour éveiller l'irascibilité du jeune homme, on comprend quel effet produisit sur lui tant de bruyante hilarité.

Cependant d'Artagnan voulut d'abord se rendre compte de la physionomie de l'impertinent qui se moquait de lui. Il fixa son regard fier sur l'étranger et reconnut un homme de quarante à quarante-cinq ans, aux yeux noirs et perçants, au teint pâle, au nez fortement accentué, à la moustache noire et parfaitement taillée ; il était vêtu d'un pourpoint et d'un haut-de-chausses[1] violet avec des aiguillettes[1] de même couleur, sans aucun ornement que les crevés[1] habituels par lesquels passait la chemise. Ce haut-de-chausses et ce pourpoint, quoique neufs, paraissaient froissés comme

---

1. Haut-de-chausses : sorte de pantalon ; aiguillettes : lacets nouant le haut-de-chausses au pourpoint ; crevés : fentes dans les manches du pourpoint.

des habits de voyage longtemps renfermés dans un portemanteau[1]. D'Artagnan fit toutes ces remarques avec la rapidité de l'observateur le plus minutieux, et sans doute par un sentiment instinctif qui lui disait que cet inconnu devait avoir une grande influence sur sa vie à venir.

Or, comme au moment où d'Artagnan fixait son regard sur le gentilhomme au pourpoint violet, le gentilhomme faisait à l'endroit du bidet béarnais une de ses plus savantes et de ses plus profondes démonstrations, ses deux auditeurs éclatèrent de rire, et lui-même laissa visiblement, contre son habitude, errer, si l'on peut parler ainsi, un pâle sourire sur son visage. Cette fois, il n'y avait plus de doute, d'Artagnan était réellement insulté. Aussi, plein de cette conviction, enfonça-t-il son béret sur ses yeux, et, tâchant de copier quelques-uns des airs de cour qu'il avait surpris en Gascogne chez des seigneurs en voyage, il s'avança, une main sur la garde de son épée et l'autre appuyée sur la hanche. Malheureusement, au fur et à mesure qu'il avançait, la colère l'aveuglant de plus en plus, au lieu du discours digne et hautain qu'il avait préparé pour formuler sa provocation, il ne trouva plus au bout de sa langue qu'une personnalité[2] grossière qu'il accompagna d'un geste furieux.

— Eh ! Monsieur, s'écria-t-il, Monsieur, qui vous

---

1. Une valise.
2. Insulte.

cachez derrière ce volet ! oui, vous, dites-moi donc un peu de quoi vous riez, et nous rirons ensemble.

Le gentilhomme ramena lentement les yeux de la monture au cavalier, comme s'il lui eût fallu un certain temps pour comprendre que c'était à lui que s'adressaient de si étranges reproches ; puis, lorsqu'il ne put plus conserver aucun doute, ses sourcils se froncèrent légèrement, et après une assez longue pause, avec un accent d'ironie et d'insolence impossible à décrire, il répondit à d'Artagnan :

— Je ne vous parle pas, Monsieur.

— Mais je vous parle, moi ! s'écria le jeune homme exaspéré de ce mélange d'insolence et de bonnes manières, de convenances et de dédains.

L'inconnu le regarda encore un instant avec son léger sourire, et, se retirant de la fenêtre, sortit lentement de l'hôtellerie pour venir à deux pas de d'Artagnan se planter en face du cheval. Sa contenance tranquille et sa physionomie railleuse avaient redoublé l'hilarité de ceux avec lesquels il causait et qui, eux, étaient restés à la fenêtre.

D'Artagnan, le voyant arriver, tira son épée d'un pied hors du fourreau.

— Ce cheval est décidément ou plutôt a été dans sa jeunesse bouton d'or, reprit l'inconnu continuant les investigations commencées et s'adressant à ses auditeurs de la fenêtre, sans paraître aucunement remarquer l'exaspération de d'Artagnan, qui cependant se redressait entre lui et eux. C'est une couleur fort connue en botanique, mais jusqu'à présent fort rare chez les chevaux.

— Tel rit du cheval qui n'oserait pas rire du maître ! s'écria l'émule[1] de Tréville, furieux.

— Je ne ris pas souvent, Monsieur, reprit l'inconnu, ainsi que vous pouvez le voir vous-même à l'air de mon visage ; mais je tiens cependant à conserver le privilège de rire quand il me plaît.

— Et moi, s'écria d'Artagnan, je ne veux pas qu'on rie quand il me déplaît !

— En vérité, Monsieur ? continua l'inconnu plus calme que jamais, eh bien ! c'est parfaitement juste.

Et tournant sur ses talons, il s'apprêta à rentrer dans l'hôtellerie par la grande porte, sous laquelle d'Artagnan en arrivant avait remarqué un cheval tout sellé.

Mais d'Artagnan n'était pas de caractère à lâcher ainsi un homme qui avait eu l'insolence de se moquer de lui. Il tira son épée entièrement du fourreau et se mit à sa poursuite en criant :

— Tournez, tournez donc, Monsieur le railleur, que je ne vous frappe point par-derrière.

— Me frapper, moi ! dit l'autre en pivotant sur ses talons et en regardant le jeune homme avec autant d'étonnement que de mépris. Allons, allons donc, mon cher, vous êtes fou !

----

1. Imitateur.

Puis, à demi-voix, et comme s'il se fût parlé à lui-même :

— C'est fâcheux, continua-t-il, quelle trouvaille pour Sa Majesté, qui cherche des braves de tous côtés pour recruter ses mousquetaires !

Il achevait à peine, que d'Artagnan lui allongea un si furieux coup de pointe, que, s'il n'eût fait vivement un bond en arrière, il est probable qu'il eût plaisanté pour la dernière fois. L'inconnu vit alors que la chose passait[1] la raillerie, tira son épée, salua son adversaire et se mit gravement en garde. Mais au même moment ses deux auditeurs, accompagnés de l'hôte, tombèrent sur d'Artagnan à grands coups de bâton, de pelles et de pincettes[2]. Cela fit une diversion si rapide et si complète à l'attaque, que l'adversaire de d'Artagnan, pendant que celui-ci se retournait pour faire face à cette grêle de coups, rengainait avec la même précision, et, d'acteur qu'il avait manqué d'être, redevenait spectateur du combat, rôle dont il s'acquitta avec son impassibilité ordinaire, tout en marmottant néanmoins :

— La peste soit des Gascons ! Remettez-le sur son cheval orange, et qu'il s'en aille !

— Pas avant de t'avoir tué, lâche ! criait d'Artagnan tout en faisant face du mieux qu'il pouvait et sans reculer d'un pas à ses trois ennemis, qui le moulaient de coups.

---

1. Dépassait la simple plaisanterie.
2. Instruments de fer à deux branches servant à arranger le feu.

— Encore une gasconnade, murmura le gentilhomme. Sur mon honneur, ces Gascons sont incorrigibles ! Continuez donc la danse, puisqu'il le veut absolument. Quand il sera las, il dira qu'il en a assez.

Mais l'inconnu ne savait pas encore à quel genre d'entêté il avait affaire ; d'Artagnan n'était pas homme à jamais demander merci. Le combat continua donc quelques secondes encore ; enfin d'Artagnan, épuisé, laissa échapper son épée qu'un coup de bâton brisa en deux morceaux. Un autre coup, qui lui entama le front, le renversa presque en même temps tout sanglant et presque évanoui.

C'est à ce moment que de tous côtés on accourut sur le lieu de la scène. L'hôte, craignant du scandale, emporta, avec l'aide de ses garçons, le blessé dans la cuisine où quelques soins lui furent accordés.

Quant au gentilhomme, il était revenu prendre sa place à la fenêtre et regardait avec une certaine impatience toute cette foule, qui semblait en demeurant là lui causer une vive contrariété.

— Eh bien ! comment va cet enragé ? reprit-il en se retournant au bruit de la porte qui s'ouvrit et en s'adressant à l'hôte qui venait s'informer de sa santé.

— Votre Excellence est saine et sauve ? demanda l'hôte.

— Oui, parfaitement saine et sauve, mon cher hôtelier, et c'est moi qui vous demande ce qu'est devenu notre jeune homme.

— Il va mieux, dit l'hôte : il s'est évanoui tout à fait.

— Vraiment ? fit le gentilhomme.

— Mais avant de s'évanouir il a rassemblé toutes ses forces pour vous appeler et vous défier en vous appelant.

— Mais c'est donc le diable en personne que ce gaillard-là ! s'écria l'inconnu.

— Oh ! non, Votre Excellence, ce n'est pas le diable, reprit l'hôte avec une grimace de mépris, car pendant son évanouissement nous l'avons fouillé, et il n'a dans son paquet qu'une chemise et dans sa bourse que douze écus, ce qui ne l'a pas empêché de dire en s'évanouissant que si pareille chose était arrivée à Paris, vous vous en repentiriez tout de suite, tandis qu'ici vous ne vous en repentirez que plus tard.

— Alors, dit froidement l'inconnu, c'est quelque prince du sang déguisé.

— Je vous dis cela, mon gentilhomme, reprit l'hôte, afin que vous vous teniez sur vos gardes.

— Et il n'a nommé personne dans sa colère ?

— Si fait, il frappait sur sa poche, et il disait : « Nous verrons ce que M. de Tréville pensera de cette insulte faite à son protégé. »

— M. de Tréville ? dit l'inconnu en devenant attentif ; il frappait sur sa poche en prononçant le nom de M. de Tréville ?... Voyons, mon cher hôte, pendant que votre jeune homme était évanoui, vous n'avez pas été, j'en suis bien sûr, sans regarder aussi cette poche-là. Qu'y avait-il ?

— Une lettre adressée à M. de Tréville, capitaine des mousquetaires.

— En vérité !

— C'est comme j'ai l'honneur de vous le dire, Excellence.

L'hôte, qui n'était pas doué d'une grande perspicacité, ne remarqua point l'expression que ses paroles avaient donnée à la physionomie de l'inconnu. Celui-ci quitta le rebord de la croisée sur lequel il était toujours resté appuyé du bout du coude, et fronça le sourcil en homme inquiet.

— Diable ! murmura-t-il entre ses dents, Tréville m'aurait-il envoyé ce Gascon ? il est bien jeune ! Mais un coup d'épée est un coup d'épée, quel que soit l'âge de celui qui le donne, et l'on se défie moins d'un enfant que de tout autre ; il suffit parfois d'un faible obstacle pour contrarier un grand dessein.

Et l'inconnu tomba dans une réflexion qui dura quelques minutes.

— Voyons, l'hôte, dit-il, est-ce que vous ne me débarrasserez pas de ce frénétique ? En conscience, je ne puis le tuer, et cependant, ajouta-t-il avec une expression froidement menaçante, cependant il me gêne. Où est-il ?

— Dans la chambre de ma femme, où on le panse, au premier étage.

— Ses hardes[1] et son sac sont avec lui ? il n'a pas quitté son pourpoint ?

— Tout cela, au contraire, est en bas dans la cuisine. Mais puisqu'il vous gêne, ce jeune fou...

— Sans doute. Il cause dans votre hôtellerie un scandale auquel d'honnêtes gens ne sauraient résister. Montez chez vous, faites mon compte et avertissez mon laquais.

— Quoi ! Monsieur nous quitte déjà ?

— Vous le savez bien, puisque je vous avais donné l'ordre de seller mon cheval. Ne m'a-t-on point obéi ?

— Si fait, et comme Votre Excellence a pu le voir, son cheval est sous la grande porte, tout appareillé pour partir.

— C'est bien, faites ce que je vous ai dit alors.

« Ouais ! se dit l'hôte, aurait-il peur du petit garçon ? »

Mais un coup d'œil impératif de l'inconnu vint l'arrêter court. Il salua humblement et sortit.

« Il ne faut pas que Milady soit aperçue de ce drôle, continua l'étranger : elle ne doit pas tarder à passer ; déjà même elle est en retard. Décidément, mieux vaut que je monte à cheval et que j'aille au-devant d'elle... Si seulement je pouvais savoir ce que contient cette lettre adressée à Tréville ! »

Et l'inconnu, tout en marmottant, se dirigea vers la cuisine.

---

1. Vêtements.

Pendant ce temps, l'hôte, qui ne doutait pas que ce ne fût la présence du jeune garçon qui chassât l'inconnu de son hôtellerie, était remonté chez sa femme et avait trouvé d'Artagnan maître enfin de ses esprits. Alors, tout en lui faisant comprendre que la police pourrait bien lui faire un mauvais parti pour avoir été chercher querelle à un grand seigneur – car, à l'avis de l'hôte, l'inconnu ne pouvait être qu'un grand seigneur –, il le détermina, malgré sa faiblesse, à se lever et à continuer son chemin. D'Artagnan, à moitié abasourdi, sans pourpoint et la tête tout emmaillotée de linges, se leva donc et, poussé par l'hôte, commença de descendre ; mais, en arrivant à la cuisine, la première chose qu'il aperçut fut son provocateur qui causait tranquillement au marchepied d'un lourd carrosse attelé de deux gros chevaux normands.

Son interlocutrice, dont la tête apparaissait encadrée par la portière, était une femme de vingt à vingt-deux ans.

Nous avons déjà dit avec quelle rapidité d'investigation d'Artagnan embrassait toute une physionomie ; il vit donc du premier coup d'œil que la femme était jeune et belle. Or cette beauté le frappa d'autant plus qu'elle était parfaitement étrangère aux pays méridionaux que jusque-là d'Artagnan avait habités. C'était une pâle et blonde personne, aux longs cheveux bouclés tombant sur ses épaules, aux grands yeux bleus

languissants, aux lèvres rosées et aux mains d'albâtre[1].
Elle causait très vivement avec l'inconnu.

— Ainsi, Son Éminence m'ordonne..., disait la dame.

— De retourner à l'instant même en Angleterre, et de la prévenir directement si le duc quittait Londres.

— Et quant à mes autres instructions ? demanda la belle voyageuse.

— Elles sont renfermées dans cette boîte, que vous n'ouvrirez que de l'autre côté de la Manche.

— Très bien ; et vous, que faites-vous ?

— Moi, je retourne à Paris.

— Sans châtier cet insolent petit garçon ? demanda la dame.

L'inconnu allait répondre : mais, au moment où il ouvrait la bouche, d'Artagnan, qui avait tout entendu, s'élança sur le seuil de la porte.

— C'est cet insolent petit garçon qui châtie les autres, s'écria-t-il, et j'espère bien que cette fois-ci celui qu'il doit châtier ne lui échappera pas comme la première.

— Ne lui échappera pas ? reprit l'inconnu en fronçant le sourcil.

— Non, devant une femme, vous n'oseriez pas fuir, je présume.

— Songez, s'écria Milady en voyant le gentil-

_____

1. Très blanches ; l'albâtre est une pierre.

homme porter la main à son épée, songez que le moindre retard peut tout perdre.

— Vous avez raison, s'écria le gentilhomme ; partez donc de votre côté, moi, je pars du mien.

Et, saluant la dame d'un signe de tête, il s'élança sur son cheval, tandis que le cocher du carrosse fouettait vigoureusement son attelage. Les deux interlocuteurs partirent donc au galop, s'éloignant chacun par un côté opposé de la rue.

— Eh ! votre dépense, vociféra l'hôte, dont l'affection pour son voyageur se changeait en un profond dédain en voyant qu'il s'éloignait sans solder ses comptes.

— Paie, maroufle[1], s'écria le voyageur toujours galopant à son laquais, lequel jeta aux pieds de l'hôte deux ou trois pièces d'argent et se mit à galoper après son maître.

— Ah ! lâche, ah ! misérable, ah ! faux gentilhomme ! cria d'Artagnan s'élançant à son tour après le laquais.

Mais le blessé était trop faible encore pour supporter une pareille secousse. À peine eut-il fait dix pas, que ses oreilles tintèrent, qu'un éblouissement le prit, qu'un nuage de sang passa sur ses yeux et qu'il tomba au milieu de la rue, en criant encore :

— Lâche ! lâche ! lâche !

— Il est en effet bien lâche, murmura l'hôte en

---

1. Fripon (terme de mépris).

25

s'approchant de d'Artagnan, et essayant par cette flatterie de se raccommoder avec le pauvre garçon, comme le héron de la fable avec son limaçon du soir[1].

— Oui, bien lâche, murmura d'Artagnan ; mais elle, bien belle !

— Qui, elle ? demanda l'hôte.

— Milady, balbutia d'Artagnan.

Et il s'évanouit une seconde fois.

— C'est égal, dit l'hôte, j'en perds deux, mais il me reste celui-là, que je suis sûr de conserver au moins quelques jours. C'est toujours onze écus de gagnés.

On sait que onze écus faisaient juste la somme qui restait dans la bourse de d'Artagnan.

L'hôte avait compté sur onze jours de maladie à un écu par jour ; mais il avait compté sans son voyageur. Le lendemain, dès cinq heures du matin, d'Artagnan se leva, descendit lui-même à la cuisine, demanda, outre quelques autres ingrédients dont la liste n'est pas parvenue jusqu'à nous, du vin, de l'huile, du romarin, et, la recette de sa mère à la main, se composa un baume dont il oignit ses nombreuses blessures, renouvelant ses compresses lui-même et ne voulant admettre l'adjonction d'aucun médecin. Grâce sans doute à l'efficacité du baume de Bohême, et peut-être aussi grâce à l'absence de tout docteur, d'Artagnan se trouva sur

---

1. Allusion aux *Fables* de La Fontaine, « Le Héron, la Fille » (livre VII, fable 4).

pied dès le soir même, et à peu près guéri le lendemain.

Mais, au moment de payer ce romarin, cette huile
et ce vin, seule dépense du maître qui avait gardé une
diète absolue, tandis qu'au contraire le cheval jaune,
au dire de l'hôtelier du moins, avait mangé trois fois
plus qu'on n'eût raisonnablement pu le supposer pour
sa taille, d'Artagnan ne trouva dans sa poche que sa
petite bourse de velours râpé ainsi que les onze écus
qu'elle contenait ; mais quant à la lettre adressée à
M. de Tréville, elle avait disparu.

Le jeune homme commença par chercher cette
lettre avec une grande patience, tournant et retournant
vingt fois ses poches et ses goussets[1], fouillant et
refouillant dans son sac, ouvrant et refermant sa
bourse ; mais lorsqu'il eut acquis la conviction que la
lettre était introuvable, il entra dans un troisième accès
de rage, qui faillit lui occasionner une nouvelle
consommation de vin et d'huile aromatisés : car, en
voyant cette jeune mauvaise tête s'échauffer et mena-
cer de tout casser dans l'établissement si l'on ne
retrouvait pas sa lettre, l'hôte s'était déjà saisi d'un
épieu, sa femme d'un manche à balai, et ses garçons
des mêmes bâtons qui avaient servi la surveille[2].

— Ma lettre de recommandation ! s'écria d'Arta-

---

1. Poches de gilet.
2. L'avant-veille.

gnan, ma lettre de recommandation, sangdieu ! ou je vous embroche tous comme des ortolans[1] !

Malheureusement une circonstance s'opposait à ce que le jeune homme accomplît sa menace : c'est que, comme nous l'avons dit, son épée avait été, dans sa première lutte, brisée en deux morceaux, ce qu'il avait parfaitement oublié. Il en résulta que, lorsque d'Artagnan voulut en effet dégainer, il se trouva purement et simplement armé d'un tronçon d'épée de huit ou dix pouces[2] à peu près, que l'hôte avait soigneusement renfoncé dans le fourreau. Quant au reste de la lame, le chef l'avait adroitement détourné pour s'en faire une lardoire.

Cependant cette déception n'eût probablement pas arrêté notre fougueux jeune homme, si l'hôte n'avait réfléchi que la réclamation que lui adressait son voyageur était parfaitement juste.

— Mais, au fait, dit-il en abaissant son épieu, où est cette lettre ?

— Oui, où est cette lettre ? cria d'Artagnan. D'abord, je vous en préviens, cette lettre est pour M. de Tréville, et il faut qu'elle se retrouve ; ou si elle ne se retrouve pas, il saura bien la faire retrouver, lui !

Cette menace acheva d'intimider l'hôte. Après le roi et M. le cardinal, M. de Tréville était l'homme dont le nom peut-être était le plus souvent répété par les mili-

---

1. Petits oiseaux à la chair très recherchée.
2. Ancienne unité de mesure de longueur (2,54 cm).

taires et même par les bourgeois. Il y avait bien le père Joseph[1], c'est vrai ; mais son nom à lui n'était jamais prononcé que tout bas, tant était grande la terreur qu'inspirait l'Éminence grise, comme on appelait le familier du cardinal.

Aussi, jetant son épieu loin de lui, et ordonnant à sa femme d'en faire autant de son manche à balai et à ses valets de leurs bâtons, il donna le premier l'exemple en se mettant lui-même à la recherche de la lettre perdue.

— Est-ce que cette lettre renfermait quelque chose de précieux ? demanda l'hôte au bout d'un instant d'investigations inutiles.

— Sandis[2] ! je le crois bien ! s'écria le Gascon qui comptait sur cette lettre pour faire son chemin à la cour ; elle contenait ma fortune.

— Des bons sur l'Épargne ? demanda l'hôte inquiet.

— Des bons sur la trésorerie particulière de Sa Majesté, répondit d'Artagnan, qui, comptant entrer au service du roi grâce à cette recommandation, croyait pouvoir faire sans mentir cette réponse quelque peu hasardée.

— Diable ! fit l'hôte tout à fait désespéré.

— Mais il n'importe, continua d'Artagnan avec l'aplomb national, il n'importe, et l'argent n'est rien :

---

1. Conseiller secret de Richelieu.
2. Juron gascon formé sur « sangdieu ».

– cette lettre était tout. J'eusse mieux aimé perdre mille pistoles[1] que de la perdre.

Il ne risquait pas davantage à dire vingt mille, mais une certaine pudeur juvénile le retint.

Un trait de lumière frappa tout à coup l'esprit de l'hôte, qui se donnait au diable en ne trouvant rien.

— Cette lettre n'est point perdue, s'écria-t-il.

— Ah ! fit d'Artagnan.

— Non ; elle vous a été prise.

— Prise ! et par qui ?

— Par le gentilhomme d'hier. Il est descendu à la cuisine, où était votre pourpoint. Il y est resté seul. Je gagerais que c'est lui qui l'a volée.

— Vous croyez ? répondit d'Artagnan peu convaincu ; car il savait mieux que personne l'importance toute personnelle de cette lettre, et n'y voyait rien qui pût tenter la cupidité. Le fait est qu'aucun des valets, aucun des voyageurs présents n'eût rien gagné à posséder ce papier.

— Vous dites donc, reprit d'Artagnan, que vous soupçonnez cet impertinent gentilhomme.

— Je vous dis que j'en suis sûr, continua l'hôte ; lorsque je lui ai annoncé que Votre Seigneurie était le protégé de M. de Tréville, et que vous aviez même une lettre pour cet illustre gentilhomme, il a paru fort inquiet, m'a demandé où était cette lettre, et est des-

---

1. Ancienne monnaie d'or valant environ dix livres.

cendu immédiatement à la cuisine où il savait qu'était votre pourpoint.

— Alors c'est mon voleur, répondit d'Artagnan ; je m'en plaindrai à M. de Tréville, et M. de Tréville s'en plaindra au roi.

Puis il tira majestueusement deux écus de sa poche, les donna à l'hôte, qui l'accompagna, le chapeau à la main, jusqu'à la porte, remonta sur son cheval jaune, qui le conduisit sans autre incident jusqu'à la porte Saint-Antoine à Paris, où son propriétaire le vendit trois écus, ce qui était fort bien payé, attendu que d'Artagnan l'avait fort surmené pendant la dernière étape. Aussi le maquignon auquel d'Artagnan le céda moyennant les neuf livres susdites ne cacha-t-il point au jeune homme qu'il n'en donnait cette somme exorbitante qu'à cause de l'originalité de sa couleur.

D'Artagnan entra donc dans Paris à pied, portant son petit paquet sous son bras, et marcha tant qu'il trouvât à louer une chambre qui convînt à l'exiguïté de ses ressources. Cette chambre fut une espèce de mansarde, sise rue des Fossoyeurs, près du Luxembourg.

Aussitôt le denier à Dieu[1] donné, d'Artagnan prit possession de son logement, passa le reste de la journée à coudre à son pourpoint et à ses chausses des passementeries[2] que sa mère avait détachées d'un

---

1. L'acompte.
2. Tissus décoratifs.

pourpoint presque neuf de M. d'Artagnan père, et qu'elle lui avait données en cachette ; puis il alla quai de la Ferraille, faire remettre une lame à son épée ; puis il revint au Louvre s'informer, au premier mousquetaire qu'il rencontra, de la situation de l'hôtel de M. de Tréville, lequel était situé rue du Vieux-Colombier, c'est-à-dire justement dans le voisinage de la chambre arrêtée par d'Artagnan : circonstance qui lui parut d'un heureux augure pour le succès de son voyage.

Après quoi, content de la façon dont il s'était conduit à Meung, sans remords dans le passé, confiant dans le présent et plein d'espérance dans l'avenir, il se coucha et s'endormit du sommeil du brave.

Ce sommeil, tout provincial encore, le conduisit jusqu'à neuf heures du matin, heure à laquelle il se leva pour se rendre chez ce fameux M. de Tréville, le troisième personnage du royaume d'après l'estimation paternelle.

2

L'antichambre de M. de Tréville

M. de Troisvilles, comme s'appelait encore sa famille
en Gascogne, ou M. de Tréville, comme il avait fini par
s'appeler lui-même à Paris, avait réellement commencé comme d'Artagnan, c'est-à-dire sans un sou
vaillant, mais avec ce fonds d'audace, d'esprit et d'en-
tendement[1] qui fait que le plus pauvre gentillâtre[2] gascon reçoit souvent plus en ses espérances de l'héritage
paternel que le plus riche gentilhomme périgourdin ou
berrichon ne reçoit en réalité. Sa bravoure insolente,

---

1. Intelligence, bon jugement.
2. Gentilhomme pauvre.

son bonheur[1] plus insolent encore dans un temps où les coups pleuvaient comme grêle, l'avaient hissé au sommet de cette échelle difficile qu'on appelle la faveur de cour, et dont il avait escaladé quatre à quatre les échelons.

La cour de son hôtel ressemblait à un camp, et cela dès six heures du matin en été et dès huit heures en hiver. Cinquante à soixante mousquetaires, qui semblaient s'y relayer pour présenter un nombre toujours imposant, s'y promenaient sans cesse, armés en guerre et prêts à tout.

Le long d'un de ses grands escaliers sur l'emplacement desquels notre civilisation bâtirait une maison tout entière, montaient et descendaient les solliciteurs de Paris qui couraient après une faveur quelconque, les gentilshommes de province avides d'être enrôlés, et les laquais chamarrés de toutes couleurs, qui venaient apporter à M. de Tréville les messages de leurs maîtres. Dans l'antichambre, sur de longues banquettes circulaires, reposaient les élus, c'est-à-dire ceux qui étaient convoqués. Un bourdonnement durait là depuis le matin jusqu'au soir, tandis que M. de Tréville, dans son cabinet contigu à cette antichambre, recevait les visites, écoutait les plaintes, donnait ses ordres et, comme le roi à son balcon du Louvre, n'avait qu'à se mettre à sa fenêtre pour passer la revue des hommes et des armes.

---

1. Sa chance.

Le jour où d'Artagnan se présenta, l'assemblée était imposante, surtout pour un provincial arrivant de sa province : il est vrai que ce provincial était Gascon, et que surtout à cette époque les compatriotes de d'Artagnan avaient la réputation de ne point facilement se laisser intimider.

En effet, une fois qu'on avait franchi la porte massive, chevillée de longs clous à tête quadrangulaire, on tombait au milieu d'une troupe de gens d'épée qui se croisaient dans la cour, s'interpellant, se querellant et jouant entre eux. Pour se frayer un passage au milieu de toutes ces vagues tourbillonnantes, il eût fallu être officier, grand seigneur ou jolie femme.

Ce fut donc au milieu de cette cohue et de ce désordre que notre jeune homme s'avança, le cœur palpitant, rangeant sa longue rapière[1] le long de ses jambes maigres, et tenant une main au rebord de son feutre avec ce demi-sourire du provincial embarrassé qui veut faire bonne contenance.

Avait-il dépassé un groupe, alors il respirait plus librement ; mais il comprenait qu'on se retournait pour le regarder, et pour la première fois de sa vie, d'Artagnan, qui jusqu'à ce jour avait une assez bonne opinion de lui-même, se trouva ridicule.

Arrivé à l'escalier, ce fut pis encore : il y avait sur les premières marches quatre mousquetaires qui se divertissaient à l'exercice suivant, tandis que dix ou

---

1. Épée longue et affilée (arme de duel).

douze de leurs camarades attendaient sur le palier que leur tour vînt de prendre place à la partie.

Un d'eux, placé sur le degré supérieur, l'épée nue à la main, empêchait ou du moins s'efforçait d'empêcher les trois autres de monter.

Ces trois autres s'escrimaient contre lui de leurs épées fort agiles. D'Artagnan prit d'abord ces fers pour des fleurets d'escrime, il les crut boutonnés[1] : mais il reconnut bientôt à certaines égratignures que chaque arme, au contraire, était affilée et aiguisée à souhait, et à chacune de ces égratignures, non seulement les spectateurs, mais encore les acteurs riaient comme des fous.

Celui qui occupait le degré[2] en ce moment tenait merveilleusement ses adversaires en respect. On faisait cercle autour d'eux : la condition portait qu'à chaque coup le touché quitterait la partie, en perdant son tour d'audience au profit du toucheur. En cinq minutes trois furent effleurés, l'un au poignet, l'autre au menton, l'autre à l'oreille, par le défenseur du degré, qui lui-même ne fut pas atteint : adresse qui lui valut, selon les conventions arrêtées, trois tours de faveur.

Si difficile non pas qu'il fût, mais qu'il voulût être à étonner, ce passe-temps étonna notre jeune voyageur ; il avait vu dans sa province, cette terre où s'échauffent cependant si promptement les têtes, un

---

1. Garnis d'un bouton pour les rendre inoffensifs.
2. La marche supérieure.

36

peu plus de préliminaires aux duels, et la gasconnade[1] de ces quatre joueurs lui parut la plus forte de toutes celles qu'il avait ouïes jusqu'alors, même en Gascogne. Il se crut transporté dans ce fameux pays des géants où Gulliver[2] alla depuis et eut si grand-peur ; et cependant il n'était pas au bout : restaient le palier et l'antichambre.

Sur le palier on ne se battait plus, on racontait des histoires de femmes, et dans l'antichambre des histoires de cour. Sur le palier d'Artagnan rougit ; dans l'antichambre, il frissonna. Là à son grand étonnement, d'Artagnan entendait critiquer tout haut la politique qui faisait trembler l'Europe et la vie privée du cardinal, que tant de hauts et puissants seigneurs avaient été punis d'avoir tenté d'approfondir.

Cependant, quand le nom du roi intervenait parfois tout à coup à l'improviste au milieu de tous ces quolibets cardinalesques, une espèce de bâillon calfeutrait pour un moment toutes ces bouches moqueuses ; on regardait avec hésitation autour de soi, et l'on semblait craindre l'indiscrétion de la cloison du cabinet de M. de Tréville ; mais bientôt une allusion ramenait la conversation sur Son Éminence, et alors les éclats reprenaient de plus belle, et la lumière n'était ménagée sur aucune de ses actions.

Aussi, comme on s'en doute sans que je le dise,

1. Fanfaronnade.
2. Héros du roman de Jonathan Swift, *Les voyages de Gulliver* (1726).

d'Artagnan n'osait se livrer à la conversation ; seulement il regardait de tous ses yeux, écoutant de toutes ses oreilles, tendant avidement ses cinq sens pour ne rien perdre, et malgré sa confiance dans les recommandations paternelles, il se sentait porté par ses goûts et entraîné par ses instincts à louer plutôt qu'à blâmer les choses inouïes qui se passaient là.

Cependant, comme il était absolument étranger à la foule des courtisans de M. de Tréville, et que c'était la première fois qu'on l'apercevait en ce lieu, on vint lui demander ce qu'il désirait. À cette demande, d'Artagnan se nomma fort humblement, s'appuya du titre de compatriote, et pria le valet de chambre qui était venu lui faire cette question de demander pour lui à M. de Tréville un moment d'audience, demande que celui-ci promit d'un ton protecteur de transmettre en temps et lieu.

D'Artagnan, un peu revenu de sa surprise première, eut donc le loisir d'étudier un peu les costumes et les physionomies.

Au centre du groupe le plus animé était un mousquetaire de grande taille, d'une figure hautaine et d'une bizarrerie de costume qui attirait sur lui l'attention générale. Il ne portait pas, pour le moment, la casaque d'uniforme, qui, au reste, n'était pas absolument obligatoire dans cette époque de liberté moindre mais d'indépendance plus grande, mais un justaucorps[1] bleu de ciel, tant soit peu fané et râpé, et sur cet habit un baudrier magnifique, en broderies d'or, et qui reluisait comme les écailles dont l'eau se couvre au grand soleil. Un manteau long de velours cramoisi tombait avec grâce sur ses épaules, découvrant par-devant seulement le splendide baudrier, auquel pendait une gigantesque rapière.

Ce mousquetaire venait de descendre de garde à l'instant même, se plaignait d'être enrhumé et toussait de temps en temps avec affectation. Aussi avait-il pris le manteau, à ce qu'il disait autour de lui, et tandis qu'il parlait du haut de sa tête, en frisant dédaigneusement sa moustache, on admirait avec enthousiasme le baudrier brodé, et d'Artagnan plus que tout autre.

— Que voulez-vous, disait le mousquetaire, la mode en vient ; c'est une folie, je le sais bien, mais c'est la mode. D'ailleurs, il faut bien employer à quelque chose l'argent de sa légitime[2].

— Ah ! *Porthos* ! s'écria un des assistants, n'essaie pas de nous faire croire que ce baudrier te vient de la générosité paternelle : il t'aura été donné par la dame voilée avec laquelle je t'ai rencontré l'autre dimanche vers la porte Saint-Honoré.

— Non, sur mon honneur et foi de gentilhomme, je l'ai acheté moi-même, et de mes propres deniers,

---

1. Sorte de pourpoint.
2. Part d'héritage.

répondit celui qu'on venait de désigner sous le nom de Porthos.

— Oui, comme j'ai acheté, moi, dit un autre mousquetaire, cette bourse neuve, avec ce que ma maîtresse avait mis dans la vieille.

— Vrai, dit Porthos, et la preuve c'est que je l'ai payé douze pistoles.

L'admiration redoubla, quoique le doute continuât d'exister.

— N'est-ce pas, *Aramis* ? dit Porthos se tournant vers un autre mousquetaire.

Cet autre mousquetaire formait un contraste parfait avec celui qui l'interrogeait et qui venait de le désigner sous le nom d'Aramis : c'était un jeune homme de vingt-deux à vingt-trois ans à peine, à la figure naïve et doucereuse, à l'œil noir et doux et aux joues roses et veloutées comme une pêche en automne ; sa moustache fine dessinait sur sa lèvre supérieure une ligne d'une rectitude parfaite ; ses mains semblaient craindre de s'abaisser, de peur que leurs veines ne se gonflassent, et de temps en temps il se pinçait le bout des oreilles pour les maintenir d'un incarnat[1] tendre et transparent. D'habitude il parlait peu et lentement, saluait beaucoup, riait sans bruit en montrant ses dents, qu'il avait belles et dont, comme du reste de sa personne, il semblait prendre le plus grand soin. Il

---

1. Rouge clair.

répondit par un signe de tête affirmatif à l'interpellation de son ami.

Cette affirmation parut avoir fixé tous les doutes à l'endroit du baudrier ; on continua donc de l'admirer, mais on n'en parla plus ; et par un de ces revirements rapides de la pensée, la conversation passa tout à coup à un autre sujet.

— Que pensez-vous de ce que raconte l'écuyer de Chalais[1] ? demanda un autre mousquetaire sans interpeller directement personne, mais s'adressant au contraire à tout le monde.

— Et que raconte-t-il ? demanda Porthos d'un ton suffisant.

— Il raconte qu'il a trouvé à Bruxelles Rochefort, l'âme damnée du cardinal, déguisé en capucin[2] ; ce Rochefort maudit, grâce à ce déguisement, avait joué M. de Laigues comme un niais qu'il est.

— Comme un vrai niais, dit Porthos ; mais la chose est-elle sûre ?

— Je la tiens d'Aramis, répondit le mousquetaire.

— Vraiment ?

— Eh ! vous le savez bien, Porthos, dit Aramis ; je vous l'ai racontée, à vous-même hier, n'en parlons donc plus.

— N'en parlons plus, voilà votre opinion à vous, reprit Porthos. N'en parlons plus ! peste ! comme

---

1. Le comte de Chalais fut exécuté le 19 août 1626 pour complot contre le roi.
2. Moine.

vous concluez vite. Comment ! le cardinal fait espionner un gentilhomme, fait voler sa correspondance par un traître, un brigand, un pendard ; fait, avec l'aide de cet espion et grâce à cette correspondance, couper le cou à Chalais, sous le stupide prétexte qu'il a voulu tuer le roi et marier Monsieur avec la reine ! Personne ne savait un mot de cette énigme, vous nous l'apprenez hier, à la grande satisfaction de tous, et quand nous sommes encore tout ébahis de cette nouvelle, vous venez nous dire aujourd'hui : N'en parlons plus !

— Parlons-en donc, voyons, puisque vous le désirez, reprit Aramis avec patience.

— Ce Rochefort, s'écria Porthos, si j'étais l'écuyer du pauvre Chalais, passerait avec moi un vilain moment.

— Et vous, vous passeriez un triste quart d'heure avec le duc Rouge, reprit Aramis.

— Ah ! le duc Rouge ! bravo, bravo, le duc Rouge ! répondit Porthos en battant des mains et en approuvant de la tête. Le « duc Rouge » est charmant. Je répandrai le mot, mon cher, soyez tranquille. A-t-il de l'esprit, cet Aramis ! Quel malheur que vous n'ayez pas pu suivre votre vocation, mon cher ! quel délicieux abbé vous eussiez fait !

— Oh ! ce n'est qu'un retard momentané, reprit Aramis ; un jour, je le serai. Vous savez bien, Porthos, que je continue d'étudier la théologie pour cela.

— Il le fera comme il le dit, reprit Porthos, il le fera tôt ou tard.

— Tôt, dit Aramis.

to become a priest

— Il n'attend qu'une chose pour le décider tout à fait et pour reprendre sa soutane, qui est pendue derrière son uniforme, reprit un mousquetaire.

— Et quelle chose attend-il ? demanda un autre.

— Il attend que la reine ait donné un héritier à la couronne de France.

— Ne plaisantons pas là-dessus, Messieurs, dit Porthos ; grâce à Dieu, la reine est encore d'âge à le donner.

— On dit que M. de Buckingham est en France, reprit Aramis avec un rire narquois qui donnait à cette phrase, si simple en apparence, une signification passablement scandaleuse.

— Aramis, mon ami, pour cette fois vous avez tort, interrompit Porthos, et votre manie d'esprit vous entraîne toujours au-delà des bornes ; si M. de Tréville vous entendait, vous seriez mal venu de parler ainsi.

— Allez-vous me faire la leçon, Porthos ? s'écria Aramis, dans l'œil doux duquel on vit passer comme un éclair.

— Mon cher, soyez mousquetaire ou abbé. Soyez l'un ou l'autre, mais pas l'un et l'autre, reprit Porthos. Tenez, Athos vous l'a dit encore l'autre jour : vous mangez à tous les râteliers. Ah ! ne nous fâchons pas, je vous prie, ce serait inutile, vous savez bien ce qui est convenu entre vous, Athos et moi. Vous allez chez Mme d'Aiguillon, et vous lui faites la cour ; vous allez chez Mme de Bois-Tracy, la cousine de Mme de Chevreuse, et vous passez pour être fort en avant dans les bonnes grâces de la dame. Oh ! mon Dieu, n'avouez pas votre bonheur, on ne vous demande pas votre secret, on connaît votre discrétion. Mais puisque vous possédez cette vertu, que diable ! faites-en usage à l'endroit de Sa Majesté. S'occupe qui voudra et comme on voudra du roi et du cardinal ; mais la reine est sacrée, et si l'on en parle, que ce soit en bien.

— Porthos, vous êtes prétentieux comme Narcisse[1], je vous en préviens, répondit Aramis ; vous savez que je hais la morale, excepté quand elle est faite par Athos. Quant à vous, mon cher, vous avez un trop magnifique baudrier pour être bien fort là-dessus. Je serai abbé s'il me convient ; en attendant, je suis mousquetaire : en cette qualité, je dis ce qu'il me plaît, et en ce moment il me plaît de vous dire que vous m'impatientez.

— Aramis !

— Porthos !

— Eh ! Messieurs ! Messieurs ! s'écria-t-on autour d'eux.

— M. de Tréville attend M. d'Artagnan, interrompit le laquais en ouvrant la porte du cabinet.

---

1. Personnage de la mythologie grecque qui tomba amoureux de sa propre image.

À cette annonce, pendant laquelle la porte demeurait ouverte, chacun se tut, et au milieu du silence général le jeune Gascon traversa l'antichambre dans une partie de sa longueur et entra chez le capitaine des mousquetaires, se félicitant de tout son cœur d'échapper aussi à point à la fin de cette bizarre querelle.

3

L'audience

M. de Tréville était pour le moment de fort méchante humeur ; néanmoins il salua poliment le jeune homme, qui s'inclina jusqu'à terre, et il sourit en recevant son compliment, dont l'accent béarnais lui rappela à la fois sa jeunesse et son pays, double souvenir qui fait sourire l'homme à tous les âges. Mais, se rapprochant presque aussitôt de l'antichambre et faisant à d'Artagnan un signe de la main, comme pour lui demander la permission d'en finir avec les autres avant de commencer avec lui, il appela trois fois, en grossissant la voix à chaque fois, de sorte qu'il parcourut tous les tons intervallaires entre l'accent impératif et l'accent irrité :

— Athos ! Porthos ! Aramis !

Les deux mousquetaires avec lesquels nous avons déjà fait connaissance, et qui répondaient aux deux derniers de ces trois noms, quittèrent aussitôt les groupes dont ils faisaient partie et s'avancèrent vers le cabinet, dont la porte se referma derrière eux dès qu'ils en eurent franchi le seuil.

Leur contenance, bien qu'elle ne fût pas tout à fait tranquille, excita cependant, par son laisser-aller à la fois plein de dignité et de soumission, l'admiration de d'Artagnan, qui voyait dans ces hommes des demi-dieux, et dans leur chef un Jupiter olympien armé de tous ses foudres[1].

Quand les deux mousquetaires furent entrés, quand la porte fut refermée derrière eux, quand le murmure bourdonnant de l'antichambre, auquel l'appel qui venait d'être fait avait sans doute donné un nouvel aliment, eut recommencé ; quand enfin M. de Tréville eut trois ou quatre fois arpenté, silencieux et le sourcil froncé, toute la longueur de son cabinet, passant chaque fois devant Porthos et Aramis, roides et muets comme à la parade, il s'arrêta tout à coup en face d'eux, et les couvrant des pieds à la tête d'un regard irrité :

— Savez-vous ce que m'a dit le roi, s'écria-t-il, cela

_____

1. Faisceaux d'éclairs, arme du roi des dieux de l'Olympe.

pas plus tard qu'hier au soir ? le savez-vous, Messieurs ?

— Non, répondirent après un instant de silence les deux mousquetaires ; non, Monsieur, nous l'ignorons.

— Mais j'espère que vous nous ferez l'honneur de nous le dire, ajouta Aramis de son ton le plus poli et avec la plus gracieuse révérence.

— Il m'a dit qu'il recruterait désormais ses mousquetaires parmi les gardes de M. le cardinal !

— Parmi les gardes de M. le cardinal ! et pourquoi cela ? demanda vivement Porthos.

— Parce qu'il voyait bien que sa piquette[1] avait besoin d'être ragaillardie par un mélange de bon vin.

Les deux mousquetaires rougirent jusqu'au blanc des yeux. D'Artagnan ne savait où il en était et eût voulu être à cent pieds sous terre.

— Oui, oui, continua M. de Tréville en s'animant, oui, et Sa Majesté avait raison, car, sur mon honneur, il est vrai que les mousquetaires font triste figure à la cour. M. le cardinal racontait hier au jeu du roi, avec un air de condoléance qui me déplut fort, qu'avant-hier ces damnés mousquetaires, ces diables à quatre, ces pourfendeurs, s'étaient attardés rue Férou, dans un cabaret, et qu'une ronde de ses gardes avait été forcée d'arrêter les perturbateurs. Morbleu ! vous devez en savoir quelque chose ! Arrêter des mousquetaires ! Vous en étiez, vous autres, ne vous en défendez pas,

---

1. Vin de mauvaise qualité.

on vous a reconnus, et le cardinal vous a nommés. Voilà bien ma faute, oui, ma faute, puisque c'est moi qui choisis mes hommes. Voyons, vous, Aramis, pourquoi diable m'avez-vous demandé la casaque quand vous alliez être si bien sous la soutane ? Voyons, vous, Porthos, n'avez-vous un si beau baudrier d'or que pour y suspendre une épée de paille ? Et Athos ! je ne vois pas Athos. Où est-il ?

— Monsieur, répondit tristement Aramis, il est malade, fort malade.

— Malade, fort malade, dites-vous ? et de quelle maladie ?

— On craint que ce ne soit de la petite vérole, Monsieur, répondit Porthos voulant mêler à son tour un mot à la conversation, et ce qui serait fâcheux en ce que très certainement cela gâterait son visage.

— De la petite vérole ! Voilà encore une glorieuse histoire que vous me contez là, Porthos !... Malade de la petite vérole, à son âge ?... Non pas !... mais blessé sans doute, tué peut-être... Ah ! si je le savais !... Sang-dieu ! Messieurs les mousquetaires, je n'entends[1] pas que l'on hante ainsi les mauvais lieux, qu'on se prenne de querelle dans la rue et qu'on joue de l'épée dans les carrefours. Je ne veux pas enfin qu'on prête à rire aux gardes de M. le cardinal, qui sont de braves gens, tranquilles, adroits, qui ne se mettent jamais dans le cas d'être arrêtés, et qui d'ailleurs ne se laisseraient pas

_____

1. Je ne veux pas.

50

arrêter, eux !... j'en suis sûr... Ils aimeraient mieux mourir sur la place que de faire un pas en arrière... Se sauver, détaler, fuir, c'est bon pour les mousquetaires du roi, cela !

Porthos et Aramis frémissaient de rage. Ils auraient volontiers étranglé M. de Tréville, si au fond de tout cela ils n'avaient pas senti que c'était le grand amour qu'il leur portait qui le faisait leur parler ainsi. Ils frappaient le tapis du pied, se mordaient les lèvres jusqu'au sang et serraient de toute leur force la garde de leur épée. Au-dehors on avait entendu appeler, comme nous l'avons dit, Athos, Porthos et Aramis, et l'on avait deviné, à l'accent de la voix de M. de Tréville, qu'il était parfaitement en colère. Dix têtes curieuses étaient appuyées à la tapisserie et pâlissaient de fureur, car leurs oreilles collées à la porte ne perdaient pas une syllabe de ce qui se disait, tandis que leurs bouches répétaient au fur et à mesure les paroles insultantes du capitaine à toute la population de l'antichambre. En un instant, depuis la porte du cabinet jusqu'à la porte de la rue, tout l'hôtel fut en ébullition.

— Ah ! les mousquetaires du roi se font arrêter par les gardes de M. le cardinal, continua M. de Tréville aussi furieux à l'intérieur que ses soldats, mais saccadant ses paroles et les plongeant une à une pour ainsi dire et comme autant de coups de stylet[1] dans la poitrine de ses auditeurs. Ah ! six gardes de Son Émi-

---

1. Poignard.

nence arrêtent six mousquetaires de Sa Majesté ! Morbleu ! j'ai pris mon parti. Je vais de ce pas au Louvre ; je donne ma démission de capitaine des mousquetaires du roi pour demander une lieutenance dans les gardes du cardinal, et s'il me refuse, morbleu ! je me fais abbé.

À ces paroles, le murmure de l'extérieur devint une explosion : partout on n'entendait que jurons et blasphèmes. Les *morbleu* ! les *sangdieu* ! les *morts de tous les diables* ! se croisaient dans l'air. D'Artagnan cherchait une tapisserie derrière laquelle se cacher, et se sentait une envie démesurée de se fourrer sous la table.

— Eh bien ! mon capitaine, dit Porthos hors de lui, la vérité est que nous étions six contre six, mais nous avons été pris en traître, et avant que nous eussions eu le temps de tirer nos épées, deux d'entre nous étaient tombés morts, et Athos, blessé grièvement, ne valait guère mieux. Car vous le connaissez, Athos ; eh bien ! capitaine, il a essayé de se relever deux fois, et il est retombé deux fois. Cependant nous ne nous sommes pas rendus, non ! l'on nous a entraînés de force. En chemin, nous nous sommes sauvés. Quant à Athos, on l'avait cru mort, et on l'a laissé bien tranquillement sur le champ de bataille, ne pensant pas qu'il valût la peine d'être emporté. Voilà l'histoire. Que diable, capitaine ! on ne gagne pas toutes les batailles. Le grand Pompée a perdu celle de Pharsale[1], et le roi François Ier, qui, à ce que j'ai entendu dire, en valait bien un autre, a perdu cependant celle de Pavie[2].

— Et j'ai l'honneur de vous assurer que j'en ai tué un avec sa propre épée, dit Aramis, car la mienne s'est brisée à la première parade... Tué ou poignardé, Monsieur, comme il vous sera agréable.

— Je ne savais pas cela, reprit M. de Tréville d'un ton un peu radouci. M. le cardinal avait exagéré, à ce que je vois.

— Mais de grâce, Monsieur, continua Aramis, qui, voyant son capitaine s'apaiser, osait hasarder une prière, de grâce, Monsieur, ne dites pas qu'Athos lui-même est blessé : il serait au désespoir que cela parvînt aux oreilles du roi, et comme la blessure est des plus graves, attendu qu'après avoir traversé l'épaule elle pénètre dans la poitrine, il serait à craindre...

Au même instant la portière se souleva, et une tête noble et belle, mais affreusement pâle, parut sous la frange.

— Athos ! s'écrièrent les deux mousquetaires.

— Athos ! répéta M. de Tréville lui-même.

— Vous m'avez mandé[3], Monsieur, dit Athos à M. de Tréville d'une voix affaiblie mais parfaitement calme, vous m'avez demandé, à ce que m'ont dit nos

---

1. À la bataille de Pharsale (48 av. J.-C.), le général romain Pompée fut battu par Jules César.
2. En 1525, François Ier y fut vaincu et fait prisonnier par les Espagnols.
3. Convoqué.

camarades, et je m'empresse de me rendre à vos ordres ; voilà, Monsieur, que me voulez-vous ?

Et à ces mots le mousquetaire, en tenue irréprochable, sanglé[1] comme de coutume, entra d'un pas ferme dans le cabinet. M. de Tréville, ému jusqu'au fond du cœur de cette preuve de courage, se précipita vers lui.

— J'étais en train de dire à ces Messieurs, ajouta-t-il, que je défends à mes mousquetaires d'exposer leurs jours sans nécessité, car les braves gens sont bien chers au roi, et le roi sait que ses mousquetaires sont les plus braves gens de la terre. Votre main, Athos.

Et sans attendre que le nouveau venu répondît de lui-même à cette preuve d'affection, M. de Tréville saisissait sa main droite et la lui serrait de toutes ses forces, sans s'apercevoir qu'Athos, quel que fût son empire sur lui-même, laissait échapper un mouvement de douleur et pâlissait encore, ce que l'on aurait pu croire impossible.

La porte était restée entrouverte, tant l'arrivée d'Athos, dont, malgré le secret gardé, la blessure était connue de tous, avait produit de sensation. Un brouhaha de satisfaction accueillit les derniers mots du capitaine et deux ou trois têtes, entraînées par l'enthousiasme, apparurent par les ouvertures de la tapisserie. Sans doute, M. de Tréville allait réprimer par de

---

1. Serré à la taille.

54

vives paroles cette infraction aux lois de l'étiquette[1], lorsqu'il sentit tout à coup la main d'Athos se crisper dans la sienne, et qu'en portant les yeux sur lui il s'aperçut qu'il allait s'évanouir. Au même instant, Athos, qui avait rassemblé toutes ses forces pour lutter contre la douleur, vaincu enfin par elle, tomba sur le parquet comme s'il fût mort.

— Un chirurgien ! cria M. de Tréville. Le mien, celui du roi, le meilleur ! Un chirurgien ! ou, sang-dieu ! mon brave Athos va trépasser.

Aux cris de M. de Tréville, tout le monde se précipita dans son cabinet sans qu'il songeât à en fermer la porte à personne, chacun s'empressant autour du blessé. Mais tout cet empressement eût été inutile, si le docteur demandé ne se fût trouvé dans l'hôtel même ; il fendit la foule, s'approcha d'Athos toujours évanoui, et, comme tout ce bruit et tout ce mouvement le gênait fort, il demanda comme première chose et comme la plus urgente que le mousquetaire fût emporté dans une chambre voisine. Aussitôt M. de Tréville ouvrit une porte et montra le chemin à Porthos et à Aramis, qui emportèrent leur camarade dans leurs bras. Derrière ce groupe marchait le chirurgien, et derrière le chirurgien, la porte se referma.

Alors le cabinet de M. de Tréville, ce lieu ordinairement si respecté, devint momentanément une succursale de l'antichambre. Chacun discourait, pérorait,

---

1. La bienséance, le cérémonial de cour.

parlait haut, jurant, sacrant, donnant le cardinal et ses gardes à tous les diables.

Un instant après, Porthos et Aramis rentrèrent ; le chirurgien et M. de Tréville seuls étaient restés près du blessé.

Enfin M. de Tréville rentra à son tour. Le blessé avait repris connaissance ; le chirurgien déclarait que l'état du mousquetaire n'avait rien qui pût inquiéter ses amis, sa faiblesse ayant été purement et simplement occasionnée par la perte de son sang.

Puis M. de Tréville fit un signe de la main, et chacun se retira, excepté d'Artagnan, qui n'oubliait point qu'il avait audience et qui, avec sa ténacité de Gascon, était demeuré à la même place.

Lorsque tout le monde fut sorti et que la porte fut refermée, M. de Tréville se retourna et se trouva seul avec le jeune homme.

L'événement qui venait d'arriver lui avait quelque peu fait perdre le fil de ses idées. Il s'informa de ce que lui voulait l'obstiné solliciteur. D'Artagnan alors se nomma, et M. de Tréville, se rappelant d'un seul coup tous ses souvenirs du présent et du passé, se trouva au courant de sa situation.

— Pardon, lui dit-il en souriant, pardon, mon cher compatriote, mais je vous avais parfaitement oublié. Que voulez-vous ! un capitaine n'est rien qu'un père de famille chargé d'une plus grande responsabilité qu'un père de famille ordinaire. Les soldats sont de grands enfants ; mais comme je tiens à ce que les ordres du roi, et surtout ceux de M. le cardinal, soient exécutés...

D'Artagnan ne put dissimuler un sourire. À ce sourire, M. de Tréville jugea qu'il n'avait point affaire à un sot, et venant droit au fait, tout en changeant de conversation :

— J'ai beaucoup aimé Monsieur votre père, dit-il. Que puis-je faire pour son fils ? hâtez-vous, mon temps n'est pas à moi.

— Monsieur, dit d'Artagnan, en quittant Tarbes et en venant ici, je me proposais de vous demander, en souvenir de cette amitié dont vous n'avez pas perdu mémoire, une casaque de mousquetaire ; mais, après tout ce que je vois depuis deux heures, je comprends qu'une telle faveur serait énorme, et je tremble de ne point la mériter.

— C'est une faveur en effet, jeune homme, répondit M. de Tréville ; mais elle peut ne pas être si fort au-dessus de vous que vous le croyez ou que vous avez l'air de le croire. Toutefois une décision de Sa Majesté a prévu ce cas, et je vous annonce avec regret qu'on ne reçoit personne mousquetaire avant l'épreuve préalable de quelques campagnes, de certaines actions d'éclat, ou d'un service de deux ans dans quelque autre régiment moins favorisé que le nôtre.

D'Artagnan s'inclina sans rien répondre. Il se sentait encore plus avide d'endosser l'uniforme de mousquetaire depuis qu'il y avait de si grandes difficultés à l'obtenir.

— Mais, continua Tréville en fixant sur son compatriote un regard si perçant qu'on eût dit qu'il voulait lire jusqu'au fond de son cœur, mais, en faveur de votre père, mon ancien compagnon, comme je vous l'ai dit, je veux faire quelque chose pour vous, jeune homme. Nos cadets de Béarn ne sont ordinairement pas riches, et je doute que les choses aient fort changé de face depuis mon départ de la province. Vous ne devez donc pas avoir de trop, pour vivre, de l'argent que vous avez apporté avec vous.

D'Artagnan se redressa d'un air fier qui voulait dire qu'il ne demandait l'aumône à personne.

— C'est bien, jeune homme, c'est bien, continua Tréville, je connais ces airs-là, je suis venu à Paris avec quatre écus dans ma poche, et je me serais battu avec quiconque m'aurait dit que je n'étais pas en état d'acheter le Louvre.

D'Artagnan se redressa de plus en plus ; grâce à la vente de son cheval, il commençait sa carrière avec quatre écus de plus que M. de Tréville n'avait commencé la sienne.

— Vous devez donc, disais-je, avoir besoin de conserver ce que vous avez, si forte que soit cette somme ; mais vous devez avoir besoin aussi de vous perfectionner dans les exercices qui conviennent à un gentilhomme. J'écrirai dès aujourd'hui une lettre au directeur de l'Académie [1] royale, et dès demain il vous recevra sans rétribution aucune. Ne refusez pas cette petite douceur. Nos gentilshommes les mieux nés et les plus riches la sollicitent quelquefois, sans pouvoir l'obtenir. Vous apprendrez le manège du cheval, l'escrime et la danse ; vous y ferez de bonnes connaissances, et de temps en temps vous reviendrez me voir pour me dire où vous en êtes et si je puis faire quelque chose pour vous.

D'Artagnan, tout étranger qu'il fût encore aux façons de cour, s'aperçut de la froideur de cet accueil.

— Hélas, Monsieur, dit-il, je vois combien la lettre de recommandation que mon père m'avait remise pour vous me fait défaut aujourd'hui !

— En effet, répondit M. de Tréville, je m'étonne que vous ayez entrepris un aussi long voyage sans ce viatique[2] obligé, notre seule ressource à nous autres Béarnais.

— Je l'avais, Monsieur, et, Dieu merci, en bonne forme, s'écria d'Artagnan ; mais on me l'a perfidement dérobé.

Et il raconta toute la scène de Meung, dépeignit le gentilhomme inconnu dans ses moindres détails, le tout avec une chaleur, une vérité qui charmèrent M. de Tréville.

---

1. Lieu où les jeunes gens apprenaient l'équitation et le métier des armes.
2. Argent et provision de voyage.

— Voilà qui est étrange, dit ce dernier en méditant ; vous aviez donc parlé de moi tout haut ?

— Oui, Monsieur, sans doute j'avais commis cette imprudence ; que voulez-vous, un nom comme le vôtre devait me servir de bouclier en route : jugez si je me suis mis souvent à couvert !

La flatterie était fort de mise alors, et M. de Tréville aimait l'encens comme un roi ou comme un cardinal. Il ne put donc s'empêcher de sourire avec une visible satisfaction, mais ce sourire s'effaça bientôt, et revenant de lui-même à l'aventure de Meung :

— Dites-moi, continua-t-il, ce gentilhomme n'avait-il pas une légère cicatrice à la tempe ?

— Oui, comme le ferait l'éraflure d'une balle.

— N'était-ce pas un homme de belle mine ?

— Oui.

— De haute taille ?

— Oui.

— Pâle de teint et brun de poil ?

— Oui, oui, c'est cela. Comment se fait-il. Monsieur, que vous connaissiez cet homme ? Ah ! si jamais je le retrouve, et je le retrouverai, je vous le jure, fût-ce en enfer...

— Il attendait une femme ? continua Tréville.

— Il est du moins parti après avoir causé un instant avec celle qu'il attendait.

— Vous ne savez pas quel était le sujet de leur conversation ?

— Il lui remettait une boîte, lui disait que cette boîte contenait ses instructions, et lui recommandait de ne l'ouvrir qu'à Londres.

— Cette femme était Anglaise ?

— Il l'appelait Milady.

— C'est lui ! murmura Tréville, c'est lui ! je le croyais encore à Bruxelles !

— Oh ! Monsieur, si vous savez quel est cet homme, s'écria d'Artagnan, indiquez-moi qui il est et d'où il est, puis je vous tiens quitte de tout, même de votre promesse de me faire entrer dans les mousquetaires ; car avant toute chose je veux me venger.

— Gardez-vous-en bien, jeune homme, s'écria Tréville ; si vous le voyez venir, au contraire, d'un côté de la rue, passez de l'autre ! Ne vous heurtez pas à un pareil rocher : il vous briserait comme un verre.

— Cela n'empêche pas, dit d'Artagnan, que si jamais je le retrouve...

— En attendant, reprit Tréville, ne le cherchez pas, si j'ai un conseil à vous donner.

Tout à coup Tréville s'arrêta, frappé d'un soupçon subit.

Cette grande haine que manifestait si hautement le jeune voyageur pour cet homme, qui, chose assez peu vraisemblable, lui avait dérobé la lettre de son père, cette haine ne cachait-elle pas quelque perfidie ? ce jeune homme n'était-il pas envoyé par Son Éminence ? ne venait-il pas pour lui tendre quelque piège ? ce prétendu d'Artagnan n'était-il pas un émissaire du cardinal qu'on cherchait à introduire dans sa maison, et qu'on avait placé près de lui pour surprendre sa confiance et pour le perdre plus tard, comme cela s'était mille fois pratiqué ? Il regarda d'Artagnan plus fixement encore cette seconde fois que la première. Il fut médiocrement rassuré par l'aspect de cette physionomie pétillante d'esprit astucieux et d'humilité affectée.

« Je sais bien qu'il est Gascon, pensa-t-il ; mais il peut l'être aussi bien pour le cardinal que pour moi. Voyons, éprouvons-le. »

— Mon ami, lui dit-il lentement, je veux, comme au fils de mon ancien ami, car je tiens pour vraie l'histoire de cette lettre perdue, je veux, dis-je, pour réparer la froideur que vous avez d'abord remarquée dans mon accueil, vous découvrir les secrets de notre politique. Le roi et le cardinal sont les meilleurs amis ; leurs apparents démêlés ne sont que pour tromper les sots. Je ne prétends[1] pas qu'un compatriote, un joli cavalier, un brave garçon, fait pour avancer, soit la dupe de toutes ces feintises[2] et donne comme un niais dans le panneau, à la suite de tant d'autres qui s'y sont perdus. Songez bien que je suis dévoué à ces deux maîtres tout-puissants, et que jamais mes démarches sérieuses n'auront d'autre but que le service du roi et

---

1. Je ne veux pas.
2. Tromperies, ruses.

celui de M. le cardinal, un des plus illustres génies que la France ait produits. Maintenant, jeune homme, réglez-vous là-dessus, et si vous avez, soit de famille, soit par relations, soit d'instinct même, quelqu'une de ces inimitiés contre le cardinal telles que nous les voyons éclater chez les gentilshommes, dites-moi adieu, et quittons-nous. Je vous aiderai en mille circonstances, mais sans vous attacher à ma personne. J'espère que ma franchise, en tout cas, vous fera mon ami ; car vous êtes jusqu'à présent le seul jeune homme à qui j'aie parlé comme je le fais.

Tréville se disait à part lui :

« Si le cardinal m'a dépêché ce jeune renard, il n'aura certes pas manqué, lui qui sait à quel point je l'exècre, de dire à son espion que le meilleur moyen de me faire la cour est de me dire pis que pendre de lui ; aussi, malgré mes protestations, le rusé compère va-t-il me répondre bien certainement qu'il a l'Éminence en horreur. »

Il en fut tout autrement que s'y attendait Tréville ; d'Artagnan répondit avec la plus grande simplicité :

— Monsieur, j'arrive à Paris avec des intentions toutes semblables. Mon père m'a recommandé de ne souffrir rien que du roi, de M. le cardinal et de vous, qu'il tient pour les trois premiers de France.

D'Artagnan ajoutait M. de Tréville aux deux autres, comme on peut s'en apercevoir, mais il pensait que cette adjonction ne devait rien gâter.

— J'ai donc la plus grande vénération pour M. le cardinal, continua-t-il, et le plus profond respect pour ses actes. Tant mieux pour moi, Monsieur, si vous me parlez, comme vous le dites, avec franchise ; car alors vous me ferez l'honneur d'estimer cette ressemblance de goût ; mais si vous avez eu quelque défiance, bien naturelle d'ailleurs, je sens que je me perds en disant la vérité ; mais, tant pis, vous ne laisserez pas que de m'estimer[1], et c'est à quoi je tiens plus qu'à toute chose au monde.

M. de Tréville fut surpris au dernier point. Tant de pénétration, tant de franchise enfin, lui causait de l'admiration, mais ne levait pas entièrement ses doutes : plus ce jeune homme était supérieur aux autres jeunes gens, plus il était à redouter s'il se trompait. Néanmoins il serra la main à d'Artagnan, et lui dit :

— Vous êtes un honnête garçon, mais dans ce moment je ne puis faire que ce que je vous ai offert tout à l'heure. Mon hôtel vous sera toujours ouvert. Plus tard, pouvant me demander à toute heure et par conséquent saisir toutes les occasions, vous obtiendrez probablement ce que vous désirez obtenir.

— C'est-à-dire, Monsieur, reprit d'Artagnan, que vous attendez que je m'en sois rendu digne. Eh bien ! soyez tranquille, ajouta-t-il avec la familiarité du Gascon, vous n'attendrez pas longtemps.

---

1. Vous m'estimerez malgré tout.

Et il salua pour se retirer, comme si désormais le reste le regardait.

— Mais attendez donc, dit M. de Tréville en l'arrêtant, je vous ai promis une lettre pour le directeur de l'Académie. Êtes-vous trop fier pour l'accepter, mon jeune gentilhomme ?

— Non, Monsieur, dit d'Artagnan ; je vous réponds qu'il n'en sera pas de celle-ci comme de l'autre. Je la garderai si bien qu'elle arrivera, je vous le jure, à son adresse, et malheur à celui qui tenterait de me l'enlever !

M. de Tréville sourit à cette fanfaronnade, et, laissant son jeune compatriote dans l'embrasure de la fenêtre où ils se trouvaient et où ils avaient causé ensemble, il alla s'asseoir à une table et se mit à écrire la lettre de recommandation promise. Pendant ce temps, d'Artagnan, qui n'avait rien de mieux à faire, se mit à battre une marche contre les carreaux[1] regardant les mousquetaires qui s'en allaient les uns après les autres, et les suivant du regard jusqu'à ce qu'ils eussent disparu au tournant de la rue.

M. de Tréville, après avoir écrit la lettre, la cacheta et, se levant, s'approcha du jeune homme pour la lui donner ; mais au moment même où d'Artagnan étendait la main pour la recevoir, M. de Tréville fut bien étonné de voir son protégé faire un soubresaut, rougir de colère et s'élancer hors du cabinet en criant :

_____
1. Il scandait une marche militaire avec ses doigts contre la vitre.

— Ah ! sangdieu ! il ne m'échappera pas, cette fois.

— Et qui cela ? demanda M. de Tréville.

— Lui, mon voleur ! répondit d'Artagnan. Ah ! traître !

Et il disparut.

— Diable de fou ! murmura M. de Tréville. À moins toutefois, ajouta-t-il, que ce ne soit une manière adroite de s'esquiver, en voyant qu'il a manqué son coup.

4

cross belt
é bee

L'épaule d'Athos, le baudrier de Porthos et le mouchoir d'Aramis

D'Artagnan, furieux, avait traversé l'antichambre en trois bonds et s'élançait sur l'escalier, dont il comptait descendre les degrés quatre à quatre, lorsque, emporté par sa course, il alla donner tête baissée dans un mousquetaire qui sortait de chez M. de Tréville par une porte de dégagement, et, le heurtant du front à l'épaule, lui fit pousser un cri ou plutôt un hurlement.

— Excusez-moi, dit d'Artagnan, essayant de reprendre sa course, excusez-moi, mais je suis pressé.

À peine avait-il descendu le premier escalier, qu'un poignet de fer le saisit par son écharpe et l'arrêta.

— Vous êtes pressé ! s'écria le mousquetaire, pâle

comme un linceul ; sous ce prétexte, vous me heurtez, vous dites : « Excusez-moi », et vous croyez que cela suffit ? Pas tout à fait, mon jeune homme. Croyez-vous, parce que vous avez entendu M. de Tréville nous parler un peu cavalièrement aujourd'hui, que l'on peut nous traiter comme il nous parle ? Détrompez-vous, compagnon, vous n'êtes pas M. de Tréville, vous.

— Ma foi, répliqua d'Artagnan, qui reconnut Athos, lequel, après le pansement opéré par le docteur, regagnait son appartement, ma foi, je ne l'ai pas fait exprès, j'ai dit : « Excusez-moi. » Il me semble donc que c'est assez. Je vous répète cependant, et cette fois c'est trop peut-être, parole d'honneur ! je suis pressé, très pressé. Lâchez-moi donc, je vous prie, et laissez-moi aller où j'ai affaire.

— Monsieur, dit Athos en le lâchant, vous n'êtes pas poli. On voit que vous venez de loin.

D'Artagnan avait déjà enjambé trois ou quatre degrés, mais à la remarque d'Athos il s'arrêta court.

— Morbleu, Monsieur ! dit-il, de si loin que je vienne, ce n'est pas vous qui me donnerez une leçon de belles manières, je vous préviens.

— Peut-être, dit Athos.

— Ah ! si je n'étais pas si pressé, s'écria d'Artagnan, et si je ne courais pas après quelqu'un...

— Monsieur l'homme pressé, vous me trouverez sans courir, moi, entendez-vous ?

— Et où cela, s'il vous plaît ?

— Près des Carmes-Deschaux[1].

— À quelle heure ?

— Vers midi.

— Vers midi, c'est bien, j'y serai.

— Tâchez de ne pas me faire attendre, car à midi un quart je vous préviens que c'est moi qui courrai après vous et vous couperai les oreilles à la course.

— Bon ! lui cria d'Artagnan ; on y sera à midi moins dix minutes.

Et il se mit à courir comme si le diable l'emportait, espérant retrouver encore son inconnu, que son pas tranquille ne devait pas avoir conduit bien loin.

Mais, à la porte de la rue, causait Porthos avec un soldat aux gardes. Entre les deux causeurs, il y avait juste l'espace d'un homme. D'Artagnan crut que cet espace lui suffirait, et il s'élança pour passer comme une flèche entre eux deux. Mais d'Artagnan avait compté sans le vent. Comme il allait passer, le vent s'engouffra dans le long manteau de Porthos, et d'Artagnan vint donner droit dans le manteau. Sans doute, Porthos avait des raisons de ne pas abandonner cette partie essentielle de son vêtement, car, au lieu de laisser aller le pan qu'il tenait, il tira à lui, de sorte que d'Artagnan s'enroula dans le velours par un mouvement de rotation qu'explique la résistance de l'obstiné Porthos.

D'Artagnan, entendant jurer le mousquetaire, vou-

---

1. Ou Carmes-Déchaussés, couvent près duquel on se battait en duel.

lut sortir de dessous le manteau qui l'aveuglait, et cherche son chemin dans le pli. Il redoutait surtout d'avoir porté atteinte à la fraîcheur du magnifique baudrier que nous connaissons ; mais, en ouvrant timidement les yeux, il se trouva le nez collé entre les deux épaules de Porthos, c'est-à-dire précisément sur le baudrier.

Hélas ! comme la plupart des choses de ce monde qui n'ont pour elles que l'apparence, le baudrier était d'or par-devant et de simple buffle par-derrière. Porthos, en vrai glorieux[1] qu'il était, ne pouvant avoir un baudrier d'or tout entier, en avait au moins la moitié : on comprenait dès lors la nécessité du rhume et l'urgence du manteau.

— Vertubleu ! cria Porthos faisant tous ses efforts pour se débarrasser de d'Artagnan qui lui grouillait dans le dos, vous êtes donc enragé de vous jeter comme cela sur les gens !

— Excusez-moi, dit d'Artagnan reparaissant sous l'épaule du géant, mais je suis très pressé, je cours après quelqu'un, et...

— Est-ce que vous oubliez vos yeux quand vous courez, par hasard ? demanda Porthos.

— Non, répondit d'Artagnan piqué, non, et grâce à mes yeux je vois même ce que ne voient pas les autres.

Porthos comprit ou ne comprit pas, toujours est-il que, se laissant aller à sa colère :

---

1. Vaniteux.

70

— Monsieur, dit-il, vous vous ferez étriller, je vous en préviens, si vous vous frottez ainsi aux mousquetaires.

— Étriller, Monsieur ! dit d'Artagnan, le mot est dur.

— C'est celui qui convient à un homme habitué à regarder en face ses ennemis.

— Ah ! pardieu ! je sais bien que vous ne tournez pas le dos aux vôtres, vous.

Et le jeune homme, enchanté de son espièglerie, s'éloigna en riant à gorge déployée.

Porthos écuma de rage et fit un mouvement pour se précipiter sur d'Artagnan.

— Plus tard, plus tard, lui cria celui-ci, quand vous n'aurez plus votre manteau.

— À une heure donc, derrière le Luxembourg.

— Très bien, à une heure, répondit d'Artagnan en tournant l'angle de la rue.

Mais ni dans la rue qu'il venait de parcourir, ni dans celle qu'il embrassait maintenant du regard, il ne vit personne. Si doucement qu'eût marché l'inconnu, il avait gagné du chemin ; peut-être aussi était-il entré dans quelque maison. D'Artagnan s'informa de lui à tous ceux qu'il rencontra, descendit jusqu'au bac, remonta par la rue de Seine et la Croix-Rouge ; mais rien, absolument rien. Cependant cette course lui fut profitable en ce sens qu'à mesure que la sueur inondait son front, son cœur se refroidissait.

Il se mit alors à réfléchir sur les événements qui venaient de se passer ; ils étaient nombreux et néfastes : il était onze heures du matin à peine, et déjà la matinée lui avait apporté la disgrâce de M. de Tréville, qui ne pouvait manquer de trouver un peu cavalière la façon dont d'Artagnan l'avait quitté.

En outre, il avait ramassé deux bons duels avec deux hommes capables de tuer chacun trois d'Artagnan, avec deux mousquetaires enfin, c'est-à-dire avec deux de ces êtres qu'il estimait si fort qu'il les mettait, dans sa pensée et dans son cœur, au-dessus de tous les autres hommes.

La conjoncture était triste. Sûr d'être tué par Athos, on comprend que le jeune homme ne s'inquiétait pas beaucoup de Porthos. Pourtant, comme l'espérance est la dernière chose qui s'éteint dans le cœur de l'homme, il en arriva à espérer qu'il pourrait survivre, avec des blessures terribles, bien entendu, à ces deux duels, et, en cas de survivance, il se fit pour l'avenir les réprimandes suivantes :

« Quel écervelé je fais, et quel butor je suis ! Ce brave et malheureux Athos était blessé juste à l'épaule contre laquelle je m'en vais, moi, donner de la tête comme un bélier. La seule chose qui m'étonne, c'est qu'il ne m'ait pas tué roide ; il en avait le droit, et la douleur que je lui ai causée a dû être atroce. Quant à Porthos ! Oh ! quant à Porthos, ma foi, c'est plus drôle. »

Et malgré lui le jeune homme se mit à rire, tout en regardant néanmoins si ce rire isolé, et sans cause aux yeux de ceux qui le voyaient rire, n'allait pas blesser quelque passant.

« Quant à Porthos, c'est plus drôle ; mais je n'en suis pas moins un misérable étourdi. Se jette-t-on ainsi sur les gens sans dire gare ! non ! et va-t-on leur regarder sous le manteau pour y voir ce qui n'y est pas ! Il m'eût pardonné bien certainement ; il m'eût pardonné si je n'eusse pas été lui parler de ce maudit baudrier, à mots couverts, c'est vrai ; oui, couverts joliment ! Ah ! maudit Gascon que je suis, je ferais de l'esprit dans la poêle à frire[1]. Allons, d'Artagnan mon ami, continua-t-il, se parlant à lui-même avec toute l'aménité[2] qu'il croyait se devoir, si tu en réchappes, ce qui n'est pas probable, il s'agit d'être à l'avenir d'une politesse parfaite. Désormais il faut qu'on t'admire, qu'on te cite comme modèle. Être prévenant et poli, ce n'est pas être lâche. Regardez plutôt Aramis : Aramis, c'est la douceur, c'est la grâce en personne. Eh bien ! personne s'est-il jamais avisé de dire qu'Aramis était un lâche ? Non, bien certainement, et désormais je veux en tout point me modeler sur lui. Ah ! justement le voici. »

D'Artagnan, tout en marchant et en monologuant, était arrivé à quelques pas de l'hôtel d'Aiguillon, et

---

1. Même au moment de passer de vie à trépas.
2. Douceur, politesse.

73

devant cet hôtel il avait aperçu Aramis causant gaie-
ment avec trois gentilshommes des gardes du roi. De
son côté, Aramis aperçut d'Artagnan ; mais comme il
n'oubliait point que c'était devant ce jeune homme
que M. de Tréville s'était si fort emporté le matin, et
qu'un témoin des reproches que les mousquetaires
avaient reçus ne lui était d'aucune façon agréable, il
fit semblant de ne pas le voir.

D'Artagnan, tout entier au contraire à ses plans de
conciliation et de courtoisie, s'approcha des quatre
jeunes gens en leur faisant un grand salut accompagné
du plus gracieux sourire. Aramis inclina légèrement la
tête, mais ne sourit point. Tous quatre, au reste, inter-
rompirent à l'instant même leur conversation.

D'Artagnan n'était pas assez niais pour ne point
s'apercevoir qu'il était de trop ; mais il n'était pas
encore assez rompu[1] aux façons du beau monde pour
se tirer galamment d'une situation fausse comme l'est,
en général, celle d'un homme qui est venu se mêler à
des gens qu'il connaît à peine et à une conversation qui
ne le regarde pas. Il cherchait donc en lui-même un
moyen de faire sa retraite le moins gauchement possible, lorsqu'il remarqua qu'Aramis avait laissé tomber
son mouchoir et, par mégarde sans doute, avait mis le
pied dessus ; le moment lui parut arrivé de réparer son
inconvenance : il se baissa, et de l'air le plus gracieux
qu'il pût trouver, il tira le mouchoir de dessous le pied

---

1. Habitué, exercé.

du mousquetaire, quelques efforts que celui-ci fît pour le retenir, et lui dit en le lui remettant :

— Je crois, Monsieur, que voici un mouchoir que vous seriez fâché de perdre.

Le mouchoir était en effet richement brodé et portait une couronne et des armes[1] à l'un de ses coins. Aramis rougit excessivement et arracha plutôt qu'il ne prit le mouchoir des mains du Gascon.

— Ah ! Ah ! s'écria un des gardes, diras-tu encore, discret Aramis, que tu es mal avec Mme de Bois-Tracy, quand cette gracieuse dame a l'obligeance de te prêter ses mouchoirs ?

Aramis lança à d'Artagnan un de ces regards qui font comprendre à un homme qu'il vient de s'acquérir un ennemi mortel ; puis, reprenant son air doucereux :

— Vous vous trompez, Messieurs, dit-il, ce mouchoir n'est pas à moi, et je ne sais pourquoi Monsieur a eu la fantaisie de me le remettre plutôt qu'à l'un de vous, et la preuve de ce que je dis, c'est que voici le mien dans ma poche.

À ces mots, il tira son propre mouchoir, mouchoir fort élégant aussi, et de fine batiste[2], quoique la batiste fût chère à cette époque, mais mouchoir sans broderie, sans armes et orné d'un seul chiffre[3], celui de son propriétaire.

---

1. Armoiries, blasons.
2. Toile de lin très fine.
3. Les initiales d'Aramis.

Cette fois, d'Artagnan ne souffla pas mot, il avait reconnu sa bévue ; mais les amis d'Aramis ne se laissèrent pas convaincre par ses dénégations, et l'un d'eux, s'adressant au jeune mousquetaire avec un sérieux affecté :

— Si cela était, dit-il, ainsi que tu le prétends, je serais forcé, mon cher Aramis, de te le redemander ; car, comme tu le sais, Bois-Tracy est de mes intimes, et je ne veux pas qu'on fasse trophée des effets de sa femme.

— Tu demandes cela mal, répondit Aramis ; et tout en reconnaissant la justesse de ta réclamation quant au fond, je refuserais à cause de la forme.

— Le fait est, hasarda timidement d'Artagnan, que je n'ai pas vu sortir le mouchoir de la poche de M. Aramis. Il avait le pied dessus, voilà tout, et j'ai pensé que, puisqu'il avait le pied dessus, le mouchoir était à lui.

— Et vous vous êtes trompé, mon cher Monsieur, répondit froidement Aramis, peu sensible à la réparation.

Puis, se retournant vers celui des gardes qui s'était déclaré l'ami de Bois-Tracy :

— D'ailleurs, continua-t-il, je réfléchis, mon cher intime de Bois-Tracy, que je suis son ami non moins tendre que tu peux l'être toi-même ; de sorte qu'à la rigueur ce mouchoir peut aussi bien être sorti de ta poche que de la mienne.

— Non, sur mon honneur ! s'écria le garde de Sa Majesté.

— Tu vas jurer sur ton honneur et moi sur ma parole, et alors il y aura évidemment un de nous deux qui mentira. Tiens, faisons mieux, Montaran, prenons-en chacun la moitié.

— Du mouchoir ?

— Oui.

— Parfaitement, s'écrièrent les deux autres gardes, le jugement du roi Salomon[1]. Décidément, Aramis, tu es plein de sagesse.

Les jeunes gens éclatèrent de rire, et comme on le pense bien, l'affaire n'eut pas d'autre suite. Au bout d'un instant, la conversation cessa, et les trois gardes et le mousquetaire, après s'être cordialement serré la main, tirèrent[2], les trois gardes de leur côté et Aramis du sien.

« Voilà le moment de faire ma paix avec ce galant homme », se dit à part lui d'Artagnan, qui s'était tenu un peu à l'écart pendant toute la dernière partie de cette conversation. Et, sur ce bon sentiment, se rapprochant d'Aramis, qui s'éloignait sans faire autrement attention à lui :

— Monsieur, lui dit-il, vous m'excuserez, je l'espère.

— Ah ! Monsieur, interrompit Aramis, permettez-

---

1. Roi d'Israël célèbre dans l'Antiquité pour son sens de la justice.
2. S'en allèrent.

moi de vous faire observer que vous n'avez point agi en cette circonstance comme un galant homme le devait faire.

— Quoi, Monsieur ! s'écria d'Artagnan, vous supposez...

— Je suppose, Monsieur, que vous n'êtes pas un sot, et que vous savez bien, quoique arrivant de Gascogne, qu'on ne marche pas sans cause sur les mouchoirs de poche. Que diable ! Paris n'est point pavé en batiste.

— Monsieur, vous avez tort de chercher à m'humilier, dit d'Artagnan, chez qui le naturel querelleur commençait à parler plus haut que les résolutions pacifiques. Je suis de Gascogne, c'est vrai, et puisque vous le savez, je n'aurai pas besoin de vous dire que les Gascons sont peu endurants[1] ; de sorte que, lorsqu'ils se sont excusés une fois, fût-ce d'une sottise, ils sont convaincus qu'ils ont déjà fait moitié plus qu'ils ne devaient faire.

— Monsieur, ce que je vous en dis, répondit Aramis, n'est point pour vous chercher une querelle. Dieu merci ! je ne suis pas un spadassin[2], et n'étant mousquetaire que par intérim, je ne me bats que lorsque j'y suis forcé, et toujours avec une grande répugnance ; mais cette fois l'affaire est grave, car voici une dame compromise par vous.

---

1. Patients.
2. Un homme habile à manier l'épée.

— Par nous, c'est-à-dire, s'écria d'Artagnan.

— Pourquoi avez-vous eu la maladresse de me rendre le mouchoir ?

— Pourquoi avez-vous eu celle de le laisser tomber ?

— J'ai dit et je répète, Monsieur, que ce mouchoir n'est point sorti de ma poche.

— Eh bien ! vous en avez menti deux fois, Monsieur, car je l'en ai vu sortir, moi.

— Ah ! vous le prenez sur ce ton, Monsieur le Gascon ! eh bien ! je vous apprendrai à vivre.

— Et moi je vous renverrai à votre messe, Monsieur l'abbé ! Dégainez, s'il vous plaît, et à l'instant même.

— Non pas, s'il vous plaît, mon bel ami ; non, pas ici, du moins. Ne voyez-vous pas que nous sommes en face de l'hôtel d'Aiguillon, lequel est plein de créatures du cardinal ? Qui me dit que ce n'est pas Son Éminence qui vous a chargé de lui procurer ma tête ? Or j'y tiens ridiculement, à ma tête, attendu qu'elle me semble aller assez correctement à mes épaules. Je veux donc vous tuer, soyez tranquille, mais vous tuer tout doucement, dans un endroit clos et couvert, là où vous ne puissiez vous vanter de votre mort à personne.

— Je le veux bien, mais ne vous y fiez pas, et emportez votre mouchoir, qu'il vous appartienne ou non ; peut-être aurez-vous l'occasion de vous en servir.

— Monsieur est Gascon ? demanda Aramis.

— Oui. Monsieur ne remet pas un rendez-vous par prudence ?

— La prudence, Monsieur, est une vertu assez inutile aux mousquetaires, je le sais, mais indispensable aux gens d'Église, et comme je ne suis mousquetaire que provisoirement, je tiens à rester prudent. À deux heures, j'aurai l'honneur de vous attendre à l'hôtel de M. de Tréville. Là je vous indiquerai les bons endroits.

Les deux jeunes gens se saluèrent, puis Aramis s'éloigna en remontant la rue qui remontait au Luxembourg, tandis que d'Artagnan, voyant que l'heure s'avançait, prenait le chemin des Carmes-Deschaux, tout en disant à part soi :

« Décidément, je n'en puis pas revenir ; mais au moins, si je suis tué, je serai tué par un mousquetaire. »

5

Les mousquetaires du roi
et les gardes de M. le cardinal

D'Artagnan ne connaissait personne à Paris. Il alla
donc au rendez-vous d'Athos sans amener de second,
résolu de se contenter de ceux qu'aurait choisis son
adversaire. D'ailleurs son intention était formelle de
faire au brave mousquetaire toutes les excuses conve-
nables, mais sans faiblesse, craignant qu'il ne résultât
de ce duel ce qui résulte toujours de fâcheux, dans une
affaire de ce genre, quand un homme jeune et vigoureux se bat contre un adversaire blessé et affaibli :
vaincu, il double le triomphe de son antagoniste ; vainqueur, il est accusé de forfaiture[1] et de facile audace.

---

1. Déloyauté, trahison.

Athos, qui souffrait toujours cruellement de sa blessure, quoiqu'elle eût été pansée à neuf par le chirurgien de M. de Tréville, s'était assis sur une borne et attendait son adversaire avec cette contenance paisible et cet air digne qui ne l'abandonnaient jamais. À l'aspect[1] de d'Artagnan, il se leva et fit poliment quelques pas au-devant de lui. Celui-ci, de son côté, n'aborda son adversaire que le chapeau à la main et sa plume traînant jusqu'à terre.

— Monsieur, dit Athos, j'ai fait prévenir deux de mes amis qui me serviront de seconds, mais ces deux amis ne sont point encore arrivés. Je m'étonne qu'ils tardent : ce n'est pas leur habitude.

— Je n'ai pas de seconds, moi, Monsieur, dit d'Artagnan, car arrivé d'hier seulement à Paris, je n'y connais encore personne que M. de Tréville, auquel j'ai été recommandé par mon père qui a l'honneur d'être quelque peu de ses amis.

Athos réfléchit un instant.

— Vous ne connaissez que M. de Tréville ? demanda-t-il.

— Oui, Monsieur, je ne connais que lui.

— Ah çà, mais…, continua Athos parlant moitié à lui-même, moitié à d'Artagnan, ah çà, mais si je vous tue, j'aurai l'air d'un mangeur d'enfants, moi.

— Pas trop, Monsieur, répondit d'Artagnan avec un salut qui ne manquait pas de dignité ; pas trop,

---

1. À la vue.

82

puisque vous me faites l'honneur de tirer l'épée contre moi avec une blessure dont vous devez être fort incommodé.

— Très incommodé, sur ma parole, et vous m'avez fait un mal du diable, je dois le dire ; mais je prendrai la main gauche, c'est mon habitude en pareille circonstance. Ne croyez donc pas que je vous fasse une grâce, je tire proprement des deux mains ; et il y aura même désavantage pour vous : un gaucher est très gênant pour les gens qui ne sont pas prévenus. Je regrette de ne pas vous avoir fait part plus tôt de cette circonstance.

— Vous êtes vraiment, Monsieur, dit d'Artagnan en s'inclinant de nouveau, d'une courtoisie dont je vous suis on ne peut plus reconnaissant.

— Vous me rendez confus, répondit Athos avec son air de gentilhomme ; causons donc d'autre chose, je vous prie, à moins que cela ne vous soit désagréable. Ah ! sangbleu ! que vous m'avez fait mal ! l'épaule me brûle.

— Si vous vouliez permettre..., dit d'Artagnan avec timidité.

— Quoi, Monsieur ?

— J'ai un baume miraculeux pour les blessures, un baume qui me vient de ma mère, et dont j'ai fait l'épreuve sur moi-même.

— Eh bien ?

— Eh bien ! je suis sûr qu'en moins de trois jours

ce baume vous guérirait, et au bout de trois jours, quand vous seriez guéri, eh bien ! Monsieur, ce me serait toujours un grand honneur d'être votre homme.

D'Artagnan dit ces mots avec une simplicité qui faisait honneur à sa courtoisie, sans porter aucunement atteinte à son courage.

— Pardieu, Monsieur, dit Athos, voici une proposition qui me plaît, non pas que je l'accepte, mais elle sent son gentilhomme d'une lieue. C'est ainsi que parlaient et faisaient ces preux[1] du temps de Charlemagne, sur lesquels tout cavalier[2] doit chercher à se modeler. Malheureusement, nous ne sommes plus au temps du grand empereur. Nous sommes au temps de M. le cardinal, et d'ici à trois jours on saurait, si bien gardé que soit le secret, on saurait, dis-je, que nous devons nous battre, et l'on s'opposerait à notre combat. Ah çà, mais ! ces flâneurs ne viendront donc pas ?

— Si vous êtes pressé, Monsieur, dit d'Artagnan à Athos avec la même simplicité qu'un instant auparavant il lui avait proposé de remettre le duel à trois jours, si vous êtes pressé et qu'il vous plaise de m'expédier tout de suite, ne vous gênez pas, je vous en prie.

— Voilà encore un mot qui me plaît, dit Athos en faisant un gracieux signe de tête à d'Artagnan, il n'est point d'un homme sans cervelle, et il est à coup sûr d'un homme de cœur. Monsieur, j'aime les hommes de

1. Courageux.
2. Homme d'épée.

votre trempe, et je vois que si nous ne nous tuons pas l'un l'autre, j'aurai plus tard un vrai plaisir dans votre conversation. Attendons ces Messieurs, je vous prie, j'ai tout le temps, et cela sera plus correct. Ah ! en voici un, je crois.

En effet, au bout de la rue de Vaugirard commençait à apparaître le gigantesque Porthos.

— Quoi ! s'écria d'Artagnan, votre premier témoin est M. Porthos ?

— Oui, cela vous contrarie-t-il ?

— Non, aucunement.

— Et voici le second.

D'Artagnan se retourna du côté indiqué par Athos, et reconnut Aramis.

— Quoi ! s'écria-t-il d'un accent plus étonné que la première fois, votre second témoin est M. Aramis ?

— Sans doute, ne savez-vous pas qu'on ne nous voit jamais l'un sans l'autre, et qu'on nous appelle, dans les mousquetaires et dans les gardes, à la cour et à la ville, Athos, Porthos et Aramis ou les trois inséparables ? Après cela, comme vous arrivez de Dax ou de Pau...

— De Tarbes, dit d'Artagnan.

— ... Il vous est permis d'ignorer ce détail, dit Athos.

— Ma foi, dit d'Artagnan, vous êtes bien nommés, Messieurs, et mon aventure, si elle fait quelque bruit, prouvera du moins que votre union n'est point fondée sur les contrastes.

Pendant ce temps, Porthos s'était rapproché, avait salué de la main Athos ; puis, se retournant vers d'Artagnan, il était resté tout étonné.

Disons, en passant, qu'il avait changé de baudrier et quitté son manteau.

— Ah ! ah ! fit-il, qu'est-ce que cela ?

— C'est avec Monsieur que je me bats, dit Athos en montrant de la main d'Artagnan, et en le saluant du même geste.

— C'est avec lui que je me bats aussi, dit Porthos.

— Mais à une heure seulement, répondit d'Artagnan.

— Et moi aussi, c'est avec Monsieur que je me bats, dit Aramis en arrivant à son tour sur le terrain.

— Mais à deux heures seulement, fit d'Artagnan avec le même calme.

— Mais à propos de quoi te bats-tu, toi, Athos ? demanda Aramis.

— Ma foi, je ne sais pas trop, il m'a fait mal à l'épaule ; et toi, Porthos ?

— Ma foi, je me bats parce que je me bats, répondit Porthos en rougissant.

Athos, qui ne perdait rien, vit passer un fin sourire sur les lèvres du Gascon.

— Nous avons eu une discussion sur la toilette, dit le jeune homme.

— Et toi, Aramis ? demanda Athos.

— Moi, je me bats pour cause de théologie, répondit Aramis tout en faisant signe à d'Artagnan qu'il le priait de tenir secrète la cause de son duel.

Athos vit passer un second sourire sur les lèvres de d'Artagnan.

— Vraiment, dit Athos.

— Oui, un point de saint Augustin[1] sur lequel nous ne sommes pas d'accord, dit le Gascon.

— Décidément c'est un homme d'esprit, murmura Athos.

— Et maintenant que vous êtes rassemblés, Messieurs, dit d'Artagnan, permettez-moi de vous faire mes excuses.

À ce mot d'*excuses*, un nuage passa sur le front d'Athos, un sourire hautain glissa sur les lèvres de Porthos, et un signe négatif fut la réponse d'Aramis.

— Vous ne me comprenez pas, Messieurs, dit d'Artagnan en relevant sa tête, sur laquelle jouait en ce moment un rayon de soleil qui en dorait les lignes fines et hardies : je vous demande excuse dans le cas où je ne pourrais vous payer ma dette à tous trois, car M. Athos a le droit de me tuer le premier, ce qui ôte beaucoup de sa valeur à votre créance, Monsieur Porthos, et ce qui rend la vôtre à peu près nulle, Monsieur Aramis. Et maintenant, Messieurs, je vous le répète, excusez-moi, mais de cela seulement, et en garde !

---

1. Saint Augustin (354-430), docteur de l'Église chrétienne.

À ces mots, du geste le plus cavalier qui se puisse voir, d'Artagnan tira son épée.

Mais les deux rapières avaient à peine résonné en se touchant, qu'une escouade des gardes de Son Éminence, commandée par M. de Jussac, se montra à l'angle du couvent.

— Les gardes du cardinal ! s'écrièrent à la fois Porthos et Aramis. L'épée au fourreau, Messieurs ! l'épée au fourreau !

Mais il était trop tard. Les deux combattants avaient été vus dans une pose qui ne permettait pas de douter de leurs intentions.

— Holà ! cria Jussac en s'avançant vers eux et en faisant signe à ses hommes d'en faire autant, holà ! mousquetaires, on se bat donc ici ? Et les édits, qu'en faisons-nous ?

— Vous êtes bien généreux. Messieurs les gardes, dit Athos plein de rancune, car Jussac était l'un des agresseurs de l'avant-veille. Si nous vous voyions battre, je vous réponds, moi, que nous nous garderions bien de vous en empêcher. Laissez-nous donc faire, et vous allez avoir du plaisir sans prendre aucune peine.

— Messieurs, dit Jussac, c'est avec grand regret que je vous déclare que la chose est impossible. Notre devoir avant tout. Rengainez donc, s'il vous plaît, et nous suivez.

— Monsieur, dit Aramis parodiant Jussac, ce serait avec un grand plaisir que nous obéirions à votre gracieuse invitation, si cela dépendait de nous ; mais malheureusement la chose est impossible : M. de Tréville nous l'a défendu. Passez donc votre chemin, c'est ce que vous avez de mieux à faire.

Cette raillerie exaspéra Jussac.

— Nous vous chargerons donc, dit-il, si vous désobéissez.

— Ils sont cinq, dit Athos à demi-voix, et nous ne sommes que trois ; nous serons encore battus, et il nous faudra mourir ici, car je le déclare, je ne reparais pas vaincu devant le capitaine.

Alors Porthos et Aramis se rapprochèrent à l'instant les uns des autres, pendant que Jussac alignait ses soldats.

Ce seul moment suffit à d'Artagnan pour prendre son parti : c'était là un de ces événements qui décident de la vie d'un homme, c'était un choix à faire entre le roi et le cardinal ; ce choix fait, il fallait y persévérer. Se battre, c'est-à-dire désobéir à la loi, c'est-à-dire risquer sa tête, c'est-à-dire se faire d'un seul coup l'ennemi d'un ministre plus puissant que le roi lui-même : voilà ce qu'entrevit le jeune homme, et, disons-le à sa louange, il n'hésita point une seconde. Se tournant donc vers Athos et ses amis :

— Messieurs, dit-il, je reprendrai, s'il vous plaît, quelque chose à vos paroles. Vous avez dit que vous n'étiez que trois, mais il me semble, à moi, que nous sommes quatre.

— Mais vous n'êtes pas des nôtres, dit Porthos.

— C'est vrai, répondit d'Artagnan ; je n'ai pas l'habit, mais j'ai l'âme. Mon cœur est mousquetaire, je le sens bien, Monsieur, et cela m'entraîne.

— Écartez-vous, jeune homme, cria Jussac, qui sans doute à ses gestes et à l'expression de son visage avait deviné le dessein de d'Artagnan. Vous pouvez vous retirer, nous y consentons. Sauvez votre peau ; allez vite.

D'Artagnan ne bougea point.

— Décidément vous êtes un joli garçon, dit Athos en serrant la main du jeune homme.

— Allons allons ! prenons un parti, reprit Jussac.

— Voyons, dirent Porthos et Aramis, faisons quelque chose.

— Monsieur est plein de générosité, dit Athos.

Mais tous trois pensaient à la jeunesse de d'Artagnan et redoutaient son inexpérience.

— Nous ne serons que trois, dont un blessé, plus un enfant, reprit Athos, et l'on n'en dira pas moins que nous étions quatre hommes.

— Oui, mais reculer ! dit Porthos.

— C'est difficile, reprit Athos.

D'Artagnan comprit leur irrésolution.

— Messieurs, essayez-moi toujours, dit-il, et je vous jure sur l'honneur que je ne veux pas m'en aller d'ici si nous sommes vaincus.

— Comment vous appelle-t-on, mon brave ? dit Athos.

— D'Artagnan, Monsieur.

— Eh bien, Athos, Porthos, Aramis et d'Artagnan, en avant ! cria Athos.

— Eh bien ! voyons, Messieurs, vous décidez-vous à vous décider ? cria pour la troisième fois Jussac.

— C'est fait, Messieurs, dit Athos.

— Et quel parti prenez-vous ? demanda Jussac.

— Nous allons avoir l'honneur de vous charger, répondit Aramis en levant son chapeau d'une main et tirant son épée de l'autre.

— Ah ! vous résistez ! s'écria Jussac.

— Sangdieu ! cela vous étonne ?

Et les neuf combattants se précipitèrent les uns sur les autres avec une furie qui n'excluait pas une certaine méthode.

Athos prit un certain Cahusac, favori du cardinal ; Porthos eut Biscarat, et Aramis se vit en face de deux adversaires.

Quant à d'Artagnan, il se trouva lancé contre Jussac lui-même.

Le cœur du jeune Gascon battait à lui briser la poitrine, non pas de peur, Dieu merci ! il n'en avait pas l'ombre, mais d'émulation ; il se battait comme un tigre en fureur, tournant dix fois autour de son adversaire, changeant vingt fois ses gardes et son terrain. Jussac était, comme on le disait alors, friand de la lame, et avait fort pratiqué ; cependant il avait toutes les peines du monde à se défendre contre un adversaire qui, agile et bondissant, s'écartait à tout moment des règles reçues, attaquant de tous côtés à la fois, et tout cela en parant en homme qui a le plus grand respect pour son épiderme.

Enfin cette lutte finit par faire perdre patience à Jussac. Furieux d'être tenu en échec par celui qu'il avait regardé comme un enfant, il s'échauffa et commença à faire des fautes. D'Artagnan, qui, à défaut de la pratique, avait une profonde théorie, redoubla d'agilité. Jussac, voulant en finir, porta un coup terrible à son adversaire en se fendant[1] à fond ; mais celui-ci para prime, et tandis que Jussac se relevait, se glissant comme un serpent sous son fer, il lui passa son épée au travers du corps. Jussac tomba comme une masse. D'Artagnan jeta alors un coup d'œil inquiet et rapide sur le champ de bataille.

Aramis avait déjà tué un de ses adversaires ; mais l'autre le pressait vivement. Cependant Aramis était en bonne situation et pouvait encore se défendre.

Biscarat et Porthos venaient de faire coup fourré[2] : Porthos avait reçu un coup d'épée au travers du bras, et Biscarat au travers de la cuisse. Mais comme ni l'une ni l'autre des deux blessures n'était grave, ils ne s'en escrimaient qu'avec plus d'acharnement.

---

1. En portant la jambe droite en avant.
2. De se blesser mutuellement.

Athos, blessé de nouveau par Cahusac, pâlissait à vue d'œil, mais il ne reculait pas d'une semelle : il avait seulement changé son épée de main, et se battait de la main gauche.

D'Artagnan, selon les lois du duel de cette époque, pouvait secourir quelqu'un ; pendant qu'il cherchait du regard celui de ses compagnons qui avait besoin de son aide, il surprit un coup d'œil d'Athos. Ce coup d'œil était d'une éloquence sublime. Athos serait mort plutôt que d'appeler au secours ; mais il pouvait regarder, et du regard demander un appui. D'Artagnan le devina, fit un bond terrible et tomba sur le flanc de Cahusac en criant :

— À moi, Monsieur le garde, je vous tue !

Cahusac se retourna ; il était temps. Athos, que son extrême courage soutenait seul, tomba sur un genou.

— Sangdieu ! criait-il à d'Artagnan, ne le tuez pas, jeune homme, je vous en prie ; j'ai une vieille affaire à terminer avec lui, quand je serai guéri et bien portant. Désarmez-le seulement, liez-lui l'épée[1]. C'est cela. Bien ! très bien !

Cette exclamation était arrachée à Athos par l'épée de Cahusac qui sautait à vingt pas de lui. D'Artagnan et Cahusac s'élancèrent ensemble, l'un pour la ressaisir, l'autre pour s'en emparer ; mais d'Artagnan, plus leste, arriva le premier et mit le pied dessus.

Cahusac courut à celui des gardes qu'avait tué Ara-

---

1. Faites-lui sauter l'épée des mains.

mis, s'empara de sa rapière, et voulut revenir à d'Artagnan ; mais sur son chemin il rencontra Athos, qui, pendant cette pause d'un instant que lui avait procurée d'Artagnan, avait repris haleine, et qui, de crainte que d'Artagnan ne lui tuât son ennemi, voulait recommencer le combat.

D'Artagnan comprit que ce serait désobliger Athos que de ne pas le laisser faire. En effet, quelques secondes après, Cahusac tomba la gorge traversée d'un coup d'épée.

Au même instant, Aramis appuyait son épée contre la poitrine de son adversaire renversé, et le forçait à demander merci.

Restaient Porthos et Biscarat. Porthos faisait mille fanfaronnades, demandant à Biscarat quelle heure il pouvait bien être, et lui faisait ses compliments sur la compagnie que venait d'obtenir son frère dans le régiment de Navarre ; mais, tout en raillant, il ne gagnait rien. Biscarat était un de ces hommes de fer qui ne tombent que morts.

Cependant il fallait en finir. Le guet[1] pouvait arriver et prendre tous les combattants, blessés ou non, royalistes ou cardinalistes. Athos, Aramis et d'Artagnan entourèrent Biscarat et le sommèrent de se rendre. Quoique seul contre tous, et avec un coup d'épée qui lui traversait la cuisse, Biscarat voulait tenir ; mais Jussac, qui s'était relevé sur son coude, lui

---

1. La troupe chargée du maintien de l'ordre.

cria de se rendre. Biscarat était un Gascon comme d'Artagnan ; il fit la sourde oreille et se contenta de rire, et entre deux parades, trouvant le temps de désigner, du bout de son épée, une place à terre :

— Ici, dit-il, parodiant un verset de la Bible, ici mourra Biscarat, seul de ceux qui sont avec lui.

— Mais ils sont quatre contre toi ; finis-en, je te l'ordonne.

— Ah ! si tu l'ordonnes, c'est autre chose, dit Biscarat ; comme tu es mon brigadier[1], je dois obéir.

Et, faisant un bond en arrière, il cassa son épée sur son genou pour ne pas la rendre, en jeta les morceaux par-dessus le mur du couvent et se croisa les bras en sifflant un air cardinaliste.

La bravoure est toujours respectée, même dans un ennemi. Les mousquetaires saluèrent Biscarat de leurs épées et les remirent au fourreau. D'Artagnan en fit autant, puis, aidé de Biscarat, le seul qui fût resté debout, il porta sous le porche du couvent Jussac, Cahusac et celui des adversaires d'Aramis qui n'était que blessé. Le quatrième, comme nous l'avons dit, était mort. Puis ils sonnèrent la cloche, et, emportant quatre épées sur cinq, ils s'acheminèrent ivres de joie vers l'hôtel de M. de Tréville.

On les voyait entrelacés, tenant toute la largeur de la rue, et accostant chaque mousquetaire qu'ils rencontraient, si bien qu'à la fin ce fut une marche triom-

---

1. Officier supérieur, chef.

phale. Le cœur de d'Artagnan nageait dans l'ivresse, il marchait entre Athos et Porthos en les étreignant tendrement.

— Si je ne suis pas encore mousquetaire, dit-il à ses nouveaux amis en franchissant la porte de l'hôtel de M. de Tréville, au moins me voilà reçu apprenti, n'est-ce pas ?

6

Sa majesté le roi Louis treizième

L'affaire fit grand bruit. M. de Tréville gronda beaucoup tout haut contre ses mousquetaires, et les félicita tout bas ; mais comme il n'y avait pas de temps à perdre pour prévenir le roi, M. de Tréville s'empressa de se rendre au Louvre. Il était déjà trop tard, le roi était enfermé avec le cardinal, et l'on dit à M. de Tréville que le roi travaillait et ne pouvait recevoir en ce moment. Le soir, M. de Tréville vint au jeu du roi. Le roi gagnait, et comme Sa Majesté était fort avare, elle était d'excellente humeur ; aussi, du plus loin que le roi aperçut Tréville :

— Venez ici, Monsieur le capitaine, dit-il, venez

que je vous gronde ; savez-vous que Son Éminence est venue me faire des plaintes sur vos mousquetaires, et cela avec une telle émotion, que ce soir Son Éminence en est malade ? Ah çà, mais ce sont des diables à quatre, des gens à pendre, que vos mousquetaires !

— Non, Sire, répondit Tréville, qui vit du premier coup d'œil comment la chose allait tourner ; non, tout au contraire, ce sont de bonnes créatures, douces comme des agneaux, et qui n'ont qu'un désir, je m'en ferais garant : c'est que leur épée ne sorte du fourreau que pour le service de Votre Majesté. Mais, que voulez-vous, les gardes de M. le cardinal sont sans cesse à leur chercher querelle, et, pour l'honneur même du corps, les pauvres jeunes gens sont obligés de se défendre.

— Écoutez M. de Tréville ! dit le roi, écoutez-le ! ne dirait-on pas qu'il parle d'une communauté religieuse ! En vérité, mon cher capitaine, j'ai envie de vous ôter votre brevet et de le donner à Mlle de Chemerault, à laquelle j'ai promis une abbaye. Mais ne pensez pas que je vous croirai ainsi sur parole. On m'appelle Louis le Juste, Monsieur de Tréville, et tout à l'heure, tout à l'heure nous verrons.

— Ah ! c'est parce que je me fie à cette justice, Sire, que j'attendrai patiemment et tranquillement le bon plaisir de Votre Majesté.

— Attendez donc, Monsieur, attendez donc, dit le roi, je ne vous ferai pas longtemps attendre.

En effet, la chance tournait, et comme le roi commençait à perdre ce qu'il avait gagné, il n'était pas fâché de trouver un prétexte pour faire charlemagne[1]. Le roi se leva donc au bout d'un instant, et mettant dans sa poche l'argent qui était devant lui et dont la majeure partie venait de son gain :

— La Vieuville, dit-il, prenez ma place, il faut que je parle à M. de Tréville pour affaire d'importance. Ah !... j'avais quatre-vingts louis devant moi ; mettez la même somme, afin que ceux qui ont perdu n'aient point à se plaindre. La justice avant tout.

Puis, se retournant vers M. de Tréville et marchant avec lui vers l'embrasure d'une fenêtre :

— Eh bien ! Monsieur, continua-t-il, vous dites que ce sont les gardes de l'Éminentissime qui ont été chercher querelle à vos mousquetaires ?

— Oui, Sire, comme toujours.

— Et comment la chose est-elle venue, voyons ? car, vous le savez, mon cher capitaine, il faut qu'un juge écoute les deux parties.

— Ah ! mon Dieu de la façon la plus simple et la plus naturelle. Trois de mes meilleurs soldats, que Votre Majesté connaît de nom et dont elle a plus d'une fois apprécié le dévouement, et qui ont, je puis l'affirmer au roi, son service fort à cœur ; – trois de mes meilleurs soldats, dis-je, MM. Athos, Porthos et Aramis, avaient fait une partie de plaisir avec un jeune

---

1. Se retirer du jeu après avoir gagné et ne pas donner de revanche.

cadet de Gascogne que je leur avais recommandé le matin même. La partie allait avoir lieu à Saint-Germain, je crois, et ils s'étaient donné rendez-vous aux Carmes-Deschaux, lorsqu'elle fut troublée par M. de Jussac et MM. Cahusac, Biscarat, et deux autres gardes qui ne venaient certes pas là en si nombreuse compagnie sans mauvaise intention contre les édits.

— Ah ! ah ! vous m'y faites penser, dit le roi : sans doute, ils venaient pour se battre eux-mêmes.

— Je ne les accuse pas, Sire, mais je laisse Votre Majesté apprécier ce que peuvent aller faire cinq hommes armés dans un lieu aussi désert que le sont les environs du couvent des Carmes.

— Oui, vous avez raison, Tréville, vous avez raison.

— Alors, quand ils ont vu mes mousquetaires, ils ont changé d'idée et ils ont oublié leur haine particulière pour la haine de corps ; car Votre Majesté n'ignore pas que les mousquetaires, qui sont au roi et rien qu'au roi, sont les ennemis naturels des gardes, qui sont à M. le cardinal.

— Oui, Tréville, oui, dit le roi mélancoliquement, et c'est bien triste, croyez-moi, de voir ainsi deux partis en France, deux têtes à la royauté ; mais tout cela finira, Tréville, tout cela finira. Vous dites donc que les gardes ont cherché querelle aux mousquetaires ?

— Je dis qu'il est probable que les choses se sont passées ainsi, mais je n'en jure pas. Sire. Vous savez combien la vérité est difficile à connaître, et à moins d'être doué de cet instinct admirable qui a fait nommer Louis XIII le Juste...

— Et vous avez raison, Tréville ; mais ils n'étaient pas seuls, vos mousquetaires, il y avait avec eux un enfant ?

— Oui, Sire, et un homme blessé, de sorte que trois mousquetaires du roi, dont un blessé, et un enfant, non seulement ont tenu tête à cinq des plus terribles gardes de M. le cardinal, mais encore en ont porté quatre à terre.

— Mais c'est une victoire, cela ! s'écria le roi tout rayonnant ; une victoire complète ! Quatre hommes, dont un blessé, et un enfant, dites-vous ?

— Un jeune homme à peine ; lequel s'est même si parfaitement conduit en cette occasion, que je prendrai la liberté de le recommander à Votre Majesté.

— Comment s'appelle-t-il ?

— D'Artagnan, Sire. C'est le fils d'un de mes plus anciens amis ; le fils d'un homme qui a fait avec le roi votre père, de glorieuse mémoire, la guerre de partisans[1].

— Et vous dites qu'il s'est bien conduit, ce jeune homme ? Racontez-moi cela, Tréville ; vous savez que j'aime les récits de guerre et de combat.

Et le roi Louis XIII releva fièrement sa moustache en se posant sur la hanche.

— Sire, reprit Tréville, comme je vous l'ai dit,

----

1. Combattant volontaire pendant les guerres de religion.

M. d'Artagnan est presque un enfant, et comme il n'a pas l'honneur d'être mousquetaire, il était en habit bourgeois ; les gardes de M. le cardinal, reconnaissant sa grande jeunesse et, de plus, qu'il était étranger au corps, l'invitèrent donc à se retirer avant qu'ils attaquassent.

— Alors, vous voyez bien, Tréville, interrompit le roi, que ce sont eux qui ont attaqué.

— C'est juste, Sire : ainsi, plus de doute ; ils le sommèrent donc de se retirer ; mais il répondit qu'il était mousquetaire de cœur et tout à Sa Majesté, qu'ainsi donc il resterait avec Messieurs les mousquetaires.

— Brave jeune homme ! murmura le roi.

— En effet, il demeura avec eux ; et Votre Majesté a là un si ferme champion, que ce fut lui qui donna à Jussac ce terrible coup d'épée qui met si fort en colère M. le cardinal.

— C'est lui qui a blessé Jussac ? s'écria le roi ; lui, un enfant ! Ceci, Tréville, c'est impossible.

— C'est comme j'ai l'honneur de le dire à Votre Majesté.

— Jussac, une des premières lames du royaume !

— Eh bien, Sire ! il a trouvé son maître.

— Je veux voir ce jeune homme, Tréville, je veux le voir, et si l'on peut faire quelque chose, eh bien ! nous nous en occuperons.

— Quand Votre Majesté daignera-t-elle le recevoir ?

— Demain à midi, Tréville.

— L'amènerai-je seul ?

— Non, amenez-les-moi tous les quatre ensemble. Je veux les remercier tous à la fois ; les hommes dévoués sont rares, Tréville, et il faut récompenser le dévouement.

— À midi, Sire, nous serons au Louvre.

— Ah ! par le petit escalier, Tréville, par le petit escalier. Il est inutile que le cardinal sache...

— Oui, Sire.

— Vous comprenez, Tréville, un édit est toujours un édit ; il est défendu de se battre, au bout du compte.

— Mais cette rencontre, Sire, sort tout à fait des conditions ordinaires d'un duel : c'est une rixe, et la preuve, c'est qu'ils étaient cinq gardes du cardinal contre mes trois mousquetaires et M. d'Artagnan.

— C'est juste, dit le roi ; mais n'importe, Tréville, venez toujours par le petit escalier.

Tréville sourit. Mais comme c'était déjà beaucoup pour lui d'avoir obtenu de cet enfant qu'il se révoltât contre son maître, il salua respectueusement le roi, et avec son agrément prit congé de lui.

Dès le soir même, les trois mousquetaires furent prévenus de l'honneur qui leur était accordé. Comme ils connaissaient depuis longtemps le roi, ils n'en furent pas trop échauffés : mais d'Artagnan, avec son imagination gasconne, y vit sa fortune à venir, et passa la nuit à faire des rêves d'or. Aussi, dès huit heures du matin, était-il chez Athos.

D'Artagnan trouva le mousquetaire tout habillé et prêt à sortir. Comme on n'avait rendez-vous chez le roi qu'à midi, il avait formé le projet, avec Porthos et Aramis, d'aller faire une partie de paume dans un tripot[1] situé tout près des écuries du Luxembourg. Athos invita d'Artagnan à les suivre, et malgré son ignorance de ce jeu, auquel il n'avait jamais joué, celui-ci accepta, ne sachant que faire de son temps, depuis neuf heures du matin qu'il était à peine jusqu'à midi.

Les deux mousquetaires étaient déjà arrivés et pelotaient[2] ensemble. Athos, qui était très fort à tous les exercices du corps, passa avec d'Artagnan du côté opposé, et leur fit défi. Mais au premier mouvement qu'il essaya, quoiqu'il jouât de la main gauche, il comprit que sa blessure était encore trop récente pour lui permettre un pareil exercice. D'Artagnan resta donc seul, et comme il déclara qu'il était trop maladroit pour soutenir une partie en règle, on continua seulement à s'envoyer des balles sans compter le jeu. Mais une de ces balles, lancée par le poignet herculéen de Porthos, passa si près du visage de d'Artagnan, qu'il pensa que si, au lieu de passer à côté, elle eût donné dedans, son audience était probablement perdue, attendu qu'il lui eût été de toute impossibilité de se

---

1. Salle de jeu de paume, l'ancêtre du tennis.
2. Échangeaient des balles (sans faire de partie).

présenter chez le roi. Or, comme de cette audience, dans son imagination gasconne, dépendait tout son avenir, il salua poliment Porthos et Aramis, déclarant qu'il ne reprendrait la partie que lorsqu'il serait en état de leur tenir tête, et il s'en revint prendre place près de la corde et dans la galerie.

Malheureusement pour d'Artagnan, parmi les spectateurs se trouvait un garde de Son Éminence, lequel, tout échauffé encore de la défaite de ses compagnons, arrivée la veille seulement, s'était promis de saisir la première occasion de la venger. Il crut donc que cette occasion était venue, et s'adressant à son voisin :

— Il n'est pas étonnant, dit-il, que ce jeune homme ait eu peur d'une balle, c'est sans doute un apprenti mousquetaire.

D'Artagnan se retourna comme si un serpent l'eût mordu, et regarda fixement le garde qui venait de tenir cet insolent propos.

— Pardieu ! reprit celui-ci en frisant insolemment sa moustache, regardez-moi tant que vous voudrez, mon petit Monsieur, j'ai dit ce que j'ai dit.

— Et comme ce que vous avez dit est trop clair pour que vos paroles aient besoin d'explication, répondit d'Artagnan à voix basse, je vous prierai de me suivre.

— Et quand cela ? demanda le garde avec le même air railleur.

— Tout de suite, s'il vous plaît.

— Et vous savez qui je suis, sans doute ?

— Moi, je l'ignore complètement, et je ne m'en inquiète guère.

— Et vous avez tort, car, si vous saviez mon nom, peut-être seriez-vous moins pressé.

— Comment vous appelez-vous ?

— Bernajoux, pour vous servir.

— Eh bien ! Monsieur Bernajoux, dit tranquillement d'Artagnan, je vais vous attendre sur la porte.

— Allez, Monsieur, je vous suis.

— Ne vous pressez pas trop, Monsieur, qu'on ne s'aperçoive pas que nous sortons ensemble ; vous comprenez que pour ce que nous allons faire, trop de monde nous gênerait.

— C'est bien, répondit le garde, étonné que son nom n'eût pas produit plus d'effet sur le jeune homme.

En effet, le nom de Bernajoux était connu de tout le monde, de d'Artagnan seul excepté, peut-être ; car c'était un de ceux qui figuraient le plus souvent dans les rixes journalières que tous les édits du roi et du cardinal n'avaient pu réprimer.

Porthos et Aramis étaient si occupés de leur partie, et Athos les regardait avec tant d'attention, qu'ils ne virent pas même sortir leur jeune compagnon, lequel, ainsi qu'il l'avait dit au garde de Son Éminence, s'arrêta sur la porte ; un instant après, celui-ci descendit à son tour. Comme d'Artagnan n'avait pas de temps à perdre, vu l'audience du roi qui était fixée à midi, il jeta les yeux autour de lui, et voyant que la rue était déserte :

— Ma foi, dit-il à son adversaire, il est bien heureux pour vous, quoique vous vous appeliez Bernajoux, de n'avoir affaire qu'à un apprenti mousquetaire ; cependant, soyez tranquille, je ferai de mon mieux. En garde !

— Mais, dit celui que d'Artagnan provoquait ainsi, il me semble que le lieu est assez mal choisi, et que nous serions mieux derrière l'abbaye de Saint-Germain ou dans le Pré-aux-Clercs.

— Ce que vous dites est plein de sens, répondit d'Artagnan ; malheureusement j'ai peu de temps à moi, ayant un rendez-vous à midi juste. En garde donc, Monsieur, en garde !

Bernajoux n'était pas homme à se faire répéter deux fois un pareil compliment[1]. Au même instant son épée brilla à sa main, et il fondit sur son adversaire que, grâce à sa grande jeunesse, il espérait intimider.

Mais d'Artagnan avait fait la veille son apprentissage, et tout frais émoulu de sa victoire, tout gonflé de sa future faveur, il était résolu à ne pas reculer d'un pas : aussi les deux fers se trouvèrent-ils engagés jusqu'à la garde, et comme d'Artagnan tenait ferme à sa place, ce fut son adversaire qui fit un pas de retraite. Mais d'Artagnan saisit le moment où, dans ce mouve-

---

1. Une pareille invitation.

107

ment, le fer de Bernajoux déviait de la ligne, il dégagea, se fendit et toucha son adversaire à l'épaule. Aussitôt d'Artagnan, à son tour, fit un pas de retraite et releva son épée ; mais Bernajoux lui cria que ce n'était rien, et se fendant aveuglément sur lui, il s'enferra de lui-même. Cependant, comme il ne tombait pas, comme il ne se déclarait pas vaincu, mais que seulement il rompait[1] du côté de l'hôtel de M. de La Trémouille au service duquel il avait un parent, d'Artagnan, ignorant lui-même la gravité de la dernière blessure que son adversaire avait reçue, le pressait vivement, et sans doute allait l'achever d'un troisième coup, lorsque la rumeur qui s'élevait de la rue s'étant étendue jusqu'au jeu de paume, deux des amis du garde, qui l'avaient entendu échanger quelques paroles avec d'Artagnan et qui l'avaient vu sortir à la suite de ces paroles, se précipitèrent l'épée à la main hors du tripot et tombèrent sur le vainqueur. Mais aussitôt Athos, Porthos et Aramis parurent à leur tour, et au moment où les deux gardes attaquaient leur jeune camarade, les forcèrent à se retourner. En ce moment, Bernajoux tomba ; et comme les gardes étaient seulement deux contre quatre, ils se mirent à crier : « À nous, l'hôtel de La Trémouille ! » À ces cris, tout ce qui était dans l'hôtel sortit, se ruant sur les quatre compagnons, qui de leur côté se mirent à crier : « À nous, mousquetaires ! »

---

1. Reculait.

Ce cri était ordinairement entendu ; car on savait les mousquetaires ennemis de Son Éminence, et on les aimait pour la haine qu'ils portaient au cardinal.

Aussi les gardes des autres compagnies que celles appartenant au duc Rouge, comme l'avait appelé Aramis, prenaient-ils en général parti dans ces sortes de querelles pour les mousquetaires du roi. De trois gardes de la compagnie de M. des Essarts qui passaient, deux vinrent donc en aide aux quatre compagnons, tandis que l'autre courait à l'hôtel de M. de Tréville, criant : « À nous, mousquetaires, à nous ! » Comme d'habitude, l'hôtel de M. de Tréville était plein de soldats de cette arme, qui accoururent au secours de leurs camarades ; la mêlée devint générale, mais la force était aux mousquetaires : les gardes du cardinal et les gens de M. de La Trémouille se retirèrent dans l'hôtel, dont ils fermèrent les portes assez à temps pour empêcher que leurs ennemis n'y fissent irruption en même temps qu'eux. Quant au blessé, il y avait été tout d'abord transporté et, comme nous l'avons dit, en fort mauvais état.

L'agitation était à son comble parmi les mousquetaires et leurs alliés, et l'on délibérait déjà si, pour punir l'insolence qu'avaient eue les domestiques de M. de La Trémouille de faire une sortie sur les mousquetaires du roi, on ne mettrait pas le feu à son hôtel.

La proposition en avait été faite et accueillie avec enthousiasme, lorsque heureusement onze heures sonnèrent ; d'Artagnan et ses compagnons se souvinrent de leur audience, et comme ils eussent regretté que l'on fît un si beau coup sans eux, ils parvinrent à calmer les têtes. On se contenta donc de jeter quelques pavés dans les portes, mais les portes résistèrent : alors on se lassa ; d'ailleurs ceux qui devaient être regardés comme les chefs de l'entreprise avaient depuis un instant quitté le groupe et s'acheminaient vers l'hôtel de M. de Tréville, qui les attendait, déjà au courant de cette algarade[1].

— Vite, au Louvre, dit-il, au Louvre sans perdre un instant, et tâchons de voir le roi avant qu'il soit prévenu par le cardinal ; nous lui raconterons la chose comme une suite de l'affaire d'hier, et les deux passeront ensemble.

M. de Tréville, accompagné des quatre jeunes gens, s'achemina donc vers le Louvre ; mais, au grand étonnement du capitaine des mousquetaires, on lui annonça que le roi était allé courre[2] le cerf dans la forêt de Saint-Germain. M. de Tréville se fit répéter deux fois cette nouvelle, et à chaque fois ses compagnons virent son visage se rembrunir.

— Est-ce que Sa Majesté, demanda-t-il, avait dès hier le projet de faire cette chasse ?

— Non, Votre Excellence, répondit le valet de

---

1. Escarmouche, altercation.
2. Ancien infinitif du verbe courir, qui s'est conservé dans le langage de la chasse.

chambre, c'est le grand veneur[1] qui est venu lui annoncer ce matin qu'on avait détourné cette nuit un cerf à son intention. Il a d'abord répondu qu'il n'irait pas, puis il n'a pas su résister au plaisir que lui promettait cette chasse, et après le dîner il est parti.

— Et le roi a-t-il vu le cardinal ? demanda M. de Tréville.

— Selon toute probabilité, répondit le valet de chambre, car j'ai vu ce matin les chevaux au carrosse de Son Éminence, j'ai demandé où elle allait, et l'on m'a répondu : « À Saint-Germain. »

— Nous sommes prévenus, dit M. de Tréville, Messieurs, je verrai le roi ce soir ; mais quant à vous, je ne vous conseille pas de vous y hasarder.

L'avis était trop raisonnable et surtout venait d'un homme qui connaissait trop bien le roi, pour que les quatre jeunes gens essayassent de le combattre. M. de Tréville les invita donc à rentrer chacun chez eux et à attendre de ses nouvelles.

En entrant à son hôtel, M. de Tréville songea qu'il fallait prendre date en portant plainte le premier. Il envoya un de ses domestiques chez M. de La Trémouille avec une lettre dans laquelle il le priait de mettre hors de chez lui le garde de M. le cardinal, et de réprimander ses gens de l'audace qu'ils avaient eue de faire leur sortie contre les mousquetaires. Mais M. de La Trémouille, déjà prévenu par son écuyer

---

1. Officier en charge de tout ce qui concernait la chasse à courre du roi.

dont, comme on le sait, Bernajoux était le parent, lui fit répondre que ce n'était ni à M. de Tréville, ni à ses mousquetaires de se plaindre, mais bien au contraire à lui dont les mousquetaires avaient chargé les gens et voulu brûler l'hôtel. Or, comme le débat entre ces deux seigneurs eût pu durer longtemps, chacun devant naturellement s'entêter dans son opinion, M. de Tréville avisa un expédient[1] qui avait pour but de tout terminer : c'était d'aller trouver lui-même M. de La Trémouille.

Il se rendit donc aussitôt à son hôtel, et se fit annoncer.

Les deux seigneurs se saluèrent poliment, car, s'il n'y avait pas amitié entre eux, il y avait du moins estime. Tous deux étaient gens de cœur et d'honneur ; et comme M. de La Trémouille, protestant, et voyant rarement le roi, n'était d'aucun parti, il n'apportait en général dans ses relations sociales aucune prévention. Cette fois, néanmoins, son accueil quoique poli fut plus froid que d'habitude.

— Monsieur, dit M. de Tréville, nous croyons avoir à nous plaindre chacun l'un de l'autre, et je suis venu moi-même pour que nous tirions de compagnie cette affaire au clair.

— Volontiers, répondit M. de La Trémouille ; mais je vous préviens que je suis bien renseigné, et tout le tort est à vos mousquetaires.

---

1. Trouva un moyen ingénieux.

— Vous êtes un homme trop juste et trop raisonnable, Monsieur, dit M. de Tréville, pour ne pas accepter la proposition que je vais faire.

— Faites, Monsieur, j'écoute.

— Comment se trouve M. Bernajoux, le parent de votre écuyer ?

— Mais, Monsieur, fort mal. Outre le coup d'épée qu'il a reçu dans le bras, et qui n'est pas autrement dangereux, il en a encore ramassé un autre qui lui a traversé le poumon, de sorte que le médecin en dit de pauvres choses.

— Mais le blessé a-t-il conservé sa connaissance ?

— Parfaitement.

— Parle-t-il ?

— Avec difficulté, mais il parle.

— Eh bien, Monsieur ! rendons-nous près de lui ; adjurons-le, au nom du Dieu devant lequel il va être appelé peut-être, de dire la vérité. Je le prends pour juge dans sa propre cause, Monsieur, et ce qu'il dira je le croirai.

M. de La Trémouille réfléchit un instant, puis, comme il était difficile de faire une proposition plus raisonnable, il accepta.

Tous deux descendirent dans la chambre où était le blessé. Celui-ci, en voyant entrer ces deux nobles seigneurs qui venaient lui faire visite, essaya de se relever sur son lit, mais il était trop faible, et, épuisé par l'effort qu'il avait fait, il retomba presque sans connaissance.

M. de La Trémouille s'approcha de lui et lui fit respirer des sels qui le rappelèrent à la vie. Alors M. de Tréville, ne voulant pas qu'on pût l'accuser d'avoir influencé le malade, invita M. de La Trémouille à l'interroger lui-même.

Ce qu'avait prévu M. de Tréville arriva. Placé entre la vie et la mort comme l'était Bernajoux, il n'eut pas même l'idée de taire un instant la vérité, et il raconta aux deux seigneurs les choses exactement, telles qu'elles s'étaient passées.

C'était tout ce que voulait M. de Tréville ; il souhaita à Bernajoux une prompte convalescence, prit congé de M. de La Trémouille, rentra à son hôtel et fit aussitôt prévenir les quatre amis qu'il les attendait à dîner.

M. de Tréville recevait fort bonne compagnie, toute anticardinaliste d'ailleurs. On comprend donc que la conversation roula pendant tout le dîner sur les deux échecs que venaient d'éprouver les gardes de Son Éminence. Or, comme d'Artagnan avait été le héros de ces deux journées, ce fut sur lui que tombèrent toutes les félicitations, qu'Athos, Porthos et Aramis lui abandonnèrent non seulement en bons camarades, mais en hommes qui avaient eu assez souvent leur tour pour qu'ils lui laissassent le sien.

Vers six heures, M. de Tréville annonça qu'il était

tenu d'aller au Louvre ; mais comme l'heure de l'audience accordée par Sa Majesté était passée, au lieu de réclamer l'entrée par le petit escalier, il se plaça avec les quatre jeunes gens dans l'antichambre. Le roi n'était pas encore revenu de la chasse. Nos jeunes gens attendaient depuis une demi-heure à peine, mêlés à la foule des courtisans, lorsque toutes les portes s'ouvrirent et qu'on annonça Sa Majesté.

À cette annonce, d'Artagnan se sentit frémir jusqu'à la moelle des os. L'instant qui allait suivre devait, selon toute probabilité, décider du reste de sa vie. Aussi ses yeux se fixèrent-ils avec angoisse sur la porte par laquelle devait entrer le roi.

Louis XIII parut, marchant le premier ; il était en costume de chasse, encore tout poudreux, ayant de grandes bottes et tenant un fouet à la main. Au premier coup d'œil, d'Artagnan jugea que l'esprit du roi était à l'orage.

Cette disposition, toute visible qu'elle était chez Sa Majesté, n'empêcha pas les courtisans de se ranger sur son passage : dans les antichambres royales, mieux vaut encore être vu d'un œil irrité que de n'être pas vu du tout. Les trois mousquetaires n'hésitèrent donc pas, et firent un pas en avant, tandis que d'Artagnan au contraire restait caché derrière eux ; mais quoique le roi connût personnellement Athos, Porthos et Aramis, il passa devant eux sans les regarder, sans leur parler et comme s'il ne les avait jamais vus. Quant à M. de

Tréville, lorsque les yeux du roi s'arrêtèrent un instant sur lui, il soutint ce regard avec tant de fermeté, que ce fut le roi qui détourna la vue ; après quoi, tout en grommelant, Sa Majesté rentra dans son appartement.

— Les affaires vont mal, dit Athos en souriant, et nous ne serons pas encore fait chevaliers de l'ordre[1] cette fois-ci.

— Attendez ici dix minutes, dit M. de Tréville ; et si au bout de dix minutes vous ne me voyez pas sortir, retournez à mon hôtel : car il sera inutile que vous m'attendiez plus longtemps.

Les quatre jeunes gens attendirent dix minutes, un quart d'heure, vingt minutes ; et voyant que M. de Tréville ne reparaissait point, ils sortirent fort inquiets de ce qui allait arriver.

M. de Tréville était entré hardiment dans le cabinet du roi, et avait trouvé Sa Majesté de très méchante humeur, assise sur un fauteuil et battant ses bottes du manche de son fouet, ce qui ne l'avait pas empêché de lui demander avec le plus grand flegme des nouvelles de sa santé.

— Mauvaise, Monsieur, mauvaise, répondit le roi, je m'ennuie.

C'était en effet la pire maladie de Louis XIII, qui souvent prenait un de ses courtisans, l'attirait à une fenêtre et lui disait : « Monsieur un tel, ennuyons-nous ensemble. »

---

1. De l'ordre du Saint-Esprit, la plus haute distinction du royaume.

— Comment ! Votre Majesté s'ennuie ! dit M. de Tréville. N'a-t-elle donc pas pris aujourd'hui le plaisir de la chasse ?

— Ah ! je suis un roi bien malheureux. Monsieur de Tréville ! je n'avais plus qu'un gerfaut[1], et il est mort avant-hier.

— En effet, Sire, je comprends votre désespoir, et le malheur est grand ; mais il vous reste encore, ce me semble, bon nombre de faucons, d'éperviers et de tiercelets.

— Et pas un homme pour les instruire, les fauconniers s'en vont, il n'y a plus que moi qui connaisse l'art de la vénerie. Après moi tout sera dit, et l'on chassera avec des traquenards, des pièges, des trappes. Si j'avais le temps encore de former des élèves ! mais oui, M. le cardinal est là qui ne me laisse pas un instant de repos, qui me parle de l'Espagne, qui me parle de l'Autriche, qui me parle de l'Angleterre ! Ah ! à propos de M. le cardinal, Monsieur de Tréville, je suis mécontent de vous.

M. de Tréville attendait le roi à cette chute. Il connaissait le roi de longue main ; il avait compris que toutes ses plaintes n'étaient qu'une préface, une espèce d'excitation pour s'encourager lui-même, et que c'était où il était arrivé enfin qu'il en voulait venir.

— Et en quoi ai-je été assez malheureux pour

1. Oiseau de proie du genre faucon, dressé pour la chasse au petit gibier.

déplaire à Votre Majesté ? demanda M. de Tréville en feignant le plus profond étonnement.

— Est-ce ainsi que vous faites votre charge, Monsieur ? continua le roi sans répondre directement à la question de M. de Tréville ; est-ce pour cela que je vous ai nommé capitaine de mes mousquetaires, que ceux-ci assassinent un homme, émeuvent tout un quartier et veulent brûler Paris sans que vous en disiez un mot ? Mais, au reste, continua le roi, sans doute que je me hâte de vous accuser, sans doute que les perturbateurs sont en prison et que vous venez m'annoncer que justice est faite.

— Sire, répondit tranquillement M. de Tréville, je viens vous la demander au contraire.

— Et contre qui ? s'écria le roi.

— Contre les calomniateurs, dit M. de Tréville.

— Ah ! voilà qui est nouveau, reprit le roi. N'allez-vous pas dire que vos trois mousquetaires damnés, Athos, Porthos et Aramis et votre cadet de Béarn, ne se sont pas jetés comme des furieux sur le pauvre Bernajoux, et ne l'ont pas maltraité de telle façon qu'il est probable qu'il est en train de trépasser à cette heure ! N'allez-vous pas dire qu'ensuite ils n'ont pas fait le siège de l'hôtel du duc de La Trémouille, et qu'ils n'ont point voulu le brûler ! Dites, n'allez-vous pas nier tout cela ?

— Et qui vous a fait ce beau récit, Sire ? demanda tranquillement M. de Tréville.

— Qui m'a fait ce beau récit, Monsieur ! et qui voulez-vous que ce soit, si ce n'est celui qui veille quand je dors, qui travaille quand je m'amuse, qui mène tout au-dedans et au-dehors du royaume, en France comme en Europe ?

— Sa Majesté veut parler de Dieu, sans doute, dit M. de Tréville, car je ne connais que Dieu qui soit si fort au-dessus de Sa Majesté.

— Non Monsieur ; je veux parler du soutien de l'État, de mon seul serviteur, de mon seul ami, de M. le cardinal.

— Son Éminence n'est pas Sa Sainteté, Sire.

— Qu'entendez-vous par là, Monsieur ?

— Qu'il n'y a que le pape qui soit infaillible, et que cette infaillibilité ne s'étend pas aux cardinaux.

— Vous voulez dire qu'il me trompe, vous voulez dire qu'il me trahit. Vous l'accusez alors. Voyons, dites, avouez franchement que vous l'accusez.

— Non, Sire ; mais je dis qu'il se trompe lui-même ; je dis qu'il a été mal renseigné ; je dis qu'il a eu hâte d'accuser les mousquetaires de Votre Majesté, pour lesquels il est injuste, et qu'il n'a pas été puiser ses renseignements aux bonnes sources.

— L'accusation vient de M. de La Trémouille, du duc lui-même. Que répondrez-vous à cela ?

— Je pourrais répondre, Sire, qu'il est trop intéressé dans la question pour être un témoin bien impartial ; mais loin de là, Sire, je connais le duc pour un

119

loyal gentilhomme, et je m'en rapporterai à lui, mais à une condition, Sire.

— Laquelle ?

— C'est que Votre Majesté le fera venir, l'interrogera, mais elle-même, en tête-à-tête, sans témoins, et que je reverrai Votre Majesté aussitôt qu'elle aura reçu le duc.

— Oui-da ! fit le roi, et vous vous en rapporterez à ce que dira M. de La Trémouille ?

— Oui, Sire.

— Vous accepterez son jugement ?

— Sans doute.

— Et vous vous soumettrez aux réparations qu'il exigera ?

— Parfaitement.

— La Chesnaye ! fit le roi. La Chesnaye !

Le valet de chambre de confiance de Louis XIII, qui se tenait toujours à la porte, entra.

— La Chesnaye, dit le roi, qu'on aille à l'instant même me quérir M. de La Trémouille ; je veux lui parler ce soir.

— Votre Majesté me donne sa parole qu'elle ne verra personne entre M. de La Trémouille et moi ?

— Personne, foi de gentilhomme.

— À demain, Sire, alors.

— À demain, Monsieur.

— À quelle heure, s'il plaît à Votre Majesté ?

— À l'heure que vous voudrez.

— Mais, en venant par trop matin, je crains de réveiller Votre Majesté.

— Me réveiller ? Est-ce que je dors ? Je ne dors plus, Monsieur ; je rêve quelquefois, voilà tout. Venez donc d'aussi bon matin que vous voudrez, à sept heures ; mais gare à vous, si vos mousquetaires sont coupables !

— Si mes mousquetaires sont coupables, Sire, les coupables seront remis aux mains de Votre Majesté, qui ordonnera d'eux selon son bon plaisir. Votre Majesté exige-t-elle quelque chose de plus ? qu'elle parle, je suis prêt à lui obéir.

— Non, Monsieur, non, et ce n'est pas sans raison qu'on m'a appelé Louis le Juste. À demain donc, Monsieur, à demain.

— Dieu garde jusque-là Votre Majesté !

Si peu que dormit le roi, M. de Tréville dormit plus mal encore ; il avait fait prévenir dès le soir même ses trois mousquetaires et leur compagnon de se trouver chez lui à six heures et demie du matin. Il les emmena avec lui sans rien leur affirmer, sans leur rien promettre, et ne leur cachant pas que leur faveur et même la sienne tenaient à un coup de dés.

Arrivé au bas du petit escalier, il les fit attendre. Si le roi était toujours irrité contre eux, ils s'éloigneraient sans être vus ; si le roi consentait à les recevoir, on n'aurait qu'à les faire appeler.

En arrivant dans l'antichambre particulière du roi,

M. de Tréville trouva La Chesnaye, qui lui apprit qu'on n'avait pas rencontré le duc de La Trémouille la veille au soir à son hôtel, qu'il était rentré trop tard pour se présenter au Louvre, qu'il venait seulement d'arriver, et qu'il était à cette heure chez le roi.

Cette circonstance plut beaucoup à M. de Tréville, qui, de cette façon, fut certain qu'aucune suggestion étrangère ne se glisserait entre la déposition de M. de La Trémouille et lui.

En effet, dix minutes s'étaient à peine écoulées, que la porte du cabinet s'ouvrit et que M. de Tréville en vit sortir le duc de La Trémouille, lequel vint à lui et lui dit :

— Monsieur de Tréville, Sa Majesté vient de m'envoyer quérir pour savoir comment les choses s'étaient passées hier matin à mon hôtel. Je lui ai dit la vérité, c'est-à-dire que la faute était à mes gens, et que j'étais prêt à vous en faire mes excuses. Puisque je vous rencontre, veuillez les recevoir, et me tenir toujours pour un de vos amis.

— Monsieur le duc, dit M. de Tréville, j'étais si plein de confiance dans votre loyauté, que je n'avais pas voulu près de Sa Majesté d'autre défenseur que vous-même. Je vois que je ne m'étais pas abusé[1], et je vous remercie de ce qu'il y a encore en France un homme de qui on puisse dire sans se tromper ce que j'ai dit de vous.

---

1. Trompé.

— C'est bien, c'est bien ! dit le roi qui avait écouté tous ces compliments entre les deux portes ; seulement, dites-lui, Tréville, puisqu'il se prétend un de vos amis, que moi aussi je voudrais être des siens, mais qu'il me néglige ; qu'il y a tantôt trois ans que je ne l'ai vu, et que je ne le vois que quand je l'envoie chercher. Dites-lui tout cela de ma part, car ce sont de ces choses qu'un roi ne peut dire lui-même.

— Merci, Sire, merci, dit le duc ; mais que Votre Majesté croie bien que ce ne sont pas ceux, je ne dis point cela pour M. de Tréville, que ce ne sont point ceux qu'elle voit à toute heure du jour qui lui sont le plus dévoués.

— Ah ! vous avez entendu ce que j'ai dit ; tant mieux, duc, tant mieux, dit le roi en s'avançant jusque sur la porte. Ah ! c'est vous, Tréville ! où sont vos mousquetaires ? Je vous avais dit avant-hier de me les amener, pourquoi ne l'avez-vous pas fait ?

— Ils sont en bas. Sire, et avec votre congé[1], La Chesnaye va leur dire de monter.

— Oui, oui, qu'ils viennent tout de suite ; il va être huit heures, et à neuf heures j'attends une visite. Allez, Monsieur le duc, et revenez surtout. Entrez, Tréville.

Le duc salua et sortit. Au moment où il ouvrait la porte, les trois mousquetaires et d'Artagnan, conduits par La Chesnaye, apparaissaient au haut de l'escalier.

---

1. Permission, autorisation.

— Venez, mes braves, dit le roi, venez ; j'ai à vous gronder.

Les mousquetaires s'approchèrent en s'inclinant ; d'Artagnan les suivait par-derrière.

— Comment diable ! continua le roi ; à vous quatre, sept gardes de Son Éminence mis hors de combat en deux jours ! C'est trop, Messieurs, c'est trop. À ce compte-là. Son Éminence serait forcée de renouveler sa compagnie dans trois semaines, et moi de faire appliquer les édits dans toute leur rigueur. Un par hasard, je ne dis pas ; mais sept en deux jours, je le répète, c'est trop, c'est beaucoup trop.

— Aussi, Sire, Votre Majesté voit qu'ils viennent tout contrits et tout repentants lui faire leurs excuses.

— Tout contrits et tout repentants ! Hum ! fit le roi, je ne me fie point à leurs faces hypocrites ; il y a surtout là-bas une figure de Gascon. Venez ici, Monsieur.

D'Artagnan, qui comprit que c'était à lui que le compliment s'adressait, s'approcha en prenant son air le plus désespéré.

— Eh bien, que me disiez-vous donc que c'était un jeune homme ? c'est un enfant, Monsieur de Tréville, un véritable enfant ! Et c'est celui-là qui a donné ce rude coup d'épée à Jussac ?

— Et ces deux beaux coups d'épée à Bernajoux.

— Véritablement !

— Sans compter, dit Athos, que s'il ne m'avait pas

tiré des mains de Biscarat, je n'aurais très certainement pas l'honneur de faire en ce moment-ci ma très humble révérence à Votre Majesté.

— Mais c'est donc un véritable démon que ce Béarnais, ventre-saint-gris ! Monsieur de Tréville, comme eût dit le roi mon père. À ce métier-là, on doit trouer force pourpoints et briser force épées. Or les Gascons sont toujours pauvres, n'est-ce pas ?

— Sire, je dois dire qu'on n'a pas encore trouvé des mines d'or dans leurs montagnes, quoique le Seigneur leur dût bien ce miracle en récompense de la manière dont ils ont soutenu les prétentions[1] du roi votre père.

— Ce qui veut dire que ce sont les Gascons qui m'ont fait roi moi-même, n'est-ce pas, Tréville, puisque je suis le fils de mon père ? Eh bien ! à la bonne heure, je ne dis pas non. La Chesnaye, allez voir si, en fouillant dans toutes mes poches, vous trouverez quarante pistoles ; et si vous les trouvez, apportez-les-moi. Et maintenant, voyons, jeune homme, la main sur la conscience, comment cela s'est-il passé !

D'Artagnan raconta l'aventure de la veille dans tous ses détails : comment, n'ayant pas pu dormir de la joie qu'il éprouvait à voir Sa Majesté, il était arrivé chez ses amis trois heures avant l'heure de l'audience ; comment ils étaient allés ensemble au tripot, et comment, sur la crainte qu'il avait manifestée de recevoir une balle au visage, il avait été raillé par Bernajoux, lequel

---

1. Droits.

125

avait failli payer cette raillerie de la perte de la vie, et M. de La Trémouille, qui n'y était pour rien, de la perte de son hôtel.

— C'est bien cela, murmurait le roi ; oui, c'est ainsi que le duc m'a raconté la chose. Pauvre cardinal ! sept hommes en deux jours, et de ses plus chers ; mais c'est assez comme cela, Messieurs, entendez-vous ! c'est assez : vous avez pris votre revanche de la rue Férou, et au-delà ; vous devez être satisfaits.

— Si Votre Majesté l'est, dit Tréville, nous le sommes.

— Oui, je le suis, ajouta le roi en prenant une poignée d'or de la main de La Chesnaye, et la mettant dans celle de d'Artagnan. Voici, dit-il, une preuve de ma satisfaction.

À cette époque, les idées de fierté qui sont de mise de nos jours n'étaient point encore de mode. Un gentilhomme recevait de la main à la main de l'argent du roi, et n'en était pas le moins du monde humilié. D'Artagnan mit donc les quarante pistoles dans sa poche sans faire aucune façon, et en remerciant tout au contraire grandement Sa Majesté.

— Là, dit le roi en regardant sa pendule, là, et maintenant qu'il est huit heures et demie, retirez-vous ; car, je vous l'ai dit, j'attends quelqu'un à neuf heures. Merci de votre dévouement, Messieurs. J'y puis compter, n'est-ce pas ?

— Oh ! Sire, s'écrièrent d'une même voix les

quatre compagnons, nous nous ferions couper en morceaux pour Votre Majesté.

— Bien, bien ; mais restez entiers : cela vaut mieux, et vous me serez plus utiles. Tréville, ajouta le roi à demi-voix pendant que les autres se retiraient, comme vous n'avez pas de place dans les mousquetaires et que d'ailleurs pour entrer dans ce corps nous avons décidé qu'il fallait faire un noviciat[1], placez ce jeune homme dans la compagnie des gardes de M. des Essarts, votre beau-frère. Ah ! pardieu ! Tréville, je me réjouis de la grimace que va faire le cardinal : il sera furieux, mais cela m'est égal ; je suis dans mon droit.

Et le roi salua de la main Tréville, qui sortit et s'en vint rejoindre ses mousquetaires, qu'il trouva partageant avec d'Artagnan les quarante pistoles.

Et le cardinal, comme l'avait dit Sa Majesté, fut effectivement furieux, si furieux que pendant huit jours il abandonna le jeu du roi, ce qui n'empêchait pas le roi de lui faire la plus charmante mine du monde, et toutes les fois qu'il le rencontrait de lui demander de sa voix la plus caressante :

— Eh bien ! Monsieur le cardinal, comment vont ce pauvre Bernajoux et ce pauvre Jussac, qui sont à vous ?

---

1. Apprentissage, mise à l'épreuve.

7

L'intérieur des mousquetaires

Lorsque d'Artagnan fut hors du Louvre, et qu'il consulta ses amis sur l'emploi qu'il devait faire de sa part des quarante pistoles, Athos lui conseilla de commander un bon repas à la *Pomme de Pin*, Porthos de prendre un laquais, et Aramis de se faire une maîtresse convenable.

Le repas fut exécuté le jour même, et le laquais y servit à table. Le repas avait été commandé par Athos, et le laquais fourni par Porthos. C'était un Picard que le glorieux mousquetaire avait embauché le jour même et à cette occasion sur le pont de la Tournelle pendant qu'il faisait des ronds en crachant dans l'eau.

Porthos avait prétendu que cette occupation était la preuve d'une organisation réfléchie et contemplative, et il l'avait emmené sans autre recommandation. La grande mine de ce gentilhomme, pour le compte duquel il se crut engagé, avait séduit Planchet – c'était le nom du Picard ; il y eut chez lui un léger désappointement lorsqu'il vit que la place était déjà prise par un confrère nommé Mousqueton, et lorsque Porthos lui eut signifié que son état de maison, quoique grand, ne comportait pas deux domestiques, et qu'il lui fallait entrer au service de d'Artagnan. Cependant, lorsqu'il assista au dîner que donnait son maître et qu'il vit celui-ci tirer en payant une poignée d'or de sa poche, il crut sa fortune faite et remercia le Ciel d'être tombé en la possession d'un pareil Crésus[1] ; il persévéra dans cette opinion jusqu'après le festin, des reliefs[2] duquel il répara de longues abstinences. Mais en faisant, le soir, le lit de son maître, les chimères de Planchet s'évanouirent. Le lit était le seul de l'appartement, qui se composait d'une antichambre et d'une chambre à coucher. Planchet coucha dans l'antichambre sur une couverture tirée du lit de d'Artagnan, et dont d'Artagnan se passa depuis.

Athos, de son côté, avait un valet qu'il avait dressé à son service d'une façon toute particulière, et que l'on appelait Grimaud. Il était fort silencieux, ce digne sei-

---

1. Roi d'Asie Mineure célèbre dans l'Antiquité pour sa richesse.
2. Restes.

gneur. Nous parlons d'Athos, bien entendu. Depuis cinq ou six ans qu'il vivait dans la plus profonde intimité avec ses compagnons Porthos et Aramis, ceux-ci se rappelaient l'avoir vu sourire souvent, mais jamais ils ne l'avaient entendu rire. Ses paroles étaient brèves et expressives, disant toujours ce qu'elles voulaient dire, rien de plus : pas d'enjolivements, pas de broderies, pas d'arabesques. Sa conversation était un fait sans aucun épisode.

Quoique Athos eût à peine trente ans et fût d'une grande beauté de corps et d'esprit, personne ne lui connaissait de maîtresse. Jamais il ne parlait de femmes. Seulement il n'empêchait pas qu'on en parlât devant lui, quoiqu'il fût facile de voir que ce genre de conversation, auquel il ne se mêlait que par des mots amers et des aperçus misanthropiques[1], lui était parfaitement désagréable. Sa réserve, sa sauvagerie et son mutisme en faisaient presque un vieillard ; il avait donc, pour ne point déroger[2] à ses habitudes, habitué Grimaud à lui obéir sur un simple geste ou sur un simple mouvement des lèvres. Il ne lui parlait que dans des circonstances suprêmes.

Quelquefois Grimaud, qui craignait son maître comme le feu, tout en ayant pour sa personne un grand attachement et pour son génie une grande vénération, croyait avoir parfaitement compris ce qu'il

---

1. Hostiles aux hommes et à la société.
2. Manquer.

désirait, s'élançait pour exécuter l'ordre reçu, et faisait précisément le contraire. Alors Athos haussait les épaules et, sans se mettre en colère, rossait Grimaud. Ces jours-là, il parlait un peu.

Porthos, comme on a pu le voir, avait un caractère tout opposé à celui d'Athos : non seulement il parlait beaucoup, mais il parlait haut ; peu lui importait au reste, il faut lui rendre cette justice, qu'on l'écoutât ou non ; il parlait pour le plaisir de parler et pour le plaisir de s'entendre ; il parlait de toutes choses excepté de sciences, excipant[1] à cet endroit de la haine invétérée que depuis son enfance il portait, disait-il, aux savants. Il avait moins grand air qu'Athos, et le sentiment de son infériorité à ce sujet l'avait, dans le commencement de leur liaison, rendu souvent injuste pour ce gentilhomme, qu'il s'était alors efforcé de dépasser par ses splendides toilettes. Mais, avec sa simple casaque de mousquetaire et rien que par la façon dont il rejetait la tête en arrière et avançait le pied, Athos prenait à l'instant même la place qui lui était due et reléguait le fastueux Porthos au second rang. Porthos s'en consolait en remplissant l'antichambre de M. de Tréville et les corps de garde du Louvre du bruit de ses bonnes fortunes[2], dont Athos ne parlait jamais, et pour le moment, après avoir passé de la noblesse de

---

1. Alléguant, prétextant.
2. Conquêtes féminines.

robe à la noblesse d'épée, de la robine[1] à la baronne, il n'était question de rien de moins pour Porthos que d'une princesse étrangère qui lui voulait un bien énorme.

Un vieux proverbe dit : « Tel maître, tel valet. » Passons donc du valet d'Athos au valet de Porthos, de Grimaud à Mousqueton.

Mousqueton était un Normand dont son maître avait changé le nom pacifique de Boniface en celui infiniment plus sonore et plus belliqueux de Mousqueton. Il était entré au service de Porthos à la condition qu'il serait habillé et logé seulement, mais d'une façon magnifique ; il ne réclamait que deux heures par jour pour les consacrer à une industrie[2] qui devait suffire à pourvoir à ses autres besoins. Porthos avait accepté le marché ; la chose lui allait à merveille. Il faisait tailler à Mousqueton des pourpoints dans ses vieux habits et dans ses manteaux de rechange, et, grâce à un tailleur fort intelligent qui lui remettait ses hardes à neuf en les retournant, et dont la femme était soupçonnée de vouloir faire descendre Porthos de ses habitudes aristocratiques, Mousqueton faisait à la suite de son maître fort bonne figure.

Quant à Aramis, dont nous croyons avoir suffisamment exposé le caractère, caractère du reste que, comme celui de ses compagnons, nous pourrons

---

1. Féminin de l'adjectif « robin » : qui porte la robe (des magistrats).
2. Activité, profession.

suivre dans son développement, son laquais s'appelait Bazin. Grâce à l'espérance qu'avait son maître d'entrer un jour dans les ordres, il était toujours vêtu de noir, comme doit l'être le serviteur d'un homme d'Église. C'était un Berrichon de trente-cinq à quarante ans, doux, paisible, grassouillet, occupant à lire de pieux ouvrages les loisirs que lui laissait son maître, faisant à la rigueur pour deux un dîner de peu de plats, mais excellent. Au reste, muet, aveugle, sourd et d'une fidélité à toute épreuve.

D'Artagnan, qui était fort curieux de sa nature, comme sont les gens, du reste, qui ont le génie de l'intrigue, fit tous ses efforts pour savoir ce qu'étaient au juste Athos, Porthos et Aramis ; car, sous ces noms de guerre, chacun des jeunes gens cachait son nom de gentilhomme, Athos surtout, qui sentait son grand seigneur d'une lieue. Il s'adressa donc à Porthos pour avoir des renseignements sur Athos et Aramis, et à Aramis pour connaître Porthos.

Malheureusement, Porthos lui-même ne savait de la vie de son silencieux camarade que ce qui en avait transpiré. On disait qu'il avait eu de grands malheurs dans ses affaires amoureuses, et qu'une affreuse trahison avait empoisonné à jamais la vie de ce galant homme. Quelle était cette trahison ? Tout le monde l'ignorait.

Quant à Porthos, excepté son véritable nom, que M. de Tréville savait seul, ainsi que celui de ses deux camarades, sa vie était facile à connaître. Vaniteux et indiscret, on voyait à travers lui comme à travers un cristal. La seule chose qui eût pu égarer l'investigateur eût été que l'on eût cru tout le bien qu'il disait de lui. Quant à Aramis, tout en ayant l'air de n'avoir aucun secret, c'était un garçon tout confit de mystères, répondant peu aux questions qu'on lui faisait sur les autres, et éludant celles que l'on faisait sur lui-même. Un jour, d'Artagnan, après l'avoir longtemps interrogé sur Porthos et en avoir appris ce bruit qui courait de la bonne fortune du mousquetaire avec une princesse, voulut savoir aussi à quoi s'en tenir sur les aventures amoureuses de son interlocuteur.

— Et vous, mon cher compagnon, lui dit-il, vous qui parlez des baronnes, des comtesses et des princesses des autres ?

— Pardon, interrompit Aramis, j'ai parlé parce que Porthos en parle lui-même, parce qu'il a crié toutes ces belles choses devant moi. Mais croyez bien, mon cher Monsieur d'Artagnan, que si je les tenais d'une autre source ou qu'il me les eût confiées, il n'y aurait pas eu de confesseur plus discret que moi.

— Je n'en doute pas, reprit d'Artagnan ; mais enfin, il me semble que vous-même vous êtes assez familier avec les armoiries, témoin certain mouchoir brodé auquel je dois l'honneur de votre connaissance.

Aramis, cette fois, ne se fâcha point, mais il prit son air le plus modeste et répondit affectueusement :

— Mon cher, n'oubliez pas que je veux être d'Église, et que je fuis toutes les occasions mondaines. Ce mouchoir que vous avez vu ne m'avait point été confié, mais il avait été oublié chez moi par un de mes amis. J'ai dû le recueillir pour ne pas les compromettre, lui et la dame qu'il aime. Quant à moi, je n'ai point et ne veux point avoir de maîtresse, suivant en cela l'exemple très judicieux d'Athos, qui n'en a pas plus que moi.

— Mais, que diable ! vous n'êtes pas abbé, puisque vous êtes mousquetaire.

— Mousquetaire par intérim, mon cher, comme dit le cardinal, mousquetaire contre mon gré, mais homme d'Église dans le cœur, croyez-moi. Athos et Porthos m'ont fourré là-dedans pour m'occuper : j'ai eu, au moment d'être ordonné[1] une petite difficulté avec... Mais cela ne vous intéresse guère, et je vous prends un temps précieux.

— Point du tout, cela m'intéresse fort, s'écria d'Artagnan, et je n'ai pour le moment absolument rien à faire.

— Oui, mais moi j'ai mon bréviaire[2] à dire, répondit Aramis, puis quelques vers à composer que m'a demandés Mme d'Aiguillon ; ensuite je dois passer rue Saint-Honoré, afin d'acheter du rouge pour Mme de

1. Ordonné prêtre.
2. Livre de prières.

Chevreuse. Vous voyez, mon cher ami, que si rien ne vous presse, je suis très pressé, moi.

Et Aramis tendit affectueusement la main à son compagnon, et prit congé de lui.

D'Artagnan ne put, quelque peine qu'il se donnât, en savoir davantage sur ses trois nouveaux amis. Il prit donc son parti de croire dans le présent tout ce qu'on disait de leur passé, espérant des révélations plus sûres et plus étendues de l'avenir.

La vie des quatre jeunes gens était devenue commune ; d'Artagnan, qui n'avait aucune habitude, puisqu'il arrivait de sa province et tombait au milieu d'un monde tout nouveau pour lui, prit aussitôt les habitudes de ses amis.

On se levait vers huit heures en hiver, vers six heures en été, et l'on allait prendre le mot d'ordre et l'air des affaires chez M. de Tréville. D'Artagnan, bien qu'il ne fût pas mousquetaire, en faisait le service avec une ponctualité touchante : il était toujours de garde, parce qu'il tenait toujours compagnie à celui de ses trois amis qui montait la sienne. On le connaissait à l'hôtel des mousquetaires, et chacun le tenait pour un bon camarade ; M. de Tréville, qui l'avait apprécié du premier coup d'œil, et qui lui portait une véritable affection, ne cessait de le recommander au roi.

De leur côté, les trois mousquetaires aimaient fort leur jeune camarade. L'amitié qui unissait ces quatre hommes, et le besoin de se voir trois ou quatre fois par jour, soit pour duel, soit pour affaires, soit pour plaisir, les faisaient sans cesse courir l'un après l'autre comme des ombres ; et l'on rencontrait toujours les inséparables se cherchant du Luxembourg à la place Saint-Sulpice, ou de la rue du Vieux-Colombier au Luxembourg.

En attendant, les promesses de M. de Tréville allaient leur train. Un beau jour, le roi commanda à M. le chevalier des Essarts de prendre d'Artagnan comme cadet dans sa compagnie des gardes. D'Artagnan endossa en soupirant cet habit, qu'il eût voulu, au prix de dix années de son existence, troquer contre la casaque de mousquetaire. Mais M. de Tréville promit cette faveur après un noviciat de deux ans, noviciat qui pouvait être abrégé au reste, si l'occasion se présentait pour d'Artagnan de rendre quelque service au roi ou de faire quelque action d'éclat. D'Artagnan se retira sur cette promesse et, dès le lendemain, commença son service.

Alors ce fut le tour d'Athos, de Porthos et d'Aramis de monter la garde avec d'Artagnan quand il était de garde. La compagnie de M. le chevalier des Essarts prit ainsi quatre hommes au lieu d'un, le jour où elle prit d'Artagnan.

8

Une intrigue de cour

Cependant les quarante pistoles du roi Louis XIII, ainsi que toutes les choses de ce monde, après avoir eu un commencement avaient eu une fin, et depuis cette fin nos quatre compagnons étaient tombés dans la gêne. D'abord Athos avait soutenu pendant quelque temps l'association de ses propres deniers. Porthos lui avait succédé, et, grâce à une de ces disparitions auxquelles on était habitué, il avait pendant près de quinze jours encore subvenu aux besoins de tout le monde ; enfin était arrivé le tour d'Aramis, qui s'était exécuté de bonne grâce, et qui était parvenu, disait-il, en vendant ses livres de théologie, à se procurer quelques pistoles.

On eut alors, comme d'habitude, recours à M. de Tréville, qui fit quelques avances sur la solde ; mais ces avances ne pouvaient conduire bien loin trois mousquetaires qui avaient déjà force comptes arriérés, et un garde qui n'en avait pas encore.

Enfin, quand on vit qu'on allait manquer tout à fait, on rassembla par un dernier effort huit ou dix pistoles que Porthos joua. Malheureusement, il était dans une mauvaise veine : il perdit tout, plus vingt-cinq pistoles sur parole.

Alors la gêne devint de la détresse ; on vit les affamés suivis de leurs laquais courir les quais et les corps de garde, ramassant chez leurs amis du dehors tous les dîners qu'ils purent trouver ; car, suivant l'avis d'Aramis, on devait dans la prospérité semer des repas à droite et à gauche pour en récolter quelques-uns dans la disgrâce.

Athos fut invité quatre fois et mena chaque fois ses amis avec leurs laquais. Porthos eut six occasions et en fit également jouir ses camarades ; Aramis en eut huit. C'était un homme, comme on a déjà pu s'en apercevoir, qui faisait peu de bruit et beaucoup de besogne.

Quant à d'Artagnan, qui ne connaissait encore personne dans la capitale, il ne trouva qu'un déjeuner de chocolat chez un prêtre de son pays, et un dîner chez un cornette[1] des gardes. Il mena son armée chez le prêtre, auquel on dévora sa provision de deux mois, et chez le cornette, qui fit des merveilles ; mais, comme le disait Planchet, on ne mange toujours qu'une fois, même quand on mange beaucoup.

D'Artagnan se trouva donc assez humilié de n'avoir eu qu'un repas et demi, car le déjeuner chez le prêtre ne pouvait compter que pour un demi-repas, à offrir à ses compagnons en échange des festins que s'étaient procurés Athos, Porthos et Aramis. Il se croyait à charge à la société, oubliant dans sa bonne foi toute juvénile qu'il avait nourri cette société pendant un mois, et son esprit préoccupé se mit à travailler activement. Il réfléchit que cette coalition de quatre hommes jeunes, braves, entreprenants et actifs devait avoir un autre but que des promenades déhanchées, des leçons d'escrime et des lazzi[2] plus ou moins spirituels.

Il y songeait, lui, et sérieusement même, se creusant la cervelle pour trouver une direction à cette force unique quatre fois multipliée avec laquelle il ne doutait pas que, comme avec le levier que cherchait Archimède[3], on ne parvînt à soulever le monde, – lorsque l'on frappa doucement à la porte. D'Artagnan réveilla Planchet et lui ordonna d'aller ouvrir.

---

1. Officier qui portait l'étendard.
2. Mauvaises plaisanteries (mot italien).
3. Mathématicien et ingénieur grec (287-212 av. J.-C.).

Un homme fut introduit, de mine assez simple et qui avait l'air d'un bourgeois.

Planchet, pour son dessert, eût bien voulu entendre la conversation ; mais le bourgeois déclara à d'Artagnan que ce qu'il avait à lui dire étant important et confidentiel, il désirait demeurer en tête-à-tête avec lui. D'Artagnan congédia Planchet et fit asseoir son visiteur.

Il y eut un moment de silence pendant lequel les deux hommes se regardèrent comme pour faire une connaissance préalable, après quoi d'Artagnan s'inclina en signe qu'il écoutait.

— J'ai entendu parler de M. d'Artagnan comme d'un jeune homme fort brave, dit le bourgeois, et cette réputation dont il jouit à juste titre m'a décidé à lui confier un secret.

— Parlez, Monsieur, parlez, dit d'Artagnan, qui d'instinct flaira quelque chose d'avantageux.

Le bourgeois fit une nouvelle pause et continua :

— J'ai ma femme qui est lingère chez la reine, Monsieur, et qui ne manque ni de sagesse, ni de beauté. On me l'a fait épouser voilà bientôt trois ans, quoiqu'elle n'eût qu'un petit avoir, parce que M. de La Porte, le portemanteau[1] de la reine, est son parrain et la protège...

— Eh bien ! Monsieur ? demanda d'Artagnan.

— Eh bien, reprit le bourgeois, eh bien ! Monsieur,

---

1. Officier qui portait le manteau de la reine.

ma femme a été enlevée hier matin, comme elle sortait de sa chambre de travail.

— Et par qui votre femme a-t-elle été enlevée ?

— Je n'en sais rien sûrement, Monsieur, mais je soupçonne quelqu'un.

— Et quelle est cette personne que vous soupçonnez ?

— Un homme qui la poursuivait depuis longtemps.

— Diable !

— Mais voulez-vous que je vous dise, Monsieur, continua le bourgeois, je suis convaincu, moi, qu'il y a moins d'amour que de politique dans tout cela.

— Moins d'amour que de politique, reprit d'Artagnan d'un air fort réfléchi, et que soupçonnez-vous ?

— Je ne sais pas si je devrais vous dire ce que je soupçonne...

— Monsieur, je vous ferai observer que je ne vous demande absolument rien, moi. C'est vous qui êtes venu. C'est vous qui m'avez dit que vous aviez un secret à me confier. Faites donc à votre guise, il est encore temps de vous retirer.

— Non, Monsieur, non ; vous m'avez l'air d'un honnête jeune homme, et j'aurai confiance en vous. Je crois donc que ce n'est pas à cause de ses amours que ma femme a été arrêtée, mais à cause de celles d'une plus grande dame qu'elle.

— Ah ! ah ! serait-ce à cause des amours de Mme de Bois-Tracy ? fit d'Artagnan, qui voulut avoir l'air, vis-à-vis de son bourgeois, d'être au courant des affaires de la cour.

— Plus haut, Monsieur, plus haut.

— De Mme d'Aiguillon ?

— Plus haut encore.

— De Mme de Chevreuse ?

— Plus haut, beaucoup plus haut !

— De la... d'Artagnan s'arrêta.

— Oui, Monsieur, répondit si bas, qu'à peine si on put l'entendre, le bourgeois épouvanté.

— Et avec qui ?

— Avec qui cela peut-il être, si ce n'est avec le duc de...

— Le duc de...

— Oui, Monsieur ! répondit le bourgeois, en donnant à sa voix une intonation plus sourde encore.

— Mais comment savez-vous tout cela, vous ?

— Ah ! comment je le sais ?

— Oui, comment le savez-vous ? Pas de demi-confidence, ou... vous comprenez.

— Je le sais par ma femme, Monsieur, par ma femme elle-même.

— Qui le sait, elle, par qui ?

— Par M. de La Porte. Ne vous ai-je pas dit qu'elle était la filleule de M. de La Porte, l'homme de confiance de la reine ? Eh bien, M. de La Porte l'avait mise près de Sa Majesté pour que notre pauvre reine au moins eût quelqu'un à qui se fier, abandonnée comme elle l'est par le roi, espionnée comme elle l'est par le cardinal, trahie comme elle l'est par tous.

— Ah ! ah ! voilà qui se dessine, dit d'Artagnan.

— Or ma femme est venue il y a quatre jours, Monsieur ; une de ses conditions était qu'elle devait me venir voir deux fois la semaine ; car, ainsi que j'ai eu l'honneur de vous le dire, ma femme m'aime beaucoup ; ma femme est donc venue, et m'a confié que la reine, en ce moment-ci, avait de grandes craintes.

— Vraiment ?

— Oui, M. le cardinal, à ce qu'il paraît, la poursuit et la persécute plus que jamais. Il ne peut pas lui pardonner l'histoire de la sarabande[1]. Vous savez l'histoire de la sarabande ?

— Pardieu, si je la sais ! répondit d'Artagnan, qui ne savait rien du tout, mais qui voulait avoir l'air d'être au courant.

— De sorte que, maintenant, ce n'est plus de la haine, c'est de la vengeance.

— Vraiment ?

— Et la reine croit...

— Eh bien, que croit la reine ?

— Elle croit qu'on a écrit à M. le duc de Buckingham en son nom.

— Au nom de la reine ?

_____

1. Anne d'Autriche se serait moquée de Richelieu, qui lui faisait la cour, en le faisant danser de manière ridicule.

— Oui, pour le faire venir à Paris, et une fois venu à Paris, pour l'attirer dans quelque piège.

— Diable mais votre femme, mon cher Monsieur, qu'a-t-elle à faire dans tout cela ?

— On connaît son dévouement pour la reine, et l'on veut ou l'éloigner de sa maîtresse, ou l'intimider pour avoir les secrets de Sa Majesté, ou la séduire pour se servir d'elle comme d'un espion.

— C'est probable, dit d'Artagnan ; mais l'homme qui l'a enlevée, le connaissez-vous ?

— Je vous ai dit que je croyais le connaître.

— Son nom ?

— Je ne le sais pas ; ce que je sais seulement, c'est que c'est une créature du cardinal, son âme damnée.

— Mais vous l'avez vu ?

— Oui, ma femme me l'a montré un jour.

— A-t-il un signalement auquel on puisse le reconnaître ?

— Oh ! certainement, c'est un seigneur de haute mine, poil noir, teint basané, œil perçant, dents blanches et une cicatrice à la tempe.

— Une cicatrice à la tempe ! s'écria d'Artagnan, et avec cela dents blanches, œil perçant, teint basané, poil noir, et haute mine ; c'est mon homme de Meung !

— C'est votre homme, dites-vous ?

— Oui, oui ; mais cela ne fait rien à la chose. Non, je me trompe, cela la simplifie beaucoup, au contraire :

146

si votre homme est le mien, je ferai d'un coup deux vengeances, voilà tout ; mais où rejoindre cet homme ?

— Je n'en sais rien.

— Vous n'avez aucun renseignement sur sa demeure ?

— Aucun ; un jour que je reconduisais ma femme au Louvre, il en sortait comme elle allait y entrer, et elle me l'a fait voir.

— Diable ! diable ! murmura d'Artagnan, tout ceci est bien vague ; par qui avez-vous su l'enlèvement de votre femme ?

— Par M. de La Porte.

— Vous a-t-il donné quelque détail ?

— Il n'en avait aucun.

— Et vous n'avez rien appris d'un autre côté ?

— Si fait, j'ai reçu...

— Quoi ?

— Mais je ne sais pas si je ne commets pas une grande imprudence ?

— Vous revenez encore là-dessus ; cependant je vous ferai observer que, cette fois, il est un peu tard pour reculer.

— Aussi je ne recule pas, mordieu ! s'écria le bourgeois en jurant pour se monter la tête. D'ailleurs, foi de Bonacieux...

— Vous vous appelez Bonacieux ? interrompit d'Artagnan.

— Oui, c'est mon nom.

— Vous disiez donc : foi de Bonacieux ! pardon si je vous ai interrompu ; mais il me semblait que ce nom ne m'était pas inconnu.

— C'est possible, Monsieur. Je suis votre propriétaire.

— Ah ! ah ! fit d'Artagnan en se soulevant à demi et en saluant, vous êtes mon propriétaire ?

— Oui, Monsieur, oui. Et comme depuis trois mois que vous êtes chez moi, et que distrait sans doute par vos grandes occupations vous avez oublié de me payer mon loyer ; comme, dis-je, je ne vous ai pas tourmenté un seul instant, j'ai pensé que vous auriez égard à ma délicatesse.

— Comment donc ! mon cher Monsieur Bonacieux, reprit d'Artagnan, croyez que je suis plein de reconnaissance pour un pareil procédé, et que, comme je vous l'ai dit, si je puis vous être bon à quelque chose...

— Je vous crois, Monsieur, je vous crois, et comme j'allais vous le dire, foi de Bonacieux, j'ai confiance en vous.

— Achevez donc ce que vous avez commencé à me dire.

Le bourgeois tira un papier de sa poche, et le présenta à d'Artagnan.

— Une lettre ! fit le jeune homme.

— Que j'ai reçue ce matin.

D'Artagnan l'ouvrit, et comme le jour commençait

à baisser, il s'approcha de la fenêtre. Le bourgeois le suivit.

— « Ne cherchez pas votre femme, lut d'Artagnan, elle vous sera rendue quand on n'aura plus besoin d'elle. Si vous faites une seule démarche pour la retrouver, vous êtes perdu. » Voilà qui est positif, continua d'Artagnan ; mais après tout, ce n'est qu'une menace.

— Oui, mais cette menace m'épouvante ; moi, Monsieur, je ne suis pas homme d'épée du tout, et j'ai peur de la Bastille.

— Hum ! fit d'Artagnan ; mais c'est que je ne me soucie pas plus de la Bastille que vous, moi. S'il ne s'agissait que d'un coup d'épée, passe encore.

— Cependant, Monsieur, j'avais bien compté sur vous dans cette occasion.

— Oui ?

— Vous voyant sans cesse entouré de mousquetaires à l'air fort superbe, et reconnaissant que ces mousquetaires étaient ceux de M. de Tréville, et par conséquent des ennemis du cardinal, j'avais pensé que vous et vos amis, tout en rendant justice à notre pauvre reine, seriez enchantés de jouer un mauvais tour à Son Éminence.

— Sans doute.

— Et puis j'avais pensé que, me devant trois mois de loyer dont je ne vous ai jamais parlé...

— Oui, oui, vous m'avez déjà donné cette raison, et je la trouve excellente.

— Comptant de plus, tant que vous me ferez l'honneur de rester chez moi, ne jamais vous parler de votre loyer à venir...

— Très bien.

— Et ajoutez à cela, si besoin est, comptant vous offrir une cinquantaine de pistoles si, contre toute probabilité, vous vous trouviez gêné en ce moment.

— À merveille ; mais vous êtes donc riche, mon cher Monsieur Bonacieux ?

— Je suis à mon aise. Monsieur, c'est le mot ; j'ai amassé quelque chose comme deux ou trois mille écus de rente dans le commerce de la mercerie, et, surtout en plaçant quelques fonds sur le dernier voyage du célèbre navigateur Jean Mocquet[1] ; de sorte que, vous comprenez, Monsieur... Ah ! mais... s'écria le bourgeois.

— Quoi ? demanda d'Artagnan.

— Que vois-je là ?

— Où ?

— Dans la rue, en face de vos fenêtres, dans l'embrasure de cette porte : un homme enveloppé dans un manteau.

— C'est lui ! s'écrièrent à la fois d'Artagnan et le

_____

1. Explorateur français (1575-1617), auteur des *Voyages en Afrique, Asie, Indes orientales et occidentales.*

bourgeois, chacun d'eux en même temps ayant reconnu son homme.

— Ah ! cette fois-ci, s'écria d'Artagnan en sautant sur son épée, cette fois-ci, il ne m'échappera pas.

Et tirant son épée du fourreau, il se précipita hors de l'appartement.

Sur l'escalier, il rencontra Athos et Porthos qui le venaient voir. Ils s'écartèrent, d'Artagnan passa entre eux comme un trait.

— Ah çà, où cours-tu ainsi ? lui crièrent à la fois les deux mousquetaires.

— L'homme de Meung ! répondit d'Artagnan, et il disparut.

D'Artagnan avait plus d'une fois raconté à ses amis son aventure avec l'inconnu, ainsi que l'apparition de la belle voyageuse à laquelle cet homme avait paru confier une si importante missive.

L'avis d'Athos avait été que d'Artagnan avait perdu sa lettre dans la bagarre. Un gentilhomme, selon lui – et, au portrait que d'Artagnan avait fait de l'inconnu, ce ne pouvait être qu'un gentilhomme –, un gentilhomme devait être incapable de cette bassesse, de voler une lettre.

Porthos n'avait vu dans tout cela qu'un rendez-vous amoureux donné par une dame à un cavalier ou par un cavalier à une dame, et qu'était venue troubler la présence de d'Artagnan et de son cheval jaune.

Aramis avait dit que ces sortes de choses étant mystérieuses, mieux valait ne les point approfondir.

Ils comprirent donc, sur les quelques mots échappés à d'Artagnan, de quelle affaire il était question, et comme ils pensèrent qu'après avoir rejoint son homme ou l'avoir perdu de vue, d'Artagnan finirait toujours par remonter chez lui, ils continuèrent leur chemin.

Lorsqu'ils entrèrent dans la chambre de d'Artagnan, la chambre était vide : le propriétaire, craignant les suites de la rencontre qui allait sans doute avoir lieu entre le jeune homme et l'inconnu, avait, par suite de l'exposition qu'il avait faite lui-même de son caractère, jugé qu'il était prudent de décamper.

9

D'Artagnan se dessine

Comme l'avaient prévu Athos et Porthos, au bout d'une demi-heure d'Artagnan rentra. Cette fois encore il avait manqué son homme, qui avait disparu comme par enchantement. Pendant que d'Artagnan courait les rues et frappait aux portes, Aramis avait rejoint ses deux compagnons, de sorte qu'en revenant chez lui, d'Artagnan trouva la réunion au grand complet.

— Eh bien ? dirent ensemble les trois mousquetaires en voyant entrer d'Artagnan, la sueur sur le front et la figure bouleversée par la colère.

— Eh bien, s'écria celui-ci en jetant son épée sur le lit, il faut que cet homme soit le diable en personne ;

il a disparu comme un fantôme, comme une ombre, comme un spectre.

— Croyez-vous aux apparitions ? demanda Athos à Porthos.

— Moi, je ne crois que ce que j'ai vu, et comme je n'ai jamais vu d'apparitions, je n'y crois pas.

— La Bible, dit Aramis, nous fait une loi d'y croire : c'est un article de foi que je serais fâché de voir mettre en doute, Porthos.

— Dans tous les cas, homme ou diable, corps ou ombre, illusion ou réalité, cet homme est né pour ma damnation, car sa fuite nous fait manquer une affaire superbe, Messieurs, une affaire dans laquelle il y avait cent pistoles et peut-être plus à gagner.

— Comment cela ? dirent à la fois Porthos et Aramis.

Quant à Athos, fidèle à son système de mutisme, il se contenta d'interroger d'Artagnan du regard.

Et alors il raconta mot à mot à ses amis ce qui venait de se passer entre lui et son hôte, et comment l'homme qui avait enlevé la femme du digne propriétaire était le même avec lequel il avait eu maille à partir à l'hôtellerie du *Franc Meunier*.

— Votre affaire n'est pas mauvaise, dit Athos, et l'on pourra tirer de ce brave homme cinquante à soixante pistoles. Maintenant, reste à savoir si cinquante à soixante pistoles valent la peine de risquer quatre têtes.

— Mais faites attention, s'écria d'Artagnan, qu'il y a une femme dans cette affaire, une femme enlevée, une femme qu'on menace sans doute, qu'on torture peut-être, et tout cela parce qu'elle est fidèle à sa maîtresse.

— Prenez garde, d'Artagnan, prenez garde, dit Aramis, vous vous échauffez un peu trop, à mon avis, sur le sort de Mme Bonacieux. La femme a été créée pour notre perte, et c'est d'elle que nous viennent toutes nos misères.

Athos, à cette sentence d'Aramis, fronça le sourcil et se mordit les lèvres.

— Ce n'est point de Mme Bonacieux que je m'inquiète, s'écria d'Artagnan, mais de la reine, que le roi abandonne, que le cardinal persécute, et qui voit tomber, les unes après les autres, les têtes de tous ses amis.

— Pourquoi aime-t-elle ce que nous détestons le plus au monde, les Espagnols et les Anglais ?

— L'Espagne est sa patrie, répondit d'Artagnan, et il est tout simple qu'elle aime les Espagnols, qui sont enfants de la même terre qu'elle. Quant au second reproche que vous lui faites, j'ai entendu dire qu'elle aimait non pas les Anglais, mais un Anglais.

— Eh ! ma foi, dit Athos, il faut avouer que cet Anglais était bien digne d'être aimé. Je n'ai jamais vu un plus grand air que le sien.

— Sans compter qu'il s'habille comme personne, dit Porthos. J'étais au Louvre le jour où il a semé ses perles[1], et pardieu ! j'en ai ramassé deux que j'ai bien vendues dix pistoles pièce. Et toi, Aramis, le connais-tu ?

— Aussi bien que vous, Messieurs, car j'étais de ceux qui l'ont arrêté dans le jardin d'Amiens, où m'avait introduit M. de Putange, l'écuyer de la reine. J'étais au séminaire à cette époque, et l'aventure me parut cruelle pour le roi.

— Ce qui ne m'empêcherait pas, dit d'Artagnan, si je savais où est le duc de Buckingham, de le prendre par la main et de le conduire près de la reine, ne fût-ce que pour faire enrager M. le cardinal ; car notre véritable, notre seul, notre éternel ennemi, Messieurs, c'est le cardinal, et si nous pouvions trouver moyen de lui jouer quelque tour bien cruel, j'avoue que j'y engagerais volontiers ma tête.

— Et, reprit Athos, le mercier vous a dit, d'Artagnan, que la reine pensait qu'on avait fait venir Buckingham sur un faux avis ?

— Elle en a peur.

— Attendez donc, dit Aramis.

— Quoi ? demanda Porthos.

— Allez toujours, je cherche à me rappeler des circonstances.

— Et maintenant je suis convaincu, dit d'Artagnan, que l'enlèvement de cette femme de la reine se rat-

---

1. Buckingham aurait brisé volontairement son collier pour en distribuer les perles.

tache aux événements dont nous parlons, et peut-être à la présence de M. de Buckingham à Paris.

— Le Gascon est plein d'idées, dit Porthos avec admiration.

— J'aime beaucoup l'entendre parler, dit Athos, son patois m'amuse.

— Messieurs, Messieurs, dit d'Artagnan, ne perdons pas notre temps à badiner ; éparpillons-nous et cherchons la femme du mercier, c'est la clef de l'intrigue.

— Une femme de condition si inférieure ! vous croyez, d'Artagnan ? fit Porthos en allongeant les lèvres avec mépris.

— C'est la filleule de La Porte, le valet de confiance de la reine. Ne vous l'ai-je pas dit, Messieurs ? Et d'ailleurs, c'est peut-être un calcul de Sa Majesté d'avoir été, cette fois, chercher ses appuis si bas. Les hautes têtes se voient de loin, et le cardinal a bonne vue.

— Eh bien, dit Porthos, faites d'abord prix avec le mercier, et bon prix.

— C'est inutile, dit d'Artagnan, car je crois que s'il ne nous paie pas, nous serons assez payés d'un autre côté.

En ce moment, un bruit précipité de pas retentit dans l'escalier, la porte s'ouvrit avec fracas, et le malheureux mercier s'élança dans la chambre où se tenait le conseil.

— Ah ! Messieurs, s'écria-t-il, sauvez-moi, au nom du Ciel, sauvez-moi ! Il y a quatre hommes qui viennent pour m'arrêter ; sauvez-moi, sauvez-moi !

Porthos et Aramis se levèrent.

— Un moment, s'écria d'Artagnan en leur faisant signe de repousser au fourreau leurs épées à demi tirées ; un moment, ce n'est pas du courage qu'il faut ici, c'est de la prudence.

— Cependant, s'écria Porthos, nous ne laisserons pas...

— Vous laisserez faire d'Artagnan, dit Athos, c'est, je le répète, la forte tête de nous tous, et moi, pour mon compte, je déclare que je lui obéis. Fais ce que tu voudras, d'Artagnan.

En ce moment, les quatre gardes apparurent à la porte de l'antichambre, et voyant quatre mousquetaires debout et l'épée au côté, hésitèrent à aller plus loin.

— Entrez, Messieurs, entrez, cria d'Artagnan ; vous êtes ici chez moi, et nous sommes tous de fidèles serviteurs du roi et de M. le cardinal.

— Alors, Messieurs, vous ne vous opposerez pas à ce que nous exécutions les ordres que nous avons reçus ? demanda celui qui paraissait le chef de l'escouade.

— Au contraire, Messieurs, et nous vous prêterions main-forte, si besoin était.

— Mais que dit-il donc ? marmotta Porthos.

— Tu es un niais, dit Athos, silence !

— Mais vous m'avez promis..., dit tout bas le pauvre mercier.

— Nous ne pouvons vous sauver qu'en restant libres, répondit rapidement et tout bas d'Artagnan, et si nous faisons mine de vous défendre, on nous arrête avec vous.

— Il me semble, cependant...

— Venez, Messieurs, venez, dit tout haut d'Artagnan ; je n'ai aucun motif de défendre Monsieur. Je l'ai vu aujourd'hui pour la première fois, et encore à quelle occasion, il vous le dira lui-même, pour me venir réclamer le prix de mon loyer. Est-ce vrai, Monsieur Bonacieux ? Répondez !

— C'est la vérité pure, s'écria le mercier, mais Monsieur ne vous dit pas...

— Silence sur moi, silence sur mes amis, silence sur la reine surtout, ou vous perdriez tout le monde sans vous sauver. Allez, allez, Messieurs, emmenez cet homme !

Et d'Artagnan poussa le mercier tout étourdi aux mains des gardes, en lui disant :

— Vous êtes un maraud, mon cher ; vous venez me demander de l'argent, à moi ! à un mousquetaire ! En prison, Messieurs, encore une fois, emmenez-le en prison, et gardez-le sous clef le plus longtemps possible, cela me donnera du temps pour payer.

Les sbires se confondirent en remerciements et emmenèrent leur proie.

— Mais quelle diable de vilenie avez-vous donc faite là ? dit Porthos lorsque les quatre amis se retrouvèrent seuls. Fi donc ! quatre mousquetaires laisser arrêter au milieu d'eux un malheureux qui crie à l'aide !

— Porthos, dit Aramis, Athos t'a déjà prévenu que tu étais un niais, et je me range de son avis. D'Artagnan, tu es un grand homme, et quand tu seras à la place de M. de Tréville, je te demande ta protection pour me faire avoir une abbaye.

— Ah çà, je m'y perds, dit Porthos, vous approuvez ce que d'Artagnan vient de faire ?

— Je le crois parbleu bien, dit Athos ; non seulement j'approuve ce qu'il vient de faire, mais encore je l'en félicite.

— Et maintenant, Messieurs, dit d'Artagnan sans se donner la peine d'expliquer sa conduite à Porthos, tous pour un, un pour tous, c'est notre devise, n'est-ce pas ?

— Cependant..., dit Porthos.

— Étends la main et jure ! s'écrièrent à la fois Athos et Aramis.

Vaincu par l'exemple, maugréant[1] tout bas, Porthos étendit la main, et les quatre amis répétèrent d'une seule voix la formule dictée par d'Artagnan :

---

1. Pestant, jurant.

— Tous pour un, un pour tous.

— C'est bien, que chacun se retire maintenant chez soi, dit d'Artagnan comme s'il n'avait fait autre chose que de commander toute sa vie, et attention, car à partir de ce moment, nous voilà aux prises avec le cardinal.

10

Une souricière au XVIIe siècle

L'invention de la souricière ne date pas de nos jours ; dès que les sociétés, en se formant, eurent inventé une police quelconque, cette police, à son tour inventa les souricières.

Quand, dans une maison quelle qu'elle soit, on a arrêté un individu soupçonné d'un crime quelconque, on tient secrète l'arrestation ; on place quatre ou cinq hommes en embuscade dans la première pièce, on ouvre la porte à tous ceux qui frappent, on la referme sur eux et on les arrête ; de cette façon, au bout de deux ou trois jours, on tient à peu près tous les familiers de l'établissement.

Voilà ce que c'est qu'une souricière.

On fit donc une souricière de l'appartement de maître Bonacieux, et quiconque y apparut fut pris et interrogé par les gens de M. le cardinal. Il va sans dire que, comme une allée particulière conduisait au premier étage qu'habitait d'Artagnan, ceux qui venaient chez lui étaient exemptés de toutes visites.

Quant à d'Artagnan, il ne bougeait pas de chez lui. Il avait converti sa chambre en observatoire. Des fenêtres il voyait arriver ceux qui venaient se faire prendre ; puis, comme il avait ôté les carreaux du plancher, qu'il avait creusé le parquet et qu'un simple plafond le séparait de la chambre au-dessous, où se faisaient les interrogatoires, il entendait tout ce qui se passait entre les inquisiteurs et les accusés.

Le soir du lendemain de l'arrestation du pauvre Bonacieux, comme Athos venait de quitter d'Artagnan pour se rendre chez M. de Tréville, comme neuf heures venaient de sonner, et comme Planchet, qui n'avait pas encore fait le lit, commençait sa besogne, on entendit frapper à la porte de la rue ; aussitôt cette porte s'ouvrit et se referma : quelqu'un venait de se prendre à la souricière.

D'Artagnan s'élança vers l'endroit décarrelé, se coucha ventre à terre et écouta.

Des cris retentirent bientôt, puis des gémissements qu'on cherchait à étouffer. D'interrogatoire, il n'en était pas question.

« Diable ! se dit d'Artagnan, il me semble que c'est une femme : on la fouille, elle résiste, – on la violente, – les misérables ! »

Et d'Artagnan, malgré sa prudence, se tenait à quatre pour ne pas se mêler à la scène qui se passait au-dessous de lui.

— Mais je vous dis que je suis la maîtresse de la maison, Messieurs ; je vous dis que je suis Mme Bonacieux ; je vous dis que j'appartiens à la reine ! s'écriait la malheureuse femme.

« Mme Bonacieux ! murmura d'Artagnan ; serais-je assez heureux pour avoir trouvé ce que tout le monde cherche ? »

— C'est justement vous que nous attendions, reprirent les interrogateurs.

La voix devint de plus en plus étouffée : un mouvement tumultueux fit retentir les boiseries. La victime résistait autant qu'une femme peut résister à quatre hommes.

— Pardon, Messieurs, par..., murmura la voix, qui ne fit plus entendre que des sons inarticulés.

— Ils la bâillonnent, ils vont l'entraîner, s'écria d'Artagnan en se redressant comme par un ressort. Mon épée ; bon, elle est à mon côté. Planchet !

— Monsieur ?

— Cours chercher Athos, Porthos et Aramis. L'un des trois sera sûrement chez lui, peut-être tous les trois seront-ils rentrés. Qu'ils prennent des armes, qu'ils viennent, qu'ils accourent. Ah ! je me souviens, Athos est chez M. de Tréville.

— Mais où allez-vous, Monsieur, où allez-vous ?

— Je descends par la fenêtre, s'écria d'Artagnan, afin d'être plus tôt arrivé ; toi, remets les carreaux, balaie le plancher, sors par la porte et cours où je te dis.

— Oh ! Monsieur, Monsieur, vous allez vous tuer, s'écria Planchet.

— Tais-toi, imbécile, dit d'Artagnan.

Et s'accrochant de la main au rebord de sa fenêtre, il se laissa tomber du premier étage, qui heureusement n'était pas élevé, sans se faire une écorchure.

Puis il alla aussitôt frapper à la porte en murmurant :

— Je vais me faire prendre à mon tour dans la souricière, et malheur aux chats qui se frotteront à pareille souris.

À peine le marteau eut-il résonné sous la main du jeune homme, que le tumulte cessa, que des pas s'approchèrent, que la porte s'ouvrit, et que d'Artagnan, l'épée nue, s'élança dans l'appartement de maître Bonacieux, dont la porte, sans doute mue par un ressort, se referma d'elle-même sur lui.

Alors ceux qui habitaient encore la malheureuse maison de Bonacieux et les voisins les plus proches entendirent de grands cris, des trépignements, un cliquetis d'épées et un bruit prolongé de meubles. Puis, un moment après, ceux qui, surpris par ce bruit, s'étaient mis aux fenêtres pour en connaître la cause, purent voir la porte se rouvrir et quatre hommes vêtus de noir non pas en sortir, mais s'envoler comme des corbeaux effarouchés, laissant par terre et aux angles des tables des plumes de leurs ailes, c'est-à-dire des loques de leurs habits et des bribes de leurs manteaux.

D'Artagnan était vainqueur sans beaucoup de peine, il faut le dire, car un seul des alguazils[1] était armé, encore se défendit-il pour la forme. Il est vrai que les trois autres avaient essayé d'assommer le jeune homme avec les chaises, les tabourets et les poteries ; mais deux ou trois égratignures faites par la flamberge[2] du Gascon les avaient épouvantés. Dix minutes avaient suffi à leur défaite et d'Artagnan était resté maître du champ de bataille.

D'Artagnan, resté seul avec Mme Bonacieux, se retourna vers elle : la pauvre femme était renversée sur un fauteuil et à demi évanouie. D'Artagnan l'examina d'un coup d'œil rapide.

C'était une charmante femme de vingt-cinq à vingt-six ans, brune avec des yeux bleus, ayant un nez légèrement retroussé, des dents admirables, un teint marbré de rosé et d'opale. Là cependant s'arrêtaient les signes qui pouvaient la faire confondre avec une grande dame. Les mains étaient blanches, mais sans

---

1. Officiers de police en Espagne.
2. L'épée.

finesse : les pieds n'annonçaient pas la femme de qualité. Heureusement, d'Artagnan n'en était pas encore à se préoccuper de ces détails.

Tandis que d'Artagnan examinait Mme Bonacieux, et en était aux pieds, comme nous l'avons dit, il vit à terre un fin mouchoir de batiste, qu'il ramassa selon son habitude, et au coin duquel il reconnut le même chiffre qu'il avait vu au mouchoir qui avait failli lui faire couper la gorge avec Aramis.

Depuis ce temps, d'Artagnan se méfiait des mouchoirs armoriés ; il remit donc sans rien dire celui qu'il avait ramassé dans la poche de Mme Bonacieux. En ce moment, Mme Bonacieux reprenait ses sens. Elle ouvrit les yeux, regarda avec terreur autour d'elle, vit que l'appartement était vide, et qu'elle était seule avec son libérateur. Elle lui tendit aussitôt les mains en souriant. Mme Bonacieux avait le plus charmant sourire du monde.

— Ah ! Monsieur ! dit-elle, c'est vous qui m'avez sauvée ; permettez-moi que je vous remercie.

— Madame, dit d'Artagnan, je n'ai fait que ce que tout gentilhomme eût fait à ma place, vous ne me devez donc aucun remerciement.

— Si fait, Monsieur, si fait, et j'espère vous prouver que vous n'avez pas rendu service à une ingrate. Mais que me voulaient donc ces hommes, que j'ai pris d'abord pour des voleurs, et pourquoi M. Bonacieux n'est-il point ici ?

— Madame, ces hommes étaient bien autrement dangereux que ne pourraient être des voleurs, car ce sont des agents de M. le cardinal, et quant à votre mari, M. Bonacieux, il n'est point ici parce qu'hier on est venu le prendre pour le conduire à la Bastille.

— Mon mari à la Bastille ! s'écria Mme Bonacieux ; oh ! mon Dieu ! qu'a-t-il donc fait ? pauvre cher homme ! lui, l'innocence même !

Et quelque chose comme un sourire perçait sur la figure encore tout effrayée de la jeune femme.

— Ce qu'il a fait, Madame ? dit d'Artagnan. Je crois que son seul crime est d'avoir à la fois le bonheur et le malheur d'être votre mari.

— Mais, Monsieur, vous savez donc...

— Je sais que vous avez été enlevée, Madame.

— Et par qui ? Le savez-vous ? Oh ! si vous le savez, dites-le-moi.

— Par un homme de quarante à quarante-cinq ans, aux cheveux noirs, au teint basané, avec une cicatrice à la tempe gauche.

— C'est cela, c'est cela ; mais son nom ?

— Ah ! son nom ? c'est ce que j'ignore.

— Et mon mari savait-il que j'avais été enlevée ?

— Il en avait été prévenu par une lettre que lui avait écrite le ravisseur lui-même.

— Et soupçonne-t-il, demanda Mme Bonacieux avec embarras, la cause de cet événement ?

— Il l'attribuait, je crois, à une cause politique.

— J'en ai douté d'abord, et maintenant je le pense comme lui. Ainsi donc, ce cher M. Bonacieux ne m'a pas soupçonnée un seul instant... ?

— Ah ! loin de là, Madame, il était trop fier de votre sagesse et surtout de votre amour.

Un second sourire presque imperceptible effleura les lèvres rosées de la belle jeune femme.

— Mais, continua d'Artagnan, comment vous êtes-vous enfuie ?

— J'ai profité d'un moment où l'on m'a laissée seule, et comme je savais depuis ce matin à quoi m'en tenir sur mon enlèvement, à l'aide de mes draps je suis descendue par la fenêtre ; alors, comme je croyais mon mari ici, je suis accourue.

— Pour vous mettre sous sa protection ?

— Oh ! non, pauvre cher homme, je savais bien qu'il était incapable de me défendre ; mais comme il pouvait nous servir à autre chose, je voulais le prévenir.

— De quoi ?

— Oh ! ceci n'est pas mon secret, je ne puis donc pas vous le dire.

— D'ailleurs, dit d'Artagnan (pardon, Madame, si, tout garde que je suis, je vous rappelle à la prudence), d'ailleurs je crois que nous ne sommes pas ici en lieu opportun pour faire des confidences. Les hommes que j'ai mis en fuite vont revenir avec main-forte ; s'ils nous retrouvent ici, nous sommes perdus. J'ai bien fait prévenir trois de mes amis, mais qui sait si on les aura trouvés chez eux !

— Oui, oui, vous avez raison, s'écria Mme Bonacieux effrayée ; fuyons, sauvons-nous.

À ces mots, elle passa son bras sous celui de d'Artagnan et l'entraîna vivement.

— Mais où fuir ? dit d'Artagnan, où nous sauver ?

— Éloignons-nous d'abord de cette maison, puis après nous verrons.

Et la jeune femme et le jeune homme, sans se donner la peine de refermer la porte, descendirent rapidement la rue des Fossoyeurs, s'engagèrent dans la rue des Fossés-Monsieur-le-Prince et ne s'arrêtèrent qu'à la place Saint-Sulpice.

— Et maintenant, qu'allons-nous faire, demanda d'Artagnan, et où voulez-vous que je vous conduise ?

— Je suis fort embarrassée de vous répondre, je vous l'avoue, dit Mme Bonacieux ; mon intention était de faire prévenir M. de La Porte par mon mari, afin que M. de La Porte pût nous dire précisément ce qui s'était passé au Louvre depuis trois jours, et s'il n'y avait pas danger pour moi de m'y présenter.

— Mais moi, dit d'Artagnan, je puis aller prévenir M. de La Porte.

— Sans doute ; seulement il n'y a qu'un malheur : c'est qu'on connaît M. Bonacieux au Louvre et qu'on le laisserait passer, lui, tandis qu'on ne vous connaît pas, vous, et que l'on vous fermera la porte.

— Ah ! bah ! dit d'Artagnan, vous avez bien à quelque guichet[1] du Louvre un concierge qui vous est dévoué, et qui grâce à un mot d'ordre...

Mme Bonacieux regarda fixement le jeune homme.

— Et si je vous donnais ce mot d'ordre, dit-elle, l'oublieriez-vous aussitôt que vous vous en seriez servi ?

— Parole d'honneur, foi de gentilhomme ! dit d'Artagnan avec un accent à la vérité duquel il n'y avait pas à se tromper.

— Tenez, je vous crois ; vous avez l'air d'un brave jeune homme, d'ailleurs votre fortune est peut-être au bout de votre dévouement.

— Je ferai sans promesse et de conscience tout ce que je pourrai pour servir le roi et être agréable à la reine, dit d'Artagnan ; disposez donc de moi comme d'un ami.

— Mais moi, où me mettrez-vous pendant ce temps-là ?

— N'avez-vous pas une personne chez laquelle M. de La Porte puisse revenir vous prendre ?

— Non, je ne veux me fier à personne.

— Attendez, dit d'Artagnan ; nous sommes à la porte d'Athos. Oui, c'est cela.

— Qu'est-ce qu'Athos ?

— Un de mes amis.

— Mais s'il est chez lui et qu'il me voie ?

---

1. Petite porte pratiquée dans une grande.

— Il n'y est pas, et j'emporterai la clef après vous avoir fait entrer dans son appartement.

— Mais s'il revient ?

— Il ne reviendra pas ; d'ailleurs on lui dirait que j'ai amené une femme, et que cette femme est chez lui.

— Mais cela me compromettra très fort, savez-vous !

— Que vous importe ! on ne vous connaît pas ; d'ailleurs nous sommes dans une situation à passer par-dessus quelques convenances !

— Allons donc chez votre ami. Où demeure-t-il ?

— Rue Férou, à deux pas d'ici.

— Allons.

Et tous deux reprirent leur course. Comme l'avait prévu d'Artagnan, Athos n'était pas chez lui : il prit la clef, qu'on avait l'habitude de lui donner comme à un ami de la maison, monta l'escalier et introduisit Mme Bonacieux dans le petit appartement.

— Vous êtes chez vous, dit-il ; attendez, fermez la porte en dedans et n'ouvrez à personne, à moins que vous n'entendiez frapper trois coups ainsi : tenez ! Et il frappa trois fois : deux coups rapprochés l'un de l'autre et assez forts, un coup plus distant et plus léger.

— C'est bien, dit Mme Bonacieux ; maintenant, à mon tour de vous donner mes instructions.

— J'écoute.

— Présentez-vous au guichet du Louvre, du côté de la rue de l'Échelle, et demandez Germain.

— C'est bien. Après ?

— Il vous demandera ce que vous voulez, et alors vous lui répondrez par ces deux mots : Tours et Bruxelles. Aussitôt il se mettra à vos ordres.

— Et que lui ordonnerai-je ?

— D'aller chercher M. de La Porte, le valet de chambre de la reine.

— Et quand il l'aura été chercher et que M. de La Porte sera venu ?

— Vous me l'enverrez.

— C'est bien, mais où et comment vous reverrai-je ?

— Y tenez-vous beaucoup à me revoir ?

— Certainement.

— Eh bien ! reposez-vous sur moi de ce soin, et soyez tranquille.

— Je compte sur votre parole.

— Comptez-y.

D'Artagnan salua Mme Bonacieux en lui lançant le coup d'œil le plus amoureux qu'il lui fût possible de concentrer sur sa charmante petite personne, et tandis qu'il descendait l'escalier, il entendit la porte se fermer derrière lui à double tour. En deux bonds il fut au Louvre : comme il entrait au guichet de l'Échelle, dix heures sonnaient. Tous les événements que nous venons de raconter s'étaient succédé en une demi-heure.

Tout s'exécuta comme l'avait annoncé Mme Bona-

174

cieux. Au mot d'ordre convenu, Germain s'inclina ; dix minutes après, La Porte était dans la loge ; en deux mots, d'Artagnan le mit au fait et lui indiqua où était Mme Bonacieux. La Porte s'assura par deux fois de l'exactitude de l'adresse, et partit en courant. Cependant, à peine eut-il fait dix pas, qu'il revint.

— Jeune homme, dit-il à d'Artagnan, un conseil.

— Lequel ?

— Vous pourriez être inquiété pour ce qui vient de se passer.

— Vous croyez ?

— Oui.

— Avez-vous quelque ami dont la pendule retarde ?

— Eh bien ?

— Allez le voir pour qu'il puisse témoigner que vous étiez chez lui à neuf heures et demie. En justice, cela s'appelle un alibi.

D'Artagnan trouva le conseil prudent ; il prit ses jambes à son cou, il arriva chez M. de Tréville ; mais, au lieu de passer au salon avec tout le monde, il demanda à entrer dans son cabinet. Comme d'Artagnan était un des habitués de l'hôtel, on ne fit aucune difficulté d'accéder à sa demande ; et l'on alla prévenir M. de Tréville que son jeune compatriote, ayant quelque chose d'important à lui dire, sollicitait une audience particulière. Cinq minutes après, M. de Tréville demandait à d'Artagnan ce qu'il pouvait faire pour son service et ce qui lui valait sa visite à une heure si avancée.

— Pardon, Monsieur ! dit d'Artagnan, qui avait profité du moment où il était resté seul pour retarder l'horloge de trois quarts d'heure ; j'ai pensé que, comme il n'était que neuf heures vingt-cinq minutes, il était encore temps de me présenter chez vous.

— Neuf heures vingt-cinq minutes ! s'écria M. de Tréville en regardant sa pendule ; mais c'est impossible !

— Voyez plutôt, Monsieur, dit d'Artagnan, voilà qui fait foi.

— C'est juste, dit M. de Tréville, j'aurais cru qu'il était plus tard. Mais voyons, que me voulez-vous ?

Alors d'Artagnan fit à M. de Tréville une longue histoire sur la reine. Il lui exposa les craintes qu'il avait conçues à l'égard de Sa Majesté ; il lui raconta ce qu'il avait entendu dire des projets du cardinal à l'endroit de Buckingham, et tout cela avec une tranquillité et un aplomb dont M. de Tréville fut d'autant mieux la dupe, que lui-même, comme nous l'avons dit, avait remarqué quelque chose de nouveau entre le cardinal, le roi et la reine.

À dix heures sonnant, d'Artagnan quitta M. de Tréville, qui le remercia de ses renseignements, lui recommanda d'avoir toujours à cœur le service du roi et de la reine, et qui rentra dans le salon. Mais, au bas de l'escalier, d'Artagnan se souvint qu'il avait oublié sa canne : en conséquence, il remonta précipitamment, rentra dans le cabinet, d'un tour de doigt remit la pendule à son heure, pour qu'on ne pût pas s'apercevoir, le lendemain, qu'elle avait été dérangée, et sûr désormais qu'il y avait un témoin pour prouver son alibi, il descendit l'escalier et se trouva bientôt dans la rue.

11

L'intrigue se noue

Sa visite faite à M. de Tréville, d'Artagnan prit, tout
pensif, le plus long pour rentrer chez lui.

À quoi pensait d'Artagnan, qu'il s'écartait ainsi de
sa route, regardant les étoiles du ciel, et tantôt soupirant, tantôt souriant ?

Il pensait à Mme Bonacieux. Pour un apprenti
mousquetaire, la jeune femme était presque une idéa-
lité amoureuse. Jolie, mystérieuse, initiée à presque
tous les secrets de cour, qui reflétaient tant de charmante gravité sur ses traits gracieux, elle était soupçonnée de n'être pas insensible, ce qui est un attrait
irrésistible pour les amants novices ; de plus, d'Arta-

au couvent

gnan l'avait délivrée des mains de ces démons qui voulaient la fouiller et la maltraiter, et cet important service avait établi entre elle et lui un de ces sentiments de reconnaissance qui prennent si facilement un plus tendre caractère.

D'Artagnan, tout en réfléchissant à ses futures amours, tout en parlant à la nuit, tout en souriant aux étoiles, remontait la rue du Cherche-Midi ou Chasse-Midi, ainsi qu'on l'appelait alors. Comme il se trouvait dans le quartier d'Aramis, l'idée lui était venue d'aller faire une visite à son ami, pour lui donner quelques explications sur les motifs qui lui avaient fait envoyer Planchet avec invitation de se rendre immédiatement à la souricière. Or, si Aramis s'était trouvé chez lui lorsque Planchet y était venu, il avait sans aucun doute couru rue des Fossoyeurs, et n'y trouvant personne que ses deux autres compagnons peut-être, ils n'avaient dû savoir, ni les uns ni les autres, ce que cela voulait dire. Ce dérangement méritait donc une explication, voilà ce que disait tout haut d'Artagnan.

Puis, tout bas, il pensait que c'était pour lui une occasion de parler de la jolie petite Mme Bonacieux, dont son esprit, sinon son cœur, était déjà tout plein. Ce n'est pas à propos d'un premier amour qu'il faut demander de la discrétion. Ce premier amour est accompagné d'une si grande joie, qu'il faut que cette joie déborde, sans cela elle vous étoufferait.

D'Artagnan venait de dépasser la rue Cassette et

reconnaissait déjà la porte de la maison de son ami, lorsqu'il aperçut quelque chose comme une ombre qui sortait de la rue Servandoni. Ce quelque chose était enveloppé d'un manteau, et d'Artagnan crut d'abord que c'était un homme ; mais, à la petitesse de la taille, à l'incertitude de la démarche, à l'embarras du pas, il reconnut bientôt une femme. De plus, cette femme, comme si elle n'eût pas été bien sûre de la maison qu'elle cherchait, levait les yeux pour se reconnaître, s'arrêtait, retournait en arrière, puis revenait encore. D'Artagnan fut intrigué.

« Si j'allais lui offrir mes services ! pensa-t-il. À son allure, on voit qu'elle est jeune ; peut-être jolie. Oh ! oui. Mais une femme qui court les rues à cette heure ne sort guère que pour aller rejoindre son amant. Peste ! si j'allais troubler les rendez-vous, ce serait une mauvaise porte pour entrer en relations. »

Cependant, la jeune femme s'avançait toujours, comptant les maisons et les fenêtres. Ce n'était, au reste, chose ni longue, ni difficile. Il n'y avait que trois hôtels dans cette partie de la rue, et deux fenêtres ayant vue sur cette rue ; l'une était celle d'un pavillon parallèle à celui qu'occupait Aramis, l'autre était celle d'Aramis lui-même.

« Pardieu ! se dit d'Artagnan, il serait drôle que cette colombe attardée cherchât la maison de notre ami. Mais, sur mon âme, cela y ressemble fort. Ah !

mon cher Aramis, pour cette fois, j'en veux avoir le cœur net. »

Et d'Artagnan, se faisant le plus mince qu'il put, s'abrita dans le côté le plus obscur de la rue, près d'un banc de pierre situé au fond d'une niche.

La jeune femme continua de s'avancer, car outre la légèreté de son allure, qui l'avait trahie, elle venait de faire entendre une petite toux qui dénonçait une voix des plus fraîches. D'Artagnan pensa que cette toux était un signal.

Cependant, soit qu'on eût répondu à cette toux par un signe équivalent qui avait fixé les irrésolutions de la nocturne chercheuse, soit que sans secours étranger elle eût reconnu qu'elle était arrivée au bout de sa course, elle s'approcha résolument du volet d'Aramis et frappa à trois intervalles égaux avec son doigt recourbé.

« C'est bien chez Aramis, murmura d'Artagnan. Ah ! Monsieur l'hypocrite ! je vous y prends à faire de la théologie ! »

Les trois coups étaient à peine frappés, que la croisée intérieure s'ouvrit et qu'une lumière parut à travers les vitres du volet.

« Ah ! ah ! fit l'écouteur non pas aux portes, mais aux fenêtres, ah ! la visite était attendue. Allons, le volet va s'ouvrir et la dame entrera par escalade. Très bien ! »

Mais, au grand étonnement de d'Artagnan, le volet

resta fermé. De plus, la lumière qui avait flamboyé un instant, disparut, et tout rentra dans l'obscurité.

D'Artagnan pensa que cela ne pouvait durer ainsi, et continua de regarder de tous ses yeux et d'écouter de toutes ses oreilles.

Il avait raison : au bout de quelques secondes, deux coups secs retentirent dans l'intérieur.

La jeune femme de la rue répondit par un seul coup, et le volet s'entrouvrit.

On juge si d'Artagnan regardait et écoutait avec avidité.

Malheureusement, la lumière avait été transportée dans un autre appartement. Mais les yeux du jeune homme s'étaient habitués à la nuit.

D'Artagnan vit donc que la jeune femme tirait de sa poche un objet blanc qu'elle déploya vivement et qui prit la forme d'un mouchoir. Cet objet déployé, elle en fit remarquer le coin à son interlocuteur.

Cela rappela à d'Artagnan ce mouchoir qu'il avait trouvé aux pieds de Mme Bonacieux, lequel lui avait rappelé celui qu'il avait trouvé aux pieds d'Aramis.

Que diable pouvait donc signifier ce mouchoir ?

Placé où il était, d'Artagnan ne pouvait voir le visage d'Aramis, nous disons d'Aramis, parce que le jeune homme ne faisait aucun doute que ce fût son ami qui dialoguât de l'intérieur avec la dame de l'extérieur ; la curiosité l'emporta donc sur la prudence, et, profitant de la préoccupation dans laquelle la vue du mouchoir paraissait plonger les deux personnages que nous avons mis en scène, il sortit de sa cachette, et prompt comme l'éclair, mais étouffant le bruit de ses pas, il alla se coller à un angle de la muraille, d'où son œil pouvait parfaitement plonger dans l'intérieur de l'appartement d'Aramis.

Arrivé là, d'Artagnan pensa[1] jeter un cri de surprise : ce n'était pas Aramis qui causait avec la nocturne visiteuse, c'était une femme. Seulement, d'Artagnan y voyait assez pour reconnaître la forme de ses vêtements, mais pas assez pour distinguer ses traits.

Au même instant, la femme de l'appartement tira un second mouchoir de sa poche, et l'échangea avec celui qu'on venait de lui montrer. Puis, quelques mots furent prononcés entre les deux femmes. Enfin le volet se referma ; la femme qui se trouvait à l'extérieur de la fenêtre se retourna, et vint passer à quatre pas de d'Artagnan en abaissant la coiffe de sa mante ; mais la précaution avait été prise trop tard, d'Artagnan avait déjà reconnu Mme Bonacieux.

Mme Bonacieux ! Le soupçon que c'était elle lui avait déjà traversé l'esprit quand elle avait tiré le mouchoir de sa poche ; mais quelle probabilité que Mme Bonacieux, qui avait envoyé chercher M. de La Porte pour se faire reconduire par lui au Louvre, courût les rues de Paris seule à onze heures et demie du soir, au risque de se faire enlever une seconde fois ?

1. Faillit, fut sur le point de.

Il fallait donc que ce fût pour une affaire bien importante ; et quelle est l'affaire importante d'une femme de vingt-cinq ans ? L'amour.

Mais était-ce pour son compte ou pour le compte d'une autre personne qu'elle s'exposait à de semblables hasards ? Voilà ce que se demandait à lui-même le jeune homme, que le démon de la jalousie mordait au cœur ni plus ni moins qu'un amant en titre.

Il y avait, au reste, un moyen bien simple de s'assurer où allait Mme Bonacieux : c'était de la suivre. Ce moyen était si simple, que d'Artagnan l'employa tout naturellement et d'instinct.

Mais, à la vue du jeune homme qui se détachait de la muraille comme une statue de sa niche, et au bruit des pas qu'elle entendit retentir derrière elle, Mme Bonacieux jeta un petit cri et s'enfuit.

D'Artagnan courut après elle. Ce n'était pas une chose difficile pour lui que de rejoindre une femme embarrassée dans son manteau. Il la rejoignit donc au tiers de la rue dans laquelle elle s'était engagée. La malheureuse était épuisée, non pas de fatigue, mais de terreur, et quand d'Artagnan lui posa la main sur l'épaule, elle tomba sur un genou en criant d'une voix étranglée :

— Tuez-moi si vous voulez, mais vous ne saurez rien.

D'Artagnan la releva en lui passant le bras autour de la taille ; mais comme il sentait à son poids qu'elle était sur le point de se trouver mal, il s'empressa de la rassurer par des protestations de dévouement. La jeune femme crut reconnaître le son de cette voix : elle rouvrit les yeux, jeta un regard sur l'homme qui lui avait fait si grand-peur, et, reconnaissant d'Artagnan, elle poussa un cri de joie.

— Oh ! c'est vous, c'est vous ! dit-elle ; merci, mon Dieu !

— Oui, c'est moi, dit d'Artagnan, moi que Dieu a envoyé pour veiller sur vous.

— Était-ce dans cette intention que vous me suiviez ? demanda avec un sourire plein de coquetterie la jeune femme, dont le caractère un peu railleur reprenait le dessus, et chez laquelle toute crainte avait disparu du moment où elle avait reconnu un ami dans celui qu'elle avait pris pour un ennemi.

— Non, dit d'Artagnan, non, je l'avoue ; c'est le hasard qui m'a mis sur votre route ; j'ai vu une femme frapper à la fenêtre d'un de mes amis...

— D'un de vos amis ? interrompit Mme Bonacieux.

— Sans doute ; Aramis est de mes meilleurs amis.

— Aramis ! qu'est-ce que cela ?

— Allons donc ! allez-vous me dire que vous ne connaissez pas Aramis ?

— C'est la première fois que j'entends prononcer ce nom.

— C'est donc la première fois que vous venez à cette maison ?

— Sans doute.

— Et vous ne saviez pas qu'elle fût habitée par un jeune homme ?

— Non.

— Par un mousquetaire ?

— Nullement.

— Ce n'est donc pas lui que vous veniez chercher ?

— Pas le moins du monde. D'ailleurs, vous l'avez bien vu, la personne à qui j'ai parlé est une femme.

— C'est vrai ; mais cette femme est des amies d'Aramis.

— Je n'en sais rien.

— Puisqu'elle loge chez lui.

— Cela ne me regarde pas.

— Mais qui est-elle ?

— Oh ! cela n'est point mon secret.

— Chère Madame Bonacieux, vous êtes charmante ; mais en même temps vous êtes la femme la plus mystérieuse...

— Est-ce que je perds à cela ?

— Non ; vous êtes, au contraire, adorable.

— Alors, donnez-moi le bras.

— Bien volontiers. Et maintenant ?

— Maintenant, conduisez-moi.

— Où cela ?

— Où je vais.

— Mais où allez-vous ?

— Vous le verrez, puisque vous me laisserez à la porte.

— Faudra-t-il vous attendre ?

— Ce sera inutile.

— Vous reviendrez donc seule ?

— Peut-être oui, peut-être non.

— Mais la personne qui vous accompagnera ensuite sera-t-elle un homme, sera-t-elle une femme ?

— Je n'en sais rien encore.

— Je le saurai bien, moi !

— Comment cela ?

— Je vous attendrai pour vous voir sortir.

— En ce cas, adieu !

— Comment cela ?

— Je n'ai pas besoin de vous.

— Mais vous aviez réclamé...

— L'aide d'un gentilhomme, et non la surveillance d'un espion.

— Le mot est un peu dur !

— Comment appelle-t-on ceux qui suivent les gens malgré eux ?

— Des indiscrets.

— Le mot est trop doux.

— Allons, Madame, je vois bien qu'il faut faire tout ce que vous voulez.

— Pourquoi vous être privé du mérite de le faire tout de suite ?

— N'y en a-t-il donc aucun à se repentir ?

— Et vous repentez-vous réellement ?

— Je n'en sais rien moi-même. Mais ce que je sais, c'est que je vous promets de faire tout ce que vous voudrez si vous me laissez vous accompagner jusqu'où vous allez.

— Et vous me quitterez après ?

— Oui.

— Sans m'épier à ma sortie ?

— Non.

— Parole d'honneur ?

— Foi de gentilhomme !

— Prenez mon bras et marchons alors.

D'Artagnan offrit son bras à Mme Bonacieux, qui s'y suspendit, moitié rieuse, moitié tremblante, et tous deux gagnèrent le haut de la rue de La Harpe. Arrivée là, la jeune femme parut hésiter, comme elle avait déjà fait dans la rue de Vaugirard. Cependant, à de certains signes, elle sembla reconnaître une porte ; et s'approchant de cette porte :

— Et maintenant, Monsieur, dit-elle, c'est ici que j'ai affaire ; mille fois merci de votre honorable compagnie, qui m'a sauvée de tous les dangers auxquels, seule, j'eusse été exposée. Mais le moment est venu de tenir votre parole : je suis arrivée à ma destination.

— Et vous n'aurez plus rien à craindre en revenant ?

— Je n'aurai à craindre que les voleurs.

— N'est-ce donc rien ?

— Que pourraient-ils me prendre ? je n'ai pas un denier sur moi.

— Vous oubliez ce beau mouchoir brodé, armorié.

— Lequel ?

— Celui que j'ai trouvé à vos pieds et que j'ai remis dans votre poche.

— Taisez-vous, taisez-vous, malheureux ! s'écria la jeune femme, voulez-vous me perdre ?

— Vous voyez bien qu'il y a encore du danger pour vous, puisqu'un seul mot vous fait trembler, et que vous avouez que, si on entendait ce mot, vous seriez perdue. Ah ! tenez, Madame, s'écria d'Artagnan en lui saisissant la main et la couvrant d'un ardent regard, tenez ! soyez plus généreuse, confiez-vous à moi ; n'avez-vous donc pas lu dans mes yeux qu'il n'y a que dévouement et sympathie dans mon cœur ?

— Si fait, répondit Mme Bonacieux ; aussi demandez-moi mes secrets, et je vous les dirai ; mais ceux des autres, c'est autre chose.

— C'est bien, dit d'Artagnan, je les découvrirai ; puisque ces secrets peuvent avoir une influence sur votre vie, il faut que ces secrets deviennent les miens.

— Gardez-vous-en bien, s'écria la jeune femme avec un sérieux qui fit frissonner d'Artagnan malgré lui. Oh ! ne vous mêlez en rien de ce qui me regarde, ne cherchez point à m'aider dans ce que j'accomplis ; et cela, je vous le demande au nom de l'intérêt que je vous inspire, au nom du service que vous m'avez rendu, et que je n'oublierai de ma vie. Croyez bien plutôt à ce que je vous dis. Ne vous occupez plus de moi, je n'existe plus pour vous, que ce soit comme si vous ne m'aviez jamais vue.

— Aramis doit-il en faire autant que moi, Madame ? dit d'Artagnan piqué.

— Voilà déjà deux ou trois fois que vous avez prononcé ce nom, Monsieur, et cependant je vous ai dit que je ne le connaissais pas.

— Vous ne connaissez pas l'homme au volet duquel vous avez été frapper. Allons donc, Madame ! vous me croyez par trop crédule, aussi !

— Avouez que c'est pour me faire parler que vous inventez cette histoire, et que vous créez ce personnage.

— Je n'invente rien, Madame, je ne crée rien, je dis l'exacte vérité.

— Et vous dites qu'un de vos amis demeure dans cette maison ?

— Je le dis et je le répète pour la troisième fois, cette maison est celle qu'habite mon ami, et cet ami est Aramis.

— Tout cela s'éclaircira plus tard, murmura la jeune femme ; maintenant, Monsieur, taisez-vous.

— Si vous pouviez voir mon cœur tout à découvert, dit d'Artagnan, vous y liriez tant de curiosité, que vous auriez pitié de moi, et tant d'amour, que vous satisferiez à l'instant même ma curiosité. On n'a rien à craindre de ceux qui vous aiment.

— Vous parlez bien vite d'amour, Monsieur ! dit la jeune femme en secouant la tête.

— C'est que l'amour m'est venu vite et pour la première fois, et que je n'ai pas vingt ans.

La jeune femme le regarda à la dérobée.

— Écoutez, je suis déjà sur la trace, dit d'Artagnan. Il y a trois mois, j'ai manqué avoir un duel avec Aramis pour un mouchoir pareil à celui que vous avez montré à cette femme qui était chez lui, pour un mouchoir marqué de la même manière, j'en suis sûr.

— Monsieur, dit la jeune femme, vous me fatiguez fort, je vous le jure, avec ces questions.

— Mais vous, si prudente, Madame, songez-y, si vous étiez arrêtée avec ce mouchoir, et que ce mouchoir fût saisi, ne seriez-vous pas compromise ?

— Pourquoi cela, les initiales ne sont-elles pas les miennes : C. B., Constance Bonacieux ?

— Ou Camille de Bois-Tracy.

— Silence, Monsieur, encore une fois silence ! Ah ! puisque les dangers que je cours pour moi-même ne vous arrêtent pas, songez à ceux que vous pouvez courir, vous !

— Moi ?

— Oui, vous. Il y a danger de la prison, il y a danger de la vie à me connaître.

— Alors, je ne vous quitte plus.

— Monsieur, dit la jeune femme suppliant et joignant les mains, Monsieur, au nom du Ciel, au nom de l'honneur d'un militaire, au nom de la courtoisie d'un gentilhomme, éloignez-vous ; tenez, voilà minuit qui sonne, c'est l'heure où l'on m'attend.

— Madame, dit le jeune homme en s'inclinant, je ne sais rien refuser à qui me demande ainsi ; soyez contente, je m'éloigne.

— Mais vous ne me suivrez pas, vous ne m'épierez pas ?

— Je rentre chez moi à l'instant.

— Ah ! je le savais bien, que vous étiez un brave jeune homme ! s'écria Mme Bonacieux en lui tendant une main et en posant l'autre sur le marteau d'une petite porte presque perdue dans la muraille.

D'Artagnan saisit la main qu'on lui tendait et la baisa ardemment.

— Ah ! j'aimerais mieux ne vous avoir jamais vue, s'écria d'Artagnan avec cette brutalité naïve que les femmes préfèrent souvent aux afféteries[1] de la politesse, parce qu'elle découvre le fond de la pensée et qu'elle prouve que le sentiment l'emporte sur la raison.

— Eh bien, reprit Mme Bonacieux d'une voix presque caressante, et en serrant la main de d'Artagnan qui n'avait pas abandonné la sienne ; eh bien ! je n'en dirai pas autant que vous : ce qui est perdu

_____
1. Affectations, manières trop courtoises.

pour aujourd'hui n'est pas perdu pour l'avenir. Qui sait si, lorsque je serai déliée un jour, je ne satisferai pas votre curiosité ?

— Et faites-vous la même promesse à mon amour ? s'écria d'Artagnan au comble de la joie.

— Oh ! de ce côté, je ne veux point m'engager, cela dépendra des sentiments que vous saurez m'inspirer.

— Ainsi, aujourd'hui, Madame...

— Aujourd'hui, Monsieur, je n'en suis encore qu'à la reconnaissance.

— Ah ! vous êtes trop charmante, dit d'Artagnan avec tristesse, et vous abusez de mon amour.

— Non, j'use de votre générosité, voilà tout. Mais, croyez-le bien, avec certaines gens tout se retrouve.

— Oh ! vous me rendez le plus heureux des hommes. N'oubliez pas cette soirée, n'oubliez pas cette promesse.

— Soyez tranquille, en temps et lieu je me souviendrai de tout. Eh bien ! partez donc, partez, au nom du Ciel ! On m'attendait à minuit juste, et je suis en retard.

— De cinq minutes.

— Oui ; mais dans certaines circonstances, cinq minutes sont cinq siècles.

— Quand on aime.

— Eh bien ! qui vous dit que je n'ai pas affaire à un amoureux ?

— C'est un homme qui vous attend ? s'écria d'Artagnan, un homme !

— Allons, voilà la discussion qui va recommencer, fit Mme Bonacieux avec un demi-sourire qui n'était pas exempt d'une certaine teinte d'impatience.

— Non, non, je m'en vais, je pars ; je crois en vous, je veux avoir tout le mérite de mon dévouement, ce dévouement dût-il être une stupidité. Adieu, Madame, adieu !

Et comme s'il ne se fût senti la force de se détacher de la main qu'il tenait que par une secousse, il s'éloigna tout courant, tandis que Mme Bonacieux frappait, comme au volet, trois coups lents et réguliers ; puis, arrivé à l'angle de la rue, il se retourna : la porte s'était ouverte et refermée, la jolie mercière avait disparu.

D'Artagnan continua son chemin, il avait donné sa parole de ne pas épier Mme Bonacieux, et sa vie eût-elle dépendu de l'endroit où elle allait se rendre, ou de la personne qui devait l'accompagner, d'Artagnan serait rentré chez lui, puisqu'il avait dit qu'il y rentrait. Cinq minutes après, il était dans la rue des Fossoyeurs.

— Pauvre Athos, disait-il, il ne saura pas ce que cela veut dire. Il se sera endormi en m'attendant, ou il sera retourné chez lui, et en rentrant il aura appris qu'une femme y était venue. Une femme chez Athos ! Après tout, continua d'Artagnan, il y en avait bien une chez Aramis. Tout cela est fort étrange, et je serais bien curieux de savoir comment cela finira.

— Mal, Monsieur, mal, répondit une voix que le jeune homme reconnut pour celle de Planchet ; car tout en monologuant tout haut, à la manière des gens très préoccupés, il s'était engagé dans l'allée au fond de laquelle était l'escalier qui conduisait à sa chambre.

— Comment, mal ? que veux-tu dire, imbécile ? demanda d'Artagnan, qu'est-il donc arrivé ?

— Toutes sortes de malheurs.

— Lesquels ?

— D'abord M. Athos est arrêté.

— Arrêté ! Athos ! arrêté ! pourquoi ?

— On l'a trouvé chez vous ; on l'a pris pour vous.

— Et par qui a-t-il été arrêté ?

— Par la garde qu'ont été chercher les hommes noirs que vous avez mis en fuite.

— Pourquoi ne s'est-il pas nommé ? pourquoi n'a-t-il pas dit qu'il était étranger à cette affaire ?

— Il s'en est bien gardé, Monsieur ; il s'est au contraire approché de moi et m'a dit : « C'est ton maître qui a besoin de sa liberté en ce moment, et non pas moi, puisqu'il sait tout et que je ne sais rien. On le croira arrêté, et cela lui donnera du temps ; dans trois jours je dirai qui je suis, et il faudra bien qu'on me fasse sortir. »

— Bravo, Athos ! noble cœur, murmura d'Artagnan, je le reconnais bien là ! Et qu'ont fait les sbires ?

— Quatre l'ont emmené je ne sais où, à la Bastille

ou au For-l'Évêque[1] ; deux sont restés avec les hommes noirs, qui ont fouillé partout et qui ont pris tous les papiers. Enfin les deux derniers, pendant cette expédition, montaient la garde à la porte ; puis, quand tout a été fini, ils sont partis, laissant la maison vide et tout ouvert.

— Et Porthos et Aramis ?

— Je ne les avais pas trouvés, ils ne sont pas venus.

— Mais ils peuvent venir d'un moment à l'autre, car tu leur as fait dire que je les attendais ?

— Oui, Monsieur.

— Eh bien ! ne bouge pas d'ici ; s'ils viennent, préviens-les de ce qui m'est arrivé, qu'ils m'attendent au cabaret de la *Pomme de Pin* ; ici il y aurait danger, la maison peut être espionnée. Je cours chez M. de Tréville pour lui annoncer tout cela, et je les y rejoins.

— C'est bien, Monsieur, dit Planchet.

— Mais tu resteras, tu n'auras pas peur ! dit d'Artagnan en revenant sur ses pas pour recommander le courage à son laquais.

— Soyez tranquille, Monsieur, dit Planchet, vous ne me connaissez pas encore ; je suis brave quand je m'y mets, allez ; c'est le tout de m'y mettre ; d'ailleurs je suis Picard.

— Alors, c'est convenu, dit d'Artagnan, tu te fais tuer plutôt que de quitter ton poste.

---

1. Prison située au centre de Paris, près du Châtelet.

— Oui, Monsieur, et il n'y a rien que je ne fasse pour prouver à Monsieur que je lui suis attaché.

Et de toute la vitesse de ses jambes, déjà quelque peu fatiguées cependant par les courses de la journée, d'Artagnan se dirigea vers la rue du Colombier.

M. de Tréville n'était point à son hôtel ; sa compagnie était de garde au Louvre ; il était au Louvre avec sa compagnie.

Il fallait arriver jusqu'à M. de Tréville ; il était important qu'il fût prévenu de ce qui se passait. D'Artagnan résolut d'essayer d'entrer au Louvre. Son costume de garde dans la compagnie de M. des Essarts lui devait être un passeport.

Il descendit donc la rue des Petits-Augustins, et remonta le quai pour prendre le Pont-Neuf. Il avait eu un instant l'idée de passer le bac ; mais en arrivant au bord de l'eau, il avait machinalement introduit sa main dans sa poche et s'était aperçu qu'il n'avait pas de quoi payer le passeur.

Comme il arrivait à la hauteur de la rue Guénégaud, il vit déboucher de la rue Dauphine un groupe composé de deux personnes et dont l'allure le frappa.

Les deux personnes qui composaient le groupe étaient : l'un, un homme ; l'autre, une femme.

La femme avait la tournure de Mme Bonacieux, et l'homme ressemblait à s'y méprendre à Aramis. En outre, la femme avait cette mante noire que d'Artagnan voyait encore se dessiner sur le volet de la rue de Vaugirard et sur la porte de la rue de La Harpe.

De plus, l'homme portait l'uniforme des mousquetaires.

Le capuchon de la femme était rabattu, l'homme tenait son mouchoir sur son visage ; tous deux, cette double précaution l'indiquait, tous deux avaient donc intérêt à n'être point reconnus.

Ils prirent le pont : c'était le chemin de d'Artagnan, puisque d'Artagnan se rendait au Louvre ; d'Artagnan les suivit.

D'Artagnan n'avait pas fait vingt pas, qu'il fut convaincu que cette femme, c'était Mme Bonacieux, et que cet homme, c'était Aramis.

Il sentit à l'instant même tous les soupçons de la jalousie qui s'agitaient dans son cœur.

Il était doublement trahi et par son ami et par celle qu'il aimait déjà comme une maîtresse. Mme Bonacieux lui avait juré ses grands dieux qu'elle ne connaissait pas Aramis, et un quart d'heure après qu'elle lui avait fait ce serment, il la retrouvait au bras d'Aramis.

D'Artagnan ne réfléchit pas seulement qu'il connaissait la jolie mercière depuis trois heures seulement, qu'elle ne lui devait rien qu'un peu de reconnaissance pour l'avoir délivrée des hommes noirs qui voulaient l'enlever, et qu'elle ne lui avait rien promis. Il se regarda comme un amant outragé, trahi, bafoué ;

le sang et la colère lui montèrent au visage, il résolut de tout éclaircir.

La jeune femme et le jeune homme s'étaient aperçus qu'ils étaient suivis, et ils avaient doublé le pas. D'Artagnan prit sa course, les dépassa, puis revint sur eux au moment où ils se trouvaient devant la Samaritaine, éclairée par un réverbère qui projetait sa lueur sur toute cette partie du pont.

D'Artagnan s'arrêta devant eux, et ils s'arrêtèrent devant lui.

— Que voulez-vous, Monsieur ? demanda le mousquetaire en reculant d'un pas et avec un accent étranger qui prouvait à d'Artagnan qu'il s'était trompé dans une partie de ses conjectures.

— Ce n'est pas Aramis ! s'écria-t-il.

— Non, Monsieur, ce n'est point Aramis, et à votre exclamation je vois que vous m'avez pris pour un autre, et je vous pardonne.

— Vous me pardonnez ! s'écria d'Artagnan.

— Oui, répondit l'inconnu. Laissez-moi donc passer, puisque ce n'est pas à moi que vous avez affaire.

— Vous avez raison, Monsieur, dit d'Artagnan, ce n'est pas à vous que j'ai affaire, c'est à Madame.

— À Madame ! vous ne la connaissez pas, dit l'étranger.

— Vous vous trompez, Monsieur, je la connais.

— Ah ! fit Mme Bonacieux d'un ton de reproche ; ah, Monsieur ! j'avais votre parole de militaire et votre foi de gentilhomme ; j'espérais pouvoir compter dessus.

— Et moi, Madame, dit d'Artagnan embarrassé, vous m'aviez promis...

— Prenez mon bras, Madame, dit l'étranger, et continuons notre chemin.

Cependant d'Artagnan, étourdi, atterré, anéanti par tout ce qui lui arrivait, restait debout et les bras croisés devant le mousquetaire et Mme Bonacieux.

Le mousquetaire fit deux pas en avant et écarta d'Artagnan avec la main.

D'Artagnan fit un bond en arrière et tira son épée.

En même temps et avec la rapidité de l'éclair, l'inconnu tira la sienne.

— Au nom du Ciel, Milord ! s'écria Mme Bonacieux en se jetant entre les combattants et prenant les épées à pleines mains.

— Milord ! s'écria d'Artagnan illuminé d'une idée subite, Milord ! pardon, Monsieur ; mais est-ce que vous seriez...

— Milord duc de Buckingham, dit Mme Bonacieux à demi-voix ; et maintenant vous pouvez nous perdre tous.

— Milord, Madame, pardon, cent fois pardon ; mais je l'aimais, Milord, et j'étais jaloux ; vous savez ce que c'est que d'aimer, Milord ; pardonnez-moi, et dites-moi comment je puis me faire tuer pour Votre Grâce.

— Vous êtes un brave jeune homme, dit Buckingham en tendant à d'Artagnan une main que celui-ci serra respectueusement ; vous m'offrez vos services, je les accepte ; suivez-nous à vingt pas jusqu'au Louvre ; et si quelqu'un nous épie, tuez-le !

D'Artagnan mit son épée nue sous son bras, laissa prendre à Mme Bonacieux et au duc vingt pas d'avance et les suivit, prêt à exécuter à la lettre les instructions du noble et élégant ministre de Charles Ier.

Mais heureusement le jeune séide[1] n'eut aucune occasion de donner au duc cette preuve de son dévouement, et la jeune femme et le beau mousquetaire rentrèrent au Louvre par le guichet de l'Échelle sans avoir été inquiétés.

Quant à d'Artagnan, il se rendit aussitôt au cabaret de la *Pomme de Pin,* où il trouva Porthos et Aramis qui l'attendaient.

Mais, sans leur donner d'autre explication sur le dérangement qu'il leur avait causé, il leur dit qu'il avait terminé seul l'affaire pour laquelle il avait cru un instant avoir besoin de leur intervention.

Et maintenant, emportés que nous sommes par notre récit, laissons nos trois amis rentrer chacun chez soi, et suivons, dans les détours du Louvre, le duc de Buckingham et son guide.

---

1. Homme dévoué jusqu'au fanatisme.

12

Georges Villiers, duc de Buckingham

Madame Bonacieux et le duc entrèrent au Louvre sans difficulté ; Mme Bonacieux était connue pour appartenir à la reine ; le duc portait l'uniforme des mousquetaires de M. de Tréville, qui, comme nous l'avons dit, était de garde ce soir-là. D'ailleurs Germain était dans les intérêts de la reine, et si quelque chose arrivait, Mme Bonacieux serait accusée d'avoir introduit son amant au Louvre, voilà tout ; elle prenait sur elle le crime : sa réputation était perdue, il est vrai, mais de quelle valeur était dans le monde la réputation d'une petite mercière ?

Une fois entrés dans l'intérieur de la cour, le duc et

la jeune femme suivirent le pied de la muraille pendant l'espace d'environ vingt-cinq pas ; cet espace parcouru, Mme Bonacieux poussa une petite porte de service, ouverte le jour, mais ordinairement fermée la nuit ; la porte céda ; tous deux entrèrent et se trouvèrent dans l'obscurité, mais Mme Bonacieux connaissait tous les tours et détours de cette partie du Louvre, destinée aux gens de la suite. Elle referma les portes derrière elle, prit le duc par la main, fit quelques pas en tâtonnant, saisit une rampe, toucha du pied un degré, et commença de monter un escalier : le duc compta deux étages. Alors elle prit à droite, suivit un long corridor, redescendit un étage, fit quelques pas encore, introduisit une clef dans une serrure, ouvrit une porte et poussa le duc dans un appartement éclairé seulement par une lampe de nuit, en disant : « Restez ici, Milord duc, on va venir. » Puis elle sortit par la même porte, qu'elle ferma à la clef, de sorte que le duc se trouva littéralement prisonnier.

Cependant, tout isolé qu'il se trouvait, il faut le dire, le duc de Buckingham n'éprouva pas un instant de crainte ; un des côtés saillants de son caractère était la recherche de l'aventure et l'amour du romanesque. Brave, hardi, entreprenant, ce n'était pas la première fois qu'il risquait sa vie dans de pareilles tentatives ; il avait appris que ce prétendu message d'Anne d'Autriche, sur la foi duquel il était venu à Paris, était un piège, et au lieu de regagner l'Angleterre, il avait, abusant de la position qu'on lui avait faite, déclaré à la reine qu'il ne partirait pas sans l'avoir vue. La reine avait positivement refusé d'abord, puis enfin elle avait craint que le duc, exaspéré, ne fît quelque folie. Déjà elle était décidée à le recevoir et à le supplier de partir aussitôt, lorsque, le soir même de cette décision, Mme Bonacieux, qui était chargée d'aller chercher le duc et de le conduire au Louvre, fut enlevée. Pendant deux jours on ignora complètement ce qu'elle était devenue, et tout resta en suspens. Mais une fois libre, une fois remise en rapport avec La Porte, les choses avaient repris leur cours, et elle venait d'accomplir la périlleuse entreprise que, sans son arrestation, elle eût exécutée trois jours plus tôt.

Buckingham, resté seul, s'approcha d'une glace. Cet habit de mousquetaire lui allait à merveille. À trente-cinq ans qu'il avait alors, il passait à juste titre pour le plus beau gentilhomme et pour le plus élégant cavalier de France et d'Angleterre.

Favori de deux rois, riche à millions, tout-puissant dans un royaume qu'il bouleversait à sa fantaisie et calmait à son caprice, Georges Villiers, duc de Buckingham, avait entrepris une de ces existences fabuleuses qui restent dans le cours des siècles comme un étonnement pour la postérité.

Aussi, sûr de lui-même, convaincu de sa puissance, certain que les lois qui régissent les autres hommes ne pouvaient l'atteindre, allait-il droit au but qu'il s'était fixé, ce but fût-il si élevé et si éblouissant que c'eût été folie pour un autre que de l'envisager seulement. C'est ainsi qu'il était arrivé à s'approcher plusieurs fois de la belle et fière Anne d'Autriche et à s'en faire aimer, à force d'éblouissement.

Georges Villiers se plaça donc devant une glace, comme nous l'avons dit, rendit à sa belle chevelure blonde les ondulations que le poids de son chapeau lui avait fait perdre, retroussa sa moustache, et le cœur tout gonflé de joie, heureux et fier de toucher au moment qu'il avait si longtemps désiré, se sourit à lui-même d'orgueil et d'espoir.

En ce moment, une porte cachée dans la tapisserie s'ouvrit et une femme apparut. Buckingham vit cette apparition dans la glace ; il jeta un cri, c'était la reine !

Anne d'Autriche avait alors vingt-six ou vingt-sept ans, c'est-à-dire qu'elle se trouvait dans tout l'éclat de sa beauté.

Sa démarche était celle d'une reine ou d'une déesse ; ses yeux, qui jetaient des reflets d'émeraude, étaient parfaitement beaux, et tout à la fois pleins de douceur et de majesté.

Sa bouche était petite et vermeille, et quoique sa lèvre inférieure, comme celle des princes de la maison d'Autriche, avançât légèrement sur l'autre, elle était éminemment gracieuse dans le sourire, mais aussi profondément dédaigneuse dans le mépris.

Sa peau était citée pour sa douceur et son velouté,

sa main et ses bras étaient d'une beauté surprenante, et tous les poètes du temps les chantaient comme incomparables.

Enfin ses cheveux, qui, de blonds qu'ils étaient dans sa jeunesse, étaient devenus châtains, et qu'elle portait frisés très clair et avec beaucoup de poudre, enca-draient admirablement son visage, auquel le censeur le plus rigide n'eût pu souhaiter qu'un peu moins de rouge, et le statuaire le plus exigeant qu'un peu plus de finesse dans le nez.

Buckingham resta un instant ébloui ; jamais Anne d'Autriche ne lui était apparue aussi belle, au milieu des bals, des fêtes, des carrousels, qu'elle lui apparut en ce moment, vêtue d'une simple robe de satin blanc et accompagnée de doña Estefania, la seule de ses femmes espagnoles qui n'eût pas été chassée par la jalousie du roi et par les persécutions de Richelieu.

Anne d'Autriche fit deux pas en avant ; Bucking-gham se précipita à ses genoux, et avant que la reine eût pu l'en empêcher, il baisa le bas de sa robe.

— Duc, vous savez déjà que ce n'est pas moi qui vous ai fait écrire.

— Oh ! oui, Madame, oui. Votre Majesté, s'écria le duc ; je sais que j'ai été un fou, un insensé de croire que la neige s'animerait, que le marbre s'échaufferait ; mais, que voulez-vous, quand on aime, on croit facile-ment à l'amour ; d'ailleurs je n'ai pas tout perdu à ce voyage, puisque je vous vois.

— Oui, répondit Anne, mais vous savez pourquoi et comment je vous vois, Milord. Je vous vois par pitié pour vous-même ; je vous vois parce qu'insensible à toutes mes peines, vous vous êtes obstiné à rester dans une ville où, en restant, vous courez risque de la vie et me faites courir risque de mon honneur ; je vous vois pour vous dire que tout nous sépare, les profondeurs de la mer, l'inimitié des royaumes, la sainteté des serments. Il est sacrilège de lutter contre tant de choses, Milord. Je vous vois enfin pour vous dire qu'il ne faut plus nous voir.

— Parlez, Madame ; parlez, reine, dit Buckingham ; la douceur de votre voix couvre la dureté de vos paroles. Vous parlez de sacrilège ! mais le sacrilège est dans la séparation des cœurs que Dieu avait formés l'un pour l'autre.

— Milord, s'écria la reine, vous oubliez que je ne vous ai jamais dit que je vous aimais.

— Mais vous ne m'avez jamais dit non plus que vous ne m'aimiez point ; et vraiment, me dire de semblables paroles, ce serait de la part de Votre Majesté une trop grande ingratitude. Car, dites-moi, où trouvez-vous un amour pareil au mien, un amour que ni le temps, ni l'absence, ni le désespoir ne peuvent éteindre ; un amour qui se contente d'un ruban égaré, d'un regard perdu, d'une parole échappée ?

« Il y a trois ans, Madame, que je vous ai vue pour la première fois, et depuis trois ans je vous aime ainsi.

« Voulez-vous que je vous dise comment vous étiez vêtue la première fois que je vous vis ? voulez-vous que je détaille chacun des ornements de votre toilette ? Tenez, je vous vois encore : vous étiez assise sur des carreaux[1], à la mode d'Espagne ; vous aviez une robe de satin vert avec des broderies d'or et d'argent ; des manches pendantes et renouées sur vos beaux bras, sur ces bras admirables, avec de gros diamants ; vous aviez une fraise[2] fermée, un petit bonnet sur votre tête, de la couleur de votre robe, et sur ce bonnet une plume de héron.

« Oh ! tenez, tenez, je ferme les yeux, et je vous vois telle que vous étiez alors ; je les rouvre, et je vous vois telle que vous êtes maintenant, c'est-à-dire cent fois plus belle encore !

— Quelle folie ! murmura Anne d'Autriche, qui n'avait pas le courage d'en vouloir au duc d'avoir si bien conservé son portrait dans son cœur ; quelle folie de nourrir une passion inutile avec de pareils souvenirs !

— Et avec quoi voulez-vous donc que je vive ? je n'ai que des souvenirs, moi. C'est mon bonheur, mon trésor, mon espérance. Chaque fois que je vous vois, c'est un diamant de plus que je renferme dans l'écrin de mon cœur. Celui-ci est le quatrième que vous laissez tomber et que je ramasse ; car en trois ans,

1. Coussins.
2. Collerette empesée à double rang de dentelle.

Madame, je ne vous ai vue que quatre fois : cette première que je viens de vous dire, la seconde chez Mme de Chevreuse, la troisième dans les jardins d'Amiens.

— Duc, dit la reine en rougissant, ne parlez pas de cette soirée.

— Oh ! parlons-en, au contraire, Madame, parlons-en : c'est la soirée heureuse et rayonnante de ma vie. Vous rappelez-vous la belle nuit qu'il faisait ? Comme l'air était doux et parfumé, comme le ciel était bleu et tout émaillé d'étoiles ! Ah ! cette fois, Madame, j'avais pu être un instant seul avec vous ; cette fois, vous étiez prête à tout me dire, l'isolement de votre vie, les chagrins de votre cœur. Vous étiez appuyée à mon bras, tenez, à celui-ci. Je sentais, en inclinant ma tête à votre côté, vos beaux cheveux effleurer mon visage, et chaque fois qu'ils l'effleuraient je frissonnais de la tête aux pieds. Oh ! reine, reine ! oh ! vous ne savez pas tout ce qu'il y a de félicités du ciel, de joies du paradis enfermées dans un moment pareil. Tenez, mes biens, ma fortune, ma gloire, tout ce qu'il me reste de jours à vivre, pour un pareil instant et pour une semblable nuit ! car cette nuit-là, Madame, cette nuit-là vous m'aimiez, je vous le jure.

— Milord, il est possible, oui, que l'influence du lieu, que le charme de cette belle soirée, que la fascination de votre regard, que ces mille circonstances enfin qui se réunissent parfois pour perdre une femme se soient groupées autour de moi dans cette fatale soirée ; mais vous l'avez vu, Milord, la reine est venue au secours de la femme qui faiblissait : au premier mot que vous avez osé dire, à la première hardiesse à laquelle j'ai eu à répondre, j'ai appelé.

— Oh ! oui, oui, cela est vrai, et un autre amour que le mien aurait succombé à cette épreuve ; mais mon amour, à moi, en est sorti plus ardent et plus éternel. Vous avez cru me fuir en revenant à Paris, vous avez cru que je n'oserais quitter le trésor sur lequel mon maître m'avait chargé de veiller[1]. Ah ! que m'importent à moi tous les trésors du monde et tous les rois de la terre ! Huit jours après, j'étais de retour, Madame. Cette fois, vous n'avez rien eu à me dire : j'avais risqué ma faveur, ma vie, pour vous voir une seconde, je n'ai pas même touché votre main, et vous m'avez pardonné en me voyant si soumis et si repentant.

— Oui, mais la calomnie s'est emparée de toutes ces folies dans lesquelles je n'étais pour rien, vous le savez bien, Milord. Le roi, excité par M. le cardinal, a fait un éclat terrible : Mme du Vernet a été chassée, Putange exilé, Mme de Chevreuse est tombée en défaveur, et lorsque vous avez voulu revenir comme ambassadeur en France, le roi lui-même, souvenez-vous-en, Milord, le roi lui-même s'y est opposé.

---

1. Henriette de France, la nouvelle reine d'Angleterre, que le duc amenait à son mari.

— Oui, et la France va payer d'une guerre le refus de son roi. Je ne puis plus vous voir, Madame ; eh bien, je veux chaque jour que vous entendiez parler de moi.

« Quel but pensez-vous qu'aient eu cette expédition de Ré et cette ligue avec les protestants de La Rochelle que je projette ? Le plaisir de vous voir !

« Je n'ai pas l'espoir de pénétrer à main armée jusqu'à Paris, je le sais bien ; mais cette guerre pourra amener une paix, cette paix nécessitera un négociateur, ce négociateur ce sera moi. On n'osera plus me refuser alors, et je reviendrai à Paris, et je vous reverrai, et je serai heureux un instant. Des milliers d'hommes, il est vrai, auront payé mon bonheur de leur vie ; mais que m'importera, à moi, pourvu que je vous revoie ! Tout cela est peut-être bien fou, peut-être bien insensé ; mais, dites-moi, quelle femme a un amant plus amoureux ? quelle reine a eu un serviteur plus ardent ?

— Milord, Milord, vous invoquez pour votre défense des choses qui vous accusent encore ; Milord, toutes ces preuves d'amour que vous voulez me donner sont presque des crimes.

— Parce que vous ne m'aimez pas, Madame : si vous m'aimiez, vous verriez tout cela autrement ; si vous m'aimiez, oh ! mais, si vous m'aimiez, ce serait trop de bonheur et je deviendrais fou. Ah ! Mme de Chevreuse, dont vous parliez tout à l'heure, Mme de

Chevreuse a été moins cruelle que vous ; Holland l'a aimée, et elle a répondu à son amour.

— Mme de Chevreuse n'était pas reine, murmura Anne d'Autriche, vaincue malgré elle par l'expression d'un amour si profond.

— Vous m'aimeriez donc si vous ne l'étiez pas, vous, Madame, dites, vous m'aimeriez donc ? Je puis donc croire que c'est la dignité seule de votre rang qui vous fait cruelle pour moi ; je puis donc croire que si vous eussiez été Mme de Chevreuse, le pauvre Buckingham aurait pu espérer ? Merci de ces douces paroles, ô ma belle Majesté, cent fois merci.

— Ah ! Milord, vous avez mal entendu, mal interprété ; je n'ai pas voulu dire...

— Silence ! Silence ! dit le duc ; si je suis heureux d'une erreur, n'ayez pas la cruauté de me l'enlever. Vous l'avez dit vous-même, on m'a attiré dans un piège, j'y laisserai ma vie peut-être, car, tenez, c'est étrange, depuis quelque temps j'ai des pressentiments que je vais mourir.

Et le duc sourit d'un sourire triste et charmant à la fois.

— Oh ! mon Dieu ! s'écria Anne d'Autriche avec un accent d'effroi qui prouvait quel intérêt plus grand qu'elle ne le voulait dire elle prenait au duc.

— Je ne vous dis point cela pour vous effrayer, Madame, non ; c'est même ridicule ce que je vous dis, et croyez que je ne me préoccupe point de pareils

rêves. Mais ce mot que vous venez de dire, cette espérance, que vous m'avez presque donnée, aura tout
payé, fût-ce même ma vie.

— Eh bien ! dit Anne d'Autriche, moi aussi, duc,
moi, j'ai des pressentiments, moi aussi j'ai des rêves.
J'ai songé que je vous voyais couché sanglant, frappé
d'une blessure.

— Au côté gauche, n'est-ce pas, avec un couteau ?
interrompit Buckingham.

— Oui, c'est cela, Milord, c'est cela, au côté gauche
avec un couteau. Qui a pu vous dire que j'avais fait ce
rêve ? Je ne l'ai confié qu'à Dieu, et encore dans mes
prières.

— Je n'en veux pas davantage, et vous m'aimez.
Madame, c'est bien.

— Je vous aime, moi ?

— Oui, vous. Dieu vous enverrait-il les mêmes
rêves qu'à moi, si vous ne m'aimiez pas ? Aurions-
nous les mêmes pressentiments, si nos deux existences
ne se touchaient pas par le cœur ? Vous m'aimez, ô
reine, et vous me pleurerez ?

— Oh ! mon Dieu ! mon Dieu ! s'écria Anne d'Autriche, c'est plus que je n'en puis supporter. Tenez,
duc, au nom du Ciel, partez, retirez-vous ; je ne sais si
je vous aime, ou si je ne vous aime pas ; mais ce que
je sais, c'est que je ne serai point parjure. Prenez donc
pitié de moi, et partez. Oh ! si vous êtes frappé en
France, si vous mourez en France, si je pouvais sup-

poser que votre amour pour moi fût cause de votre mort, je ne me consolerais jamais, j'en deviendrais folle. Partez donc, partez, je vous en supplie.

— Oh ! que vous êtes belle ainsi ! Oh ! que je vous aime ! dit Buckingham.

— Partez ! partez ! je vous en supplie, et revenez plus tard ; revenez comme ambassadeur, revenez comme ministre, revenez entouré de gardes qui vous défendront, de serviteurs qui veilleront sur vous, et alors je ne craindrai plus pour vos jours, et j'aurai du bonheur à vous revoir.

— Oh ! est-ce bien vrai ce que vous me dites ?

— Oui...

— Eh bien ! un gage de votre indulgence, un objet qui vienne de vous et qui me rappelle que je n'ai point fait un rêve ; quelque chose que vous ayez porté et que je puisse porter à mon tour, une bague, un collier, une chaîne.

— Et partirez-vous, partirez-vous, si je vous donne ce que vous me demandez ?

— Oui.

— À l'instant même ?

— Oui.

— Vous quitterez la France, vous retournerez en Angleterre ?

— Oui, je vous le jure !

— Attendez, alors, attendez.

Et Anne d'Autriche rentra dans son appartement et

en sortit presque aussitôt, tenant à la main un petit coffret en bois de rose à son chiffre, tout incrusté d'or.

— Tenez, Milord duc, tenez, dit-elle, gardez cela en mémoire de moi.

Buckingham prit le coffret et tomba une seconde fois à genoux.

— Vous m'avez promis de partir, dit la reine.

— Et je tiens ma parole. Votre main, votre main, Madame, et je pars.

Anne d'Autriche tendit sa main en fermant les yeux et en s'appuyant de l'autre sur Estefania, car elle sentait que les forces allaient lui manquer.

Buckingham appuya avec passion ses lèvres sur cette belle main, puis se relevant :

— Avant six mois, dit-il, si je ne suis pas mort, je vous aurai revue, Madame, dussé-je bouleverser le monde pour cela.

Et, fidèle à la promesse qu'il avait faite, il s'élança hors de l'appartement.

Dans le corridor, il rencontra Mme Bonacieux qui l'attendait, et qui, avec les mêmes précautions et le même bonheur, le reconduisit hors du Louvre.

13

Monsieur Bonacieux

Il y avait dans tout cela, comme on a pu le remarquer, un personnage dont, malgré sa position précaire, on n'avait paru s'inquiéter que fort médiocrement ; ce personnage était M. Bonacieux, respectable martyr des intrigues politiques et amoureuses qui s'enchevêtraient si bien les unes aux autres, dans cette époque à la fois si chevaleresque et si galante.

Les estafiers[1] qui l'avaient arrêté le conduisirent droit à la Bastille, où on le fit passer tout tremblant devant un peloton de soldats qui chargeaient leurs mousquets.

---

1. Domestiques armés.

Deux gardes s'emparèrent du mercier, lui firent traverser une cour, le firent entrer dans un corridor où il y avait trois sentinelles, ouvrirent une porte et le poussèrent dans une chambre basse, où il n'y avait pour tous meubles qu'une table, une chaise et un commissaire. Le commissaire était assis sur la chaise et occupé à écrire sur la table.

Les deux gardes conduisirent le prisonnier devant la table et, sur un signe du commissaire, s'éloignèrent hors de la portée de la voix.

Il commença par demander à M. Bonacieux ses nom et prénoms, son âge, son état et son domicile. L'accusé répondit qu'il s'appelait Jacques-Michel Bonacieux, qu'il était âgé de cinquante et un ans, mercier retiré, et qu'il demeurait rue des Fossoyeurs, n° 11.

Le commissaire alors, au lieu de continuer à l'interroger, lui fit un grand discours sur le danger qu'il y a pour un bourgeois obscur à se mêler des choses publiques.

Il compliqua cet exorde d'une exposition[1] dans laquelle il raconta la puissance et les actes de M. le cardinal, ce ministre incomparable, ce vainqueur des ministres passés, cet exemple des ministres à venir : actes et puissance que nul ne contrecarrait[2] impunément.

---

1. Exorde : début d'un discours ; exposition : ce qui suit l'exorde.
2. Contrariait.

Après cette deuxième partie de son discours, fixant son regard d'épervier sur le pauvre Bonacieux, il l'invita à réfléchir à la gravité de sa situation.

Les réflexions du mercier étaient toutes faites : il donnait au diable l'instant où M. de La Porte avait eu l'idée de le marier avec sa filleule, et l'instant surtout où cette filleule avait été reçue dame de la lingerie chez la reine.

— Mais, Monsieur le commissaire, dit-il timidement, croyez bien que je connais et que j'apprécie plus que personne le mérite de l'incomparable Éminence par laquelle nous avons l'honneur d'être gouvernés.

— Vraiment ? demanda le commissaire d'un air de doute ; mais s'il en était véritablement ainsi, comment seriez-vous à la Bastille ?

— Comment j'y suis, ou plutôt pourquoi j'y suis, répliqua M. Bonacieux, voilà ce qu'il m'est parfaitement impossible de vous dire, vu que je l'ignore moi-même ; mais, à coup sûr, ce n'est pas pour avoir désobligé, sciemment du moins, M. le cardinal.

— Il faut cependant que vous ayez commis un crime, puisque vous êtes ici accusé de haute trahison.

— De haute trahison ! s'écria Bonacieux épouvanté, de haute trahison ! et comment voulez-vous qu'un pauvre mercier qui déteste les huguenots et qui abhorre[1] les Espagnols soit accusé de haute trahison ?

---

1. Hait, déteste.

Réfléchissez, Monsieur, la chose est matériellement impossible.

— Monsieur Bonacieux, dit le commissaire en regardant l'accusé comme si ses petits yeux avaient la faculté de lire jusqu'au plus profond des cœurs, Monsieur Bonacieux, vous avez une femme ?

— Oui, Monsieur, répondit le mercier tout tremblant, sentant que c'était là où les affaires allaient s'embrouiller ; c'est-à-dire, j'en avais une.

— Comment ? vous en aviez une ! qu'en avez-vous fait, si vous ne l'avez plus ?

— On me l'a enlevée, Monsieur.

— On vous l'a enlevée ? dit le commissaire. Ah !

Bonacieux sentit à ce « ah ! » que l'affaire s'embrouillait de plus en plus.

— On vous l'a enlevée ! reprit le commissaire, et savez-vous quel est l'homme qui a commis ce rapt ?

— Je crois le connaître.

— Quel est-il ?

— Songez que je n'affirme rien, Monsieur le commissaire, et que je soupçonne seulement.

— Qui soupçonnez-vous ? Voyons, répondez franchement.

M. Bonacieux était dans la plus grande perplexité : devait-il tout nier ou tout dire ? En niant tout, on pouvait croire qu'il en savait trop long pour avouer ; en disant tout, il faisait preuve de bonne volonté. Il se décida donc à tout dire.

— Je soupçonne, dit-il, un grand brun, de haute mine, lequel a tout à fait l'air d'un grand seigneur ; il nous a suivis plusieurs fois, à ce qu'il m'a semblé, quand j'attendais ma femme devant le guichet du Louvre pour la ramener chez moi.

Le commissaire parut éprouver quelque inquiétude.

— Et son nom ? dit-il.

— Oh ! quant à son nom, je n'en sais rien, mais si je le rencontre jamais, je le reconnaîtrai à l'instant même, je vous en réponds, fût-il entre mille personnes.

Le front du commissaire se rembrunit.

— Vous le reconnaîtriez entre mille, dites-vous ? continua-t-il.

— C'est-à-dire, reprit Bonacieux, qui vit qu'il avait fait fausse route, c'est-à-dire...

— Vous avez répondu que vous le reconnaîtriez, dit le commissaire ; c'est bien, en voici assez pour aujourd'hui ; il faut, avant que nous allions plus loin, que quelqu'un soit prévenu que vous connaissez le ravisseur de votre femme.

— Mais je ne vous ai pas dit que je le connaissais ! s'écria Bonacieux au désespoir. Je vous ai dit au contraire...

— Emmenez le prisonnier, dit le commissaire aux deux gardes.

— Et où faut-il le conduire ? demanda le greffier.

— Dans un cachot.

— Dans lequel ?

— Oh ! mon Dieu, dans le premier venu, pourvu qu'il ferme bien, répondit le commissaire avec une indifférence qui pénétra d'horreur le pauvre Bonacieux.

« Hélas ! hélas ! se dit-il, le malheur est sur ma tête ; ma femme aura commis quelque crime effroyable ; on me croit son complice, et l'on me punira avec elle : elle en aura parlé, elle aura avoué qu'elle m'avait tout dit ; une femme, c'est si faible ! Un cachot, le premier venu ! c'est cela ! une nuit est bientôt passée ; et demain, à la roue, à la potence ! Oh ! mon Dieu ! mon Dieu ! ayez pitié de moi ! »

Sans écouter le moins du monde les lamentations de maître Bonacieux, lamentations auxquelles d'ailleurs ils devaient être habitués, les deux gardes prirent le prisonnier par un bras, et l'emmenèrent, tandis que le commissaire écrivait en hâte une lettre que son greffier attendait.

Bonacieux ne ferma pas l'œil, non pas que son cachot fût par trop désagréable, mais parce que ses inquiétudes étaient trop grandes. Il resta toute la nuit sur son escabeau, tressaillant au moindre bruit ; et quand les premiers rayons du jour se glissèrent dans sa chambre, l'aurore lui parut avoir pris des teintes funèbres.

Tout à coup, il entendit tirer les verrous, et il fit un soubresaut terrible. Il croyait qu'on venait le chercher pour le conduire à l'échafaud ; aussi, lorsqu'il vit purement et simplement paraître, au lieu de l'exécuteur qu'il attendait, son commissaire et son greffier de la veille, il fut tout près de leur sauter au cou.

— Votre affaire s'est fort compliquée depuis hier au soir, mon brave homme, lui dit le commissaire, et je vous conseille de dire toute la vérité ; car votre repentir peut seul conjurer la colère du cardinal.

— Mais je suis prêt à tout dire, s'écria Bonacieux, du moins tout ce que je sais. Interrogez, je vous prie.

— Où est votre femme, d'abord ?

— Mais puisque je vous ai dit qu'on me l'avait enlevée.

— Oui, mais depuis hier cinq heures de l'après-midi, grâce à vous, elle s'est échappée.

— Ma femme s'est échappée ! s'écria Bonacieux. Oh ! la malheureuse ! Monsieur, si elle s'est échappée, ce n'est pas ma faute, je vous le jure.

— Qu'alliez-vous donc alors faire chez M. d'Artagnan, votre voisin, avec lequel vous avez eu une longue conférence dans la journée ?

— Ah ! oui, Monsieur le commissaire, oui, cela est vrai, et j'avoue que j'ai eu tort. J'ai été chez M. d'Artagnan.

— Quel était le but de cette visite ?

— De le prier de m'aider à retrouver ma femme. Je croyais que j'avais droit de la réclamer ; je me trompais, à ce qu'il paraît, et je vous en demande bien pardon.

— Et qu'a répondu M. d'Artagnan ?

— M. d'Artagnan m'a promis son aide ; mais je me suis bientôt aperçu qu'il me trahissait.

— Vous en imposez à la justice ! M. d'Artagnan a fait un pacte avec vous, et en vertu de ce pacte il a mis en fuite les hommes de police qui avaient arrêté votre femme, et l'a soustraite à toutes les recherches.

— M. d'Artagnan a enlevé ma femme ! Ah çà, mais que me dites-vous là ?

— Heureusement M. d'Artagnan est entre nos mains, et vous allez lui être confronté.

— Ah ! ma foi, je ne demande pas mieux, s'écria Bonacieux ; je ne serais pas fâché de voir une figure de connaissance.

— Faites entrer M. d'Artagnan, dit le commissaire aux deux gardes.

Les deux gardes firent entrer Athos.

— Monsieur d'Artagnan, dit le commissaire en s'adressant à Athos, déclarez ce qui s'est passé entre vous et Monsieur.

— Mais ! s'écria Bonacieux, ce n'est pas M. d'Artagnan que vous me montrez là !

— Comment ! ce n'est pas M. d'Artagnan ? s'écria le commissaire.

— Pas le moins du monde, répondit Bonacieux.

— Comment se nomme Monsieur ? demanda le commissaire.

— Je ne puis vous le dire, je ne le connais pas.

— Comment ! vous ne le connaissez pas ?

— Non.

— Vous ne l'avez jamais vu ?

— Si fait ; mais je ne sais comment il s'appelle.

— Votre nom ? demanda le commissaire.

— Athos, répondit le mousquetaire.

— Mais ce n'est pas un nom d'homme, ça, c'est un nom de montagne[1] ! s'écria le pauvre interrogateur qui commençait à perdre la tête.

— C'est mon nom, dit tranquillement Athos.

— Mais vous avez dit que vous vous nommiez d'Artagnan.

— Moi ?

— Oui, vous.

— C'est-à-dire que c'est à moi qu'on a dit : « Vous êtes M. d'Artagnan ? » J'ai répondu : « Vous croyez ? » Mes gardes se sont écriés qu'ils en étaient sûrs. Je n'ai pas voulu les contrarier. D'ailleurs je pouvais me tromper.

— Monsieur, vous insultez à la majesté de la justice.

— Aucunement, fit tranquillement Athos.

— Vous êtes M. d'Artagnan.

— Vous voyez bien que vous me le dites encore.

— Mais, s'écria à son tour M. Bonacieux, je vous dis, Monsieur le commissaire, qu'il n'y a pas un instant de doute à avoir. M. d'Artagnan est mon hôte[2], et

---

1. Allusion au mont Athos, en Grèce.
2. Locataire.

par conséquent, quoiqu'il ne me paie pas mes loyers, et justement même à cause de cela, je dois le connaître. M. d'Artagnan est un jeune homme de dix-neuf à vingt ans à peine, et Monsieur en a trente au moins. M. d'Artagnan est dans les gardes de M. des Essarts, et Monsieur est dans la compagnie des mousquetaires de M. de Tréville : regardez l'uniforme, Monsieur le commissaire, regardez l'uniforme.

— C'est vrai, murmura le commissaire ; c'est pardieu vrai.

En ce moment la porte s'ouvrit vivement, et un messager, introduit par un des guichetiers[1] de la Bastille, remit une lettre au commissaire.

— Oh ! la malheureuse ! s'écria le commissaire.

— Comment ? que dites-vous ? de qui parlez-vous ? Ce n'est pas de ma femme, j'espère !

— Au contraire, c'est d'elle. Votre affaire est bonne, allez.

— Ah ça ! s'écria le mercier exaspéré, faites-moi le plaisir de me dire, Monsieur, comment mon affaire à moi peut s'empirer de ce que fait ma femme pendant que je suis en prison !

— Parce que ce qu'elle fait est la suite d'un plan arrêté entre vous, plan infernal !

— Je vous jure, Monsieur le commissaire, que vous êtes dans la plus profonde erreur, que je ne sais rien au monde de ce que devait faire ma femme, que je suis

_____
1. Geôliers.

entièrement étranger à ce qu'elle a fait, et que, si elle a fait des sottises, je la renie, je la démens, je la maudis.

— Ah çà ! dit Athos au commissaire, si vous n'avez plus besoin de moi ici, renvoyez-moi quelque part, il est très ennuyeux, votre Monsieur Bonacieux.

— Reconduisez les prisonniers dans leurs cachots, dit le commissaire en désignant d'un même geste Athos et Bonacieux, et qu'ils soient gardés plus sévèrement que jamais.

— Cependant, dit Athos avec son calme habituel, si c'est à M. d'Artagnan que vous avez affaire, je ne vois pas trop en quoi je puis le remplacer.

— Faites ce que j'ai dit ! s'écria le commissaire, et le secret le plus absolu ! Vous entendez !

Athos suivit ses gardes en levant les épaules, et M. Bonacieux en poussant des lamentations à fendre le cœur d'un tigre.

On ramena le mercier dans le même cachot où il avait passé la nuit, et l'on l'y laissa toute la journée. Toute la journée Bonacieux pleura comme un véritable mercier, n'étant pas du tout homme d'épée, il nous l'a dit lui-même.

Le soir, vers les neuf heures, au moment où il allait se décider à se mettre au lit, il entendit des pas dans son corridor. Ces pas se rapprochèrent de son cachot, sa porte s'ouvrit, des gardes parurent.

— Suivez-moi, dit un exempt [1] qui venait à la suite des gardes.

— Vous suivre ! s'écria Bonacieux ; vous suivre à cette heure-ci ! et où cela, mon Dieu ?

— Où nous avons l'ordre de vous conduire.

— Mais ce n'est pas une réponse, cela.

— C'est cependant la seule que nous puissions vous faire.

— Ah ! mon Dieu, mon Dieu, murmura le pauvre mercier, pour cette fois je suis perdu !

Et il suivit machinalement et sans résistance les gardes qui venaient le quérir.

Il prit le même corridor qu'il avait déjà pris, traversa une première cour, puis un second corps de logis ; enfin, à la porte de la cour d'entrée, il trouva une voiture entourée de quatre gardes à cheval. On le fit monter dans cette voiture, l'exempt se plaça près de lui, on ferma la portière à clef, et tous deux se trouvèrent dans une prison roulante.

La voiture se mit en mouvement, lente comme un char funèbre. À travers la grille cadenassée, le prisonnier apercevait les maisons et le pavé, voilà tout ; mais, en véritable Parisien qu'il était, Bonacieux reconnaissait chaque rue aux bornes, aux enseignes, aux réverbères. Au moment d'arriver à Saint-Paul, lieu où l'on exécutait les condamnés de la Bastille, il faillit s'éva-

---

1. Officier de police.

nouir et se signa deux fois. Il avait cru que la voiture devait s'arrêter là. La voiture passa cependant.

Plus loin, une grande terreur le prit encore, ce fut en côtoyant le cimetière Saint-Jean où on enterrait les criminels d'État. Une seule chose le rassura un peu, c'est qu'avant de les enterrer on leur coupait généralement la tête, et que sa tête à lui était encore sur ses épaules. Mais lorsqu'il vit que la voiture prenait la route de la Grève, qu'il aperçut les toits aigus de l'Hôtel de Ville, que la voiture s'engagea sous l'arcade, il crut que tout était fini pour lui, voulut se confesser à l'exempt, et, sur son refus, poussa des cris si pitoyables que l'exempt annonça que, s'il continuait à l'assourdir ainsi, il lui mettrait un bâillon.

Cette menace rassura quelque peu Bonacieux : si l'on eût dû l'exécuter en Grève, ce n'était pas la peine de le bâillonner, puisqu'on était presque arrivé au lieu de l'exécution. En effet, la voiture traversa la place fatale sans s'arrêter. Il ne restait plus à craindre que la Croix-du-Trahoir : la voiture en prit justement le chemin.

Cette fois, il n'y avait plus de doute, c'était à la Croix-du-Trahoir qu'on exécutait les criminels subalternes. Bonacieux s'était flatté en se croyant digne de Saint-Paul ou de la place de Grève : c'était à la Croix-du-Trahoir qu'allaient finir son voyage et sa destinée ! Il ne pouvait voir encore cette malheureuse croix, mais il la sentait en quelque sorte venir au-devant de lui.

Lorsqu'il n'en fut plus qu'à une vingtaine de pas, il entendit une rumeur, et la voiture s'arrêta. C'était plus que n'en pouvait supporter le pauvre Bonacieux, déjà écrasé par les émotions successives qu'il avait éprouvées ; il poussa un faible gémissement, qu'on eût pu prendre pour le dernier soupir d'un moribond, et il s'évanouit.

14

L'homme de Meung

Ce rassemblement était produit non point par l'attente d'un homme qu'on devait pendre, mais par la contemplation d'un pendu.

La voiture, arrêtée un instant, reprit donc sa marche, traversa la foule, continua son chemin, enfila la rue Saint-Honoré, tourna la rue des Bons-Enfants et s'arrêta devant une porte basse.

La porte s'ouvrit, deux gardes reçurent dans leurs bras Bonacieux, soutenu par l'exempt ; on le poussa dans une allée, on lui fit monter un escalier, et on le déposa dans une antichambre.

Tous ces mouvements s'étaient opérés pour lui d'une façon machinale.

Il avait marché comme on marche en rêve ; il avait entrevu les objets à travers un brouillard ; ses oreilles avaient perçu des sons sans les comprendre ; on eût pu l'exécuter dans ce moment qu'il n'eût pas fait un geste pour entreprendre sa défense, qu'il n'eût pas poussé un cri pour implorer la pitié.

Il resta donc ainsi sur la banquette, le dos appuyé au mur et les bras pendants, à l'endroit même où les gardes l'avaient déposé.

Cependant, comme, en regardant autour de lui, il ne voyait aucun objet menaçant, comme rien n'indiquait qu'il courût un danger réel, comme la banquette était convenablement rembourrée, comme la muraille était recouverte d'un beau cuir de Cordoue, comme de grands rideaux de damas[1] rouge flottaient devant la fenêtre, retenus par des embrasses[2] d'or, il comprit peu à peu que sa frayeur était exagérée, et il commença de remuer la tête à droite et à gauche et de bas en haut.

À ce mouvement, auquel personne ne s'opposa, il reprit un peu de courage et se risqua à ramener une jambe, puis l'autre ; enfin, en s'aidant de ses deux mains, il se souleva sur sa banquette et se trouva sur ses pieds.

En ce moment, un officier de bonne mine ouvrit

1. Tissu de soie monochrome avec des reflets produits par le tissage.
2. Bandes d'étoffe servant à tenir les rideaux ouverts.

une portière, continua d'échanger encore quelques paroles avec une personne qui se trouvait dans la pièce voisine, et se retournant vers le prisonnier :

— C'est vous qui vous nommez Bonacieux ? dit-il.

— Oui, Monsieur l'officier, balbutia le mercier, plus mort que vif, pour vous servir.

— Entrez, dit l'officier.

Et il s'effaça pour que le mercier pût passer. Celui-ci obéit sans réplique, et entra dans la chambre où il paraissait être attendu.

C'était un grand cabinet, aux murailles garnies d'armes offensives et défensives, clos et étouffé, et dans lequel il y avait déjà du feu, quoique l'on fût à peine à la fin du mois de septembre. Une table carrée, couverte de livres et de papiers sur lesquels était déroulé un plan immense de la ville de La Rochelle, tenait le milieu de l'appartement.

Debout devant la cheminée était un homme de moyenne taille, à la mine haute et fière, aux yeux perçants, au front large, à la figure amaigrie qu'allongeait encore une royale[1] surmontée d'une paire de moustaches. Quoique cet homme eût trente-six à trente-sept ans à peine, cheveux, moustache et royale s'en allaient grisonnant. Cet homme, moins l'épée, avait toute la mine d'un homme de guerre, et ses bottes de buffle encore légèrement couvertes de poussière indiquaient qu'il avait monté à cheval dans la journée.

---

1. Bouquet de barbe sous la lèvre inférieure.

Cet homme, c'était Armand-Jean Duplessis, cardinal de Richelieu, non point tel qu'on nous le représente, cassé comme un vieillard, souffrant comme un martyr, le corps brisé, la voix éteinte, enterré dans un grand fauteuil comme dans une tombe anticipée, ne vivant plus que par la force de son génie, et ne soutenant plus la lutte avec l'Europe que par l'éternelle application de sa pensée ; mais tel qu'il était réellement à cette époque, c'est-à-dire adroit et galant[1] cavalier, faible de corps déjà, mais soutenu par cette puissance morale qui a fait de lui un des hommes les plus extraordinaires qui aient existé ; se préparant enfin, après avoir soutenu le duc de Nevers dans son duché de Mantoue, après avoir pris Nîmes, Castres et Uzès, à chasser les Anglais de l'île de Ré et à faire le siège de La Rochelle.

À la première vue, rien ne dénotait donc le cardinal, et il était impossible à ceux-là qui ne connaissaient point son visage de deviner devant qui ils se trouvaient.

Le pauvre mercier demeura debout à la porte, tandis que les yeux du personnage que nous venons de décrire se fixaient sur lui, et semblaient vouloir pénétrer jusqu'au fond du passé.

— C'est là ce Bonacieux ? demanda-t-il après un moment de silence.

— Oui, Monseigneur, reprit l'officier.

---

1. Élégant, distingué.

— C'est bien, donnez-moi ces papiers et laissez-nous.

L'officier prit sur la table les papiers désignés, les remit à celui qui les demandait, s'inclina jusqu'à terre, et sortit.

Bonacieux reconnut dans ces papiers ses interrogatoires de la Bastille. De temps en temps, l'homme de la cheminée levait les yeux de dessus les écritures, et les plongeait comme deux poignards jusqu'au fond du cœur du pauvre mercier.

Au bout de dix minutes de lecture et dix secondes d'examen, le cardinal était fixé.

« Cette tête-là n'a jamais conspiré, murmura-t-il ; mais n'importe, voyons toujours. »

— Vous êtes accusé de haute trahison, dit lentement le cardinal.

— C'est ce qu'on m'a déjà appris, Monseigneur, s'écria Bonacieux, donnant à son interrogateur le titre qu'il avait entendu l'officier lui donner ; mais je vous jure que je n'en savais rien.

Le cardinal réprima un sourire.

— Vous avez conspiré avec votre femme, avec Mme de Chevreuse et avec Milord duc de Buckingham.

— En effet, Monseigneur, répondit le mercier, je l'ai entendue prononcer tous ces noms-là.

— Et à quelle occasion ?

— Elle disait que le cardinal de Richelieu avait

attiré le duc de Buckingham à Paris pour le perdre et pour perdre la reine avec lui.

— Elle disait cela ? s'écria le cardinal avec violence.

— Oui, Monseigneur ; mais moi je lui ai dit qu'elle avait tort de tenir de pareils propos, et que Son Éminence était incapable...

— Taisez-vous, vous êtes un imbécile, reprit le cardinal.

— C'est justement ce que ma femme m'a répondu, Monseigneur.

— Savez-vous qui a enlevé votre femme ?

— Non, Monseigneur.

— Vous avez des soupçons, cependant ?

— Oui, Monseigneur ; mais ces soupçons ont paru contrarier M. le commissaire, et je ne les ai plus.

— Votre femme s'est échappée, le saviez-vous ?

— Non, Monseigneur, je l'ai appris depuis que je suis en prison, et toujours par l'entremise de M. le commissaire, un homme bien aimable !

Le cardinal réprima un second sourire.

— Alors vous ignorez ce que votre femme est devenue depuis sa fuite ?

— Absolument, Monseigneur ; mais elle a dû rentrer au Louvre.

— À une heure du matin elle n'y était pas rentrée encore.

— Ah ! mon Dieu ! mais qu'est-elle devenue alors ?

— On le saura, soyez tranquille ; on ne cache rien au cardinal ; le cardinal sait tout.

— En ce cas, Monseigneur, est-ce que vous croyez que le cardinal consentira à me dire ce qu'est devenue ma femme ?

— Peut-être ; mais il faut d'abord que vous avouiez tout ce que vous savez relativement aux relations de votre femme avec Mme de Chevreuse.

— Mais, Monseigneur, je n'en sais rien ; je ne l'ai jamais vue.

— Quand vous alliez chercher votre femme au Louvre, revenait-elle directement chez vous ?

— Presque jamais : elle avait affaire à des marchands de toile, chez lesquels je la conduisais.

— Et combien y en avait-il de marchands de toile ?

— Deux, Monseigneur.

— Où demeurent-ils ?

— Un, rue de Vaugirard ; l'autre, rue de La Harpe.

— Entriez-vous chez eux avec elle ?

— Jamais, Monseigneur ; je l'attendais à la porte.

— Et quel prétexte vous donnait-elle pour entrer ainsi toute seule ?

— Elle ne m'en donnait pas ; elle me disait d'attendre, et j'attendais.

— Vous êtes un mari complaisant, mon cher Monsieur Bonacieux ! dit le cardinal.

« Il m'appelle son cher Monsieur ! dit en lui-même le mercier. Peste ! les affaires vont bien ! »

— Reconnaîtriez-vous ces portes ?

— Oui.

— Savez-vous les numéros ?

— Oui.

— Quels sont-ils ?

— N° 25, dans la rue de Vaugirard ; n° 75, dans la rue de La Harpe.

— C'est bien dit le cardinal.

À ces mots, il prit une sonnette d'argent, et sonna ; l'officier rentra.

— Allez, dit-il à demi-voix, me chercher Rochefort ; et qu'il vienne à l'instant même, s'il est rentré.

— Le comte est là, dit l'officier, il demande instamment à parler à Votre Éminence !

« À Votre Éminence ! murmura Bonacieux, qui savait que tel était le titre qu'on donnait d'ordinaire à M. le cardinal ;... à Votre Éminence ! »

— Qu'il vienne alors, qu'il vienne ! dit vivement Richelieu.

L'officier s'élança hors de l'appartement, avec cette rapidité que mettaient d'ordinaire tous les serviteurs du cardinal à lui obéir.

« À Votre Éminence ! » murmurait Bonacieux en roulant des yeux égarés.

Cinq secondes ne s'étaient pas écoulées depuis la disparition de l'officier, que la porte s'ouvrit et qu'un nouveau personnage entra.

— C'est lui, s'écria Bonacieux.

— Qui lui ? demanda le cardinal.

— Celui qui m'a enlevé ma femme.

Le cardinal sonna une seconde fois. L'officier reparut.

— Remettez cet homme aux mains de ses deux gardes, et qu'il attende que je le rappelle devant moi.

— Non, Monseigneur ! non, ce n'est pas lui ! s'écria Bonacieux ; non, je m'étais trompé : c'est un autre qui ne lui ressemble pas du tout ! Monsieur est un honnête homme.

— Emmenez cet imbécile ! dit le cardinal.

L'officier prit Bonacieux sous le bras, et le reconduisit dans l'antichambre où il trouva ses deux gardes. Le nouveau personnage qu'on venait d'introduire suivit des yeux avec impatience Bonacieux jusqu'à ce qu'il fût sorti, et dès que la porte se fut refermée sur lui :

— Ils se sont vus, dit-il en s'approchant vivement du cardinal.

— Qui ? demanda Son Éminence.

— Elle et lui.

— La reine et le duc ? s'écria Richelieu.

— Oui.

— Et où cela ?

— Au Louvre.

— Vous en êtes sûr ?

— Parfaitement sûr.

— Qui vous l'a dit ?

239

— Mme de Lannoy, qui est toute à Votre Éminence, comme vous le savez.

— Pourquoi ne l'a-t-elle pas dit plus tôt ?

— Soit hasard, soit défiance, la reine a fait coucher Mme de Fargis dans sa chambre, et l'a gardée toute la journée.

— C'est bien, nous sommes battus. Tâchons de prendre notre revanche.

— Je vous y aiderai de toute mon âme, Monseigneur, soyez tranquille.

— Comment cela s'est-il passé ?

— À minuit et demi, la reine était avec ses femmes...

— Où cela ?

— Dans sa chambre à coucher...

— Bien.

— Lorsqu'on est venu lui remettre un mouchoir de la part de sa dame de lingerie...

— Après ?

— Aussitôt la reine a manifesté une grande émotion, et, malgré le rouge dont elle avait le visage couvert, elle a pâli.

— Après ! après !

— Cependant, elle s'est levée, et d'une voix altérée : « Mesdames, a-t-elle dit, attendez-moi dix minutes, puis je reviens. » Et elle a ouvert la porte de son alcôve, puis elle est sortie.

— Pourquoi Mme de Lannoy n'est-elle pas venue vous prévenir à l'instant même ?

— Rien n'était bien certain encore ; d'ailleurs, la reine avait dit : « Mesdames, attendez-moi » ; et elle n'osait désobéir à la reine.

— Et combien de temps la reine est-elle restée hors de la chambre ?

— Trois quarts d'heure.

— Aucune de ses femmes ne l'accompagnait ?

— Doña Estefania seulement.

— Et elle est rentrée ensuite ?

— Oui, mais pour prendre un petit coffret de bois de rose à son chiffre, et sortir aussitôt.

— Et quand elle est rentrée, plus tard, a-t-elle rapporté le coffret ?

— Non.

— Mme de Lannoy savait-elle ce qu'il y avait dans ce coffret ?

— Oui : les ferrets en diamants que Sa Majesté a donnés à la reine.

— Et elle est rentrée sans ce coffret ?

— Oui.

— L'opinion de Mme de Lannoy est qu'elle les a remis alors à Buckingham ?

— Elle en est sûre.

— Comment cela ?

— Pendant la journée, Mme de Lannoy, en sa qualité de dame d'atour de la reine, a cherché ce coffret, a paru inquiète de ne pas le trouver et a fini par en demander des nouvelles à la reine.

— Et alors, la reine... ?

— La reine est devenue fort rouge et a répondu qu'ayant brisé la veille un de ses ferrets, elle l'avait envoyé raccommoder chez son orfèvre.

— Il faut y passer et s'assurer si la chose est vraie ou non.

— J'y suis passé.

— Eh bien, l'orfèvre ?

— L'orfèvre n'a entendu parler de rien.

— Bien ! bien ! Rochefort, tout n'est pas perdu, et peut-être... peut-être tout est-il pour le mieux !

— Le fait est que je ne doute pas que le génie de Votre Éminence...

— Ne répare les bêtises de mon agent, n'est-ce pas ?

— C'est justement ce que j'allais dire, si Votre Éminence m'avait laissé achever ma phrase.

— Maintenant, savez-vous où se cachaient la duchesse de Chevreuse et le duc de Buckingham ?

— Non, Monseigneur, mes gens n'ont pu rien me dire de positif là-dessus.

— Je le sais, moi.

— Vous, Monseigneur ?

— Oui, ou du moins je m'en doute. Ils se tenaient, l'un rue de Vaugirard, n° 25, et l'autre rue de La Harpe, n° 75.

— Votre Éminence veut-elle que je les fasse arrêter tous deux ?

— Il sera trop tard, ils seront partis.

— N'importe, on peut s'en assurer.

— Prenez dix hommes de mes gardes, et fouillez les deux maisons.

— J'y vais, Monseigneur.

Et Rochefort s'élança hors de l'appartement.

Le cardinal, resté seul, réfléchit un instant et sonna une troisième fois.

Le même officier reparut.

— Faites entrer le prisonnier, dit le cardinal.

Maître Bonacieux fut introduit de nouveau, et, sur un signe du cardinal, l'officier se retira.

— Vous m'avez trompé, dit sévèrement le cardinal.

— Moi, s'écria Bonacieux, moi, tromper Votre Éminence !

— Votre femme, en allant rue de Vaugirard et rue de La Harpe, n'allait pas chez des marchands de toile.

— Et où allait-elle, juste Dieu ?

— Elle allait chez la duchesse de Chevreuse et chez le duc de Buckingham.

— Oui, dit Bonacieux rappelant tous ses souvenirs ; oui, c'est cela, Votre Éminence a raison. J'ai dit plusieurs fois à ma femme qu'il était étonnant que des marchands de toile demeurassent dans des maisons pareilles, dans des maisons qui n'avaient pas d'enseignes, et chaque fois ma femme s'est mise à rire. Ah !

Monseigneur, continua Bonacieux en se jetant aux pieds de l'Éminence, ah ! que vous êtes bien le cardinal, le grand cardinal, l'homme de génie que tout le monde révère.

Le cardinal, tout médiocre qu'était le triomphe remporté sur un être aussi vulgaire que l'était Bonacieux, n'en jouit pas moins un instant ; puis, presque aussitôt, comme si une nouvelle pensée se présentait à son esprit, un sourire plissa ses lèvres, et tendant la main au mercier :

— Relevez-vous, mon ami, lui dit-il, vous êtes un brave homme.

— Le cardinal m'a touché la main ! j'ai touché la main du grand homme ! s'écria Bonacieux ; le grand homme m'a appelé son ami !

— Oui, mon ami ; oui ! dit le cardinal avec ce ton paterne qu'il savait prendre quelquefois, mais qui ne trompait que les gens qui ne le connaissaient pas ; et comme on vous a soupçonné injustement, eh bien ! il vous faut une indemnité : tenez ! prenez ce sac de cent pistoles, et pardonnez-moi.

— Que je vous pardonne, Monseigneur ! dit Bonacieux hésitant à prendre le sac, craignant sans doute que ce prétendu don ne fût qu'une plaisanterie. Mais vous étiez bien libre de me faire arrêter, vous êtes bien libre de me faire torturer, vous êtes bien libre de me faire pendre : vous êtes le maître, et je n'aurais pas eu le plus petit mot à dire. Vous pardonner, Monseigneur ! Allons donc, vous n'y pensez pas !

— Ah ! mon cher Monsieur Bonacieux ! vous y mettez de la générosité, je le vois, et je vous en remercie. Ainsi donc, vous prenez ce sac, et vous vous en allez sans être trop mécontent ?

— Je m'en vais enchanté, Monseigneur.

— Adieu donc, ou plutôt au revoir, car j'espère que nous nous reverrons.

— Tant que Monseigneur voudra, et je suis bien aux ordres de Son Éminence.

— Ce sera souvent, soyez tranquille, car j'ai trouvé un charme extrême à votre conversation.

— Oh ! Monseigneur !

— Au revoir, Monsieur Bonacieux, au revoir.

Et le cardinal lui fit un signe de la main, auquel Bonacieux répondit en s'inclinant jusqu'à terre ; puis il sortit à reculons, et quand il fut dans l'antichambre, le cardinal l'entendit qui, dans son enthousiasme, criait à tue-tête : « Vive Monseigneur ! vive Son Éminence ! vive le grand cardinal ! » Le cardinal écouta en souriant cette brillante manifestation des sentiments enthousiastes de maître Bonacieux ; puis, quand les cris de Bonacieux se furent perdus dans l'éloignement :

— Bien, dit-il, voici désormais un homme qui se fera tuer pour moi.

Et le cardinal se mit à examiner avec la plus grande

attention la carte de La Rochelle qui, ainsi que nous l'avons dit, était étendue sur son bureau, traçant avec un crayon la ligne où devait passer la fameuse digue qui, dix-huit mois plus tard, fermait le port de la cité assiégée.

Comme il en était au plus profond de ses méditations stratégiques, la porte se rouvrit, et Rochefort rentra.

— Eh bien ? dit vivement le cardinal en se levant avec une promptitude qui prouvait le degré d'importance qu'il attachait à la commission dont il avait chargé le comte.

— Eh bien ! dit celui-ci, une jeune femme de vingt-six à vingt-huit ans et un homme de trente-cinq à quarante ans ont logé effectivement, l'un quatre jours et l'autre cinq, dans les maisons indiquées par Votre Éminence : mais la femme est partie cette nuit, et l'homme ce matin.

— C'étaient eux ! s'écria le cardinal, qui regardait à la pendule ; et maintenant, continua-t-il, il est trop tard pour faire courir après : la duchesse est à Tours, et le duc à Boulogne. C'est à Londres qu'il faut les rejoindre.

— Quels sont les ordres de Votre Éminence ?

— Pas un mot de ce qui s'est passé ; que la reine reste dans une sécurité parfaite ; qu'elle ignore que nous savons son secret ; qu'elle croie que nous sommes à la recherche d'une conspiration quelconque. Envoyez-moi le garde des sceaux Séguier.

— Et cet homme, qu'en a fait Votre Éminence ?

— Quel homme ? demanda le cardinal.

— Ce Bonacieux ?

— J'en ai fait tout ce qu'on pouvait en faire. J'en ai fait l'espion de sa femme.

Le comte de Rochefort s'inclina en homme qui reconnaît la grande supériorité du maître, et se retira.

Resté seul, le cardinal s'assit de nouveau, écrivit une lettre qu'il cacheta de son sceau particulier, puis il sonna. L'officier entra pour la quatrième fois.

— Faites-moi venir Vitray, dit-il, et dites-lui de s'apprêter pour un voyage.

Un instant après, l'homme qu'il avait demandé était debout devant lui, tout botté et tout éperonné.

— Vitray, dit-il, vous allez partir tout courant pour Londres. Vous ne vous arrêterez pas un instant en route. Vous remettrez cette lettre à Milady. Voici un bon de deux cents pistoles, passez chez mon trésorier et faites-vous payer. Il y en a autant à toucher si vous êtes ici de retour dans six jours et si vous avez bien fait ma commission.

Le messager, sans répondre un seul mot, s'inclina, prit la lettre, le bon de deux cents pistoles, et sortit. Voici ce que contenait la lettre :

« Milady,

« Trouvez-vous au premier bal où se trouvera le duc

de Buckingham. Il aura à son pourpoint douze ferrets de diamants, approchez-vous de lui et coupez-en deux.

« Aussitôt que ces ferrets seront en votre possession, prévenez-moi. »

15

Gens de robe et gens d'épée

Le lendemain du jour où ces événements étaient arrivés, Athos n'ayant point reparu, M. de Tréville avait été prévenu par d'Artagnan et par Porthos de sa disparition.

Quant à Aramis, il avait demandé un congé de cinq jours, et il était à Rouen, disait-on, pour affaires de famille.

M. de Tréville était le père de ses soldats. Le moindre et le plus inconnu d'entre eux, dès qu'il portait l'uniforme de la compagnie, était aussi certain de son aide et de son appui qu'aurait pu l'être son frère lui-même.

Il se rendit donc à l'instant chez le lieutenant criminel. On fit venir l'officier qui commandait le poste de la Croix-Rouge, et les renseignements successifs apprirent qu'Athos était momentanément logé au For-l'Évêque.

Athos avait passé par toutes les épreuves que nous avons vu Bonacieux subir.

Nous avons assisté à la scène de confrontation entre les deux captifs. Athos, qui n'avait rien dit jusque-là de peur que d'Artagnan, inquiété à son tour, n'eût point le temps qu'il lui fallait, Athos déclara, à partir de ce moment, qu'il se nommait Athos et non d'Artagnan.

Il ajouta qu'il ne connaissait ni Monsieur, ni Madame Bonacieux, qu'il n'avait jamais parlé ni à l'un, ni à l'autre ; qu'il était venu vers les dix heures du soir pour faire visite à M. d'Artagnan, son ami, mais que jusqu'à cette heure il était resté chez M. de Tréville, où il avait dîné ; vingt témoins, ajouta-t-il, pouvaient attester le fait, et il nomma plusieurs gentilshommes distingués, entre autres M. le duc de La Trémouille.

Le second commissaire fut aussi étourdi que le premier de la déclaration simple et ferme de ce mousquetaire, sur lequel il aurait bien voulu prendre la revanche que les gens de robe aiment tant à gagner sur les gens d'épée ; mais le nom de M. de Tréville et celui de M. le duc de La Trémouille méritaient réflexion.

Athos fut aussi envoyé au cardinal, mais malheureusement le cardinal était au Louvre chez le roi.

C'était précisément le moment où M. de Tréville, sortant de chez le lieutenant criminel et de chez le gouverneur du For-l'Évêque, sans avoir pu trouver Athos, arriva chez Sa Majesté.

Comme capitaine des mousquetaires, M. de Tréville avait à toute heure ses entrées chez le roi.

On sait quelles étaient les préventions du roi contre la reine, préventions habilement entretenues par le cardinal, qui, en fait d'intrigues, se défiait infiniment plus des femmes que des hommes. Une des grandes causes surtout de cette prévention était l'amitié d'Anne d'Autriche pour Mme de Chevreuse. Ces deux femmes l'inquiétaient plus que les guerres avec l'Espagne, les démêlés avec l'Angleterre et l'embarras des finances. À ses yeux et dans sa conviction, Mme de Chevreuse servait la reine non seulement dans ses intrigues politiques, mais, ce qui le tourmentait bien plus encore, dans ses intrigues amoureuses.

Au premier mot de ce qu'avait dit M. le cardinal, que Mme de Chevreuse, exilée à Tours et qu'on croyait dans cette ville, était venue à Paris et, pendant cinq jours qu'elle y était restée, avait dépisté la police, le roi était entré dans une furieuse colère.

Mais lorsque le cardinal ajouta que non seulement Mme de Chevreuse était venue à Paris, mais encore que la reine avait renoué avec elle à l'aide d'une de ces

251

correspondances[1] mystérieuses qu'à cette époque on nommait une cabale[2] ; lorsqu'il affirma que lui, le cardinal, allait démêler les fils les plus obscurs de cette intrigue, quand, au moment d'arrêter sur le fait, en flagrant délit, nanti de toutes les preuves, l'émissaire de la reine près de l'exilée, un mousquetaire avait osé interrompre violemment le cours de la justice en tombant, l'épée à la main, sur d'honnêtes gens de loi chargés d'examiner avec impartialité toute l'affaire pour la mettre sous les yeux du roi, – Louis XIII ne se contint plus, il fit un pas vers l'appartement de la reine avec cette pâle et muette indignation qui, lorsqu'elle éclatait, conduisait ce prince jusqu'à la plus froide cruauté.

Et cependant, dans tout cela, le cardinal n'avait pas encore dit un mot du duc de Buckingham.

Ce fut alors que M. de Tréville entra, froid, poli et dans une tenue irréprochable.

Louis XIII mettait déjà la main sur le bouton de la porte ; au bruit que fit M. de Tréville en entrant, il se retourna.

— Vous arrivez bien, Monsieur, dit le roi, qui, lorsque ses passions étaient montées à un certain point, ne savait pas dissimuler, et j'en apprends de belles sur le compte de vos mousquetaires.

— Et moi, dit froidement M. de Tréville, j'en ai de

---

1. Relations.
2. Conspiration, complot.

belles à apprendre à Votre Majesté sur ses gens de robe.

— Plaît-il ? dit le roi avec hauteur.

— J'ai l'honneur d'apprendre à Votre Majesté, continua M. de Tréville du même ton, qu'un parti de procureurs, de commissaires et de gens de police, gens fort estimables mais fort acharnés, à ce qu'il paraît, contre l'uniforme, s'est permis d'arrêter dans une maison, d'emmener en pleine rue et de jeter au For-l'Évêque, tout cela sur un ordre que l'on a refusé de me représenter[1], un de mes mousquetaires, ou plutôt des vôtres, Sire, d'une conduite irréprochable, d'une réputation presque illustre, et que Votre Majesté connaît favorablement, M. Athos.

— Athos, dit le roi machinalement ; oui, au fait, je connais ce nom.

— Que Votre Majesté se le rappelle, dit M. de Tréville ; M. Athos est ce mousquetaire qui, dans le fâcheux duel que vous savez, a eu le malheur de blesser grièvement M. de Cahusac. — À propos, Monseigneur, continua Tréville en s'adressant au cardinal, M. de Cahusac est tout à fait rétabli, n'est-ce pas ?

— Merci ! dit le cardinal en se pinçant les lèvres de colère.

— M. Athos était donc allé rendre visite à l'un de ses amis alors absent, continua M. de Tréville, à un jeune Béarnais, cadet aux gardes de Sa Majesté, com-

---

1. Montrer, faire voir.

pagnie des Essarts ; mais à peine venait-il de s'installer chez son ami et de prendre un livre en l'attendant, qu'une nuée de recors[1] et de soldats mêlés ensemble vint faire le siège de la maison, enfonça plusieurs portes...

Le cardinal fit au roi un signe qui signifiait : « C'est pour l'affaire dont je vous ai parlé. »

— Nous savons tout cela, répliqua le roi, car tout cela s'est fait pour notre service.

— Alors, dit Tréville, c'est aussi pour le service de Votre Majesté qu'on a saisi un de mes mousquetaires innocent, qu'on l'a placé entre deux gardes comme un malfaiteur, et qu'on a promené au milieu d'une populace insolente ce galant homme, qui a versé dix fois son sang pour le service de Votre Majesté et qui est prêt à le répandre encore.

— Bah ! dit le roi ébranlé, les choses se sont passées ainsi ?

— M. de Tréville ne dit pas, reprit le cardinal avec le plus grand flegme, que ce mousquetaire innocent, que ce galant homme venait, une heure auparavant, de frapper à coups d'épée quatre commissaires instructeurs délégués par moi afin d'instruire une affaire de la plus haute importance.

— Je défie Votre Éminence de le prouver, s'écria M. de Tréville avec sa franchise toute gasconne et sa rudesse toute militaire, car, une heure auparavant,

---

1. Assistants d'un huissier.

M. Athos, qui, je le confierai à Votre Majesté, est un homme de la plus haute qualité, me faisait l'honneur, après avoir dîné chez moi, de causer dans le salon de mon hôtel avec M. le duc de La Trémouille et M. le comte de Châlus, qui s'y trouvaient.

Le roi regarda le cardinal.

— Un procès-verbal fait foi, dit le cardinal répondant tout haut à l'interrogation muette de Sa Majesté, et les gens maltraités ont dressé le suivant, que j'ai l'honneur de présenter à Votre Majesté.

— Procès-verbal de gens de robe vaut-il la parole d'honneur, répondit fièrement Tréville, d'homme d'épée ?

— Allons, allons, Tréville, taisez-vous, dit le roi.

— Si Son Éminence a quelque soupçon contre un de mes mousquetaires, dit Tréville, la justice de M. le cardinal est assez connue pour que je demande moi-même une enquête.

— Dans la maison où cette descente de justice a été faite, continua le cardinal impassible, loge, je crois, un Béarnais ami du mousquetaire.

— Votre Éminence veut parler de M. d'Artagnan ?

— Je veux parler d'un jeune homme que vous protégez, Monsieur de Tréville.

— Oui, Votre Éminence, c'est cela même.

— Ne soupçonnez-vous pas ce jeune homme d'avoir donné de mauvais conseils...

— À M. Athos, à un homme qui a le double de son

âge ? interrompit M. de Tréville ; non, Monseigneur. D'ailleurs, M. d'Artagnan a passé la soirée chez moi.

— Ah çà, dit le cardinal, tout le monde a donc passé la soirée chez vous ?

— Son Éminence douterait-elle de ma parole ? dit Tréville, le rouge de la colère au front.

— Non, Dieu m'en garde ! dit le cardinal ; mais, seulement, à quelle heure était-il chez vous ?

— Oh ! cela je puis le dire sciemment à Votre Éminence, car, comme il entrait, je remarquai qu'il était neuf heures et demie à la pendule, quoique j'eusse cru qu'il était plus tard.

— Et à quelle heure est-il sorti de votre hôtel ?

— À dix heures et demie : une heure après l'événement.

— Mais, enfin, répondit le cardinal, qui ne soupçonnait pas un instant la loyauté de Tréville, et qui sentait que la victoire lui échappait, mais, enfin, Athos a été pris dans cette maison de la rue des Fossoyeurs.

— Est-il défendu à un ami de visiter un ami ? à un mousquetaire de ma compagnie de fraterniser avec un garde de la compagnie de M. des Essarts ?

— Oui, quand la maison où il fraternise avec cet ami est suspecte.

— C'est que cette maison est suspecte, Tréville, dit le roi ; peut-être ne le saviez-vous pas ?

— En effet, Sire, je l'ignorais. En tout cas, elle peut être suspecte partout ; mais je nie qu'elle le soit dans la partie qu'habite M. d'Artagnan ; car je puis vous affirmer, Sire, que, si j'en crois ce qu'il a dit, il n'existe pas un plus dévoué serviteur de Sa Majesté, un admirateur plus profond de M. le cardinal.

— N'est-ce pas ce d'Artagnan qui a blessé un jour Jussac dans cette malheureuse rencontre qui a eu lieu près du couvent des Carmes-Déchaussés ? demanda le roi en regardant le cardinal, qui rougit de dépit.

— Et le lendemain, Bernajoux. Oui, Sire, oui, c'est bien cela, et Votre Majesté a bonne mémoire.

— Allons, que résolvons-nous ? dit le roi.

— Cela regarde Votre Majesté plus que moi, dit le cardinal. J'affirmerais la culpabilité.

— Et moi je la nie, dit Tréville. Mais Sa Majesté a des juges, et ses juges décideront.

— C'est cela, dit le roi, renvoyons la cause devant les juges : c'est leur affaire de juger, et ils jugeront.

— Seulement, reprit Tréville, il est bien triste qu'en ce temps malheureux où nous sommes, la vie la plus pure, la vertu la plus incontestable n'exemptent pas un homme de l'infamie et de la persécution. Aussi l'armée sera-t-elle peu contente, je puis en répondre, d'être en butte à des traitements rigoureux à propos d'affaires de police.

Le mot était imprudent ; mais M. de Tréville l'avait lancé avec connaissance de cause. Il voulait une explosion, parce qu'en cela la mine[1] fait du feu, et que le feu éclaire.

— Affaires de police ! s'écria le roi, relevant les paroles de M. de Tréville : affaires de police ! et qu'en savez-vous, Monsieur ? Mêlez-vous de vos mousquetaires, et ne me rompez pas la tête. Il semble, à vous entendre, que, si par malheur on arrête un mousquetaire, la France est en danger. Eh ! que de bruit pour un mousquetaire ! j'en ferai arrêter dix, ventrebleu ! cent, même ; toute la compagnie ! et je ne veux pas que l'on souffle mot.

— Du moment où ils sont suspects à Votre Majesté, dit Tréville, les mousquetaires sont coupables ; aussi, me voyez-vous, Sire, prêt à vous rendre mon épée ; car, après avoir accusé mes soldats, M. le cardinal, je n'en doute pas, finira par m'accuser moi-même ; ainsi mieux vaut que je me constitue prisonnier avec M. Athos, qui est arrêté déjà, et M. d'Artagnan, qu'on va arrêter sans doute.

— Tête gasconne, en finirez-vous ? dit le roi.

— Sire, répondit Tréville sans baisser le moindrement la voix, ordonnez qu'on me rende mon mousquetaire, ou qu'il soit jugé.

— On le jugera, dit le cardinal.

— Eh bien, tant mieux ; car, dans ce cas, je demanderai à Sa Majesté la permission de plaider pour lui.

Le roi craignit un éclat.

---

1. Charge explosive servant dans les sièges à faire sauter les murailles.

— Si Son Éminence, dit-il, n'avait pas personnellement des motifs...

Le cardinal vit venir le roi, et alla au-devant de lui :

— Pardon, dit-il, mais du moment où Votre Majesté voit en moi un juge prévenu[1], je me retire.

— Voyons, dit le roi, me jurez-vous, par mon père, que M. Athos était chez vous pendant l'événement, et qu'il n'y a point pris part ?

— Par votre glorieux père et par vous-même, qui êtes ce que j'aime et ce que je vénère le plus au monde, je le jure !

— Veuillez réfléchir, Sire, dit le cardinal. Si nous relâchons ainsi le prisonnier, on ne pourra plus connaître la vérité.

— M. Athos sera toujours là, reprit M. de Tréville, prêt à répondre quand il plaira aux gens de robe de l'interroger. Il ne désertera pas, Monsieur le cardinal ; soyez tranquille, je réponds de lui, moi.

— Au fait, il ne désertera pas, dit le roi ; on le retrouvera toujours, comme dit M. de Tréville. D'ailleurs, ajouta-t-il en baissant la voix et en regardant d'un air suppliant Son Éminence, donnons-leur de la sécurité[2] : cela est politique.

Cette politique de Louis XIII fit sourire Richelieu.

— Ordonnez, Sire, dit-il, vous avez le droit de grâce.

_____

1. Qui a des préventions défavorables.
2. Remettons-le en liberté pour le pousser à quelque imprudence.

— Le droit de grâce ne s'applique qu'aux coupables, dit Tréville, qui voulait avoir le dernier mot, et mon mousquetaire est innocent. Ce n'est donc pas grâce que vous allez faire, Sire, c'est justice.

— Et il est au For-l'Évêque ? dit le roi.

— Oui, Sire, et au secret, dans un cachot, comme le dernier des criminels.

— Diable ! diable ! murmura le roi, que faut-il faire ?

— Signer l'ordre de mise en liberté, et tout sera dit, reprit le cardinal ; je crois, comme Votre Majesté, que la garantie de M. de Tréville est plus que suffisante.

Tréville s'inclina respectueusement avec une joie qui n'était pas sans mélange de crainte ; il eût préféré une résistance opiniâtre du cardinal à cette soudaine facilité.

Le roi signa l'ordre d'élargissement, et Tréville l'emporta sans retard.

Au moment où il allait sortir, le cardinal lui fit un sourire amical, et dit au roi :

— Une bonne harmonie règne entre les chefs et les soldats, dans vos mousquetaires, Sire ; voilà qui est bien profitable au service et bien honorable pour tous.

« Il me jouera quelque mauvais tour incessamment, se disait Tréville ; on n'a jamais le dernier mot avec un pareil homme. Mais hâtons-nous, car le roi peut changer d'avis tout à l'heure ; et au bout du compte, il est plus difficile de remettre à la Bastille ou au For-l'Évêque un homme qui en est sorti, que d'y garder un prisonnier qu'on y tient. »

M. de Tréville fit triomphalement son entrée au For-l'Évêque, où il délivra le mousquetaire, que sa paisible indifférence n'avait pas abandonné.

Puis, la première fois qu'il revit d'Artagnan :

— Vous l'échappez belle, lui dit-il ; voilà votre coup d'épée à Jussac payé. Reste bien encore celui de Bernajoux, mais il ne faudrait pas trop vous y fier.

Au reste, M. de Tréville avait raison de se défier du cardinal et de penser que tout n'était pas fini, car à peine le capitaine des mousquetaires eut-il fermé la porte derrière lui, que Son Éminence dit au roi :

— Maintenant que nous ne sommes plus que nous deux, nous allons causer sérieusement, s'il plaît à Votre Majesté. Sire, M. de Buckingham était à Paris depuis cinq jours et n'en est parti que ce matin.

16

Où M. le garde des sceaux Séguier chercha plus d'une fois la cloche pour la sonner, comme il le faisait autrefois

Il est impossible de se faire une idée de l'impression que ces quelques mots produisirent sur Louis XIII. Il rougit et pâlit successivement ; et le cardinal vit tout d'abord[1] qu'il venait de conquérir d'un seul coup tout le terrain qu'il avait perdu.

— M. de Buckingham à Paris ! s'écria-t-il, et qu'y vient-il faire ?

— Sans doute conspirer avec nos ennemis les huguenots et les Espagnols.

— Non, pardieu, non ! conspirer contre mon hon-

---

1. Tout de suite.

neur avec Mme de Chevreuse, Mme de Longueville et les Condé !

— Oh ! Sire, quelle idée ! La reine est trop sage, et surtout aime trop Votre Majesté.

— La femme est faible, Monsieur le cardinal, dit le roi ; et quant à m'aimer beaucoup, j'ai mon opinion faite sur cet amour.

— Je crois, et je le répète à Votre Majesté, que la reine conspire contre la puissance de son roi, mais je n'ai point dit contre son honneur.

— Et moi je vous dis contre tous deux ; moi je vous dis que la reine ne m'aime pas ; je vous dis qu'elle en aime un autre ; je vous dis qu'elle aime cet infâme duc de Buckingham ! Pourquoi ne l'avez-vous pas fait arrêter pendant qu'il était à Paris ?

— Arrêter le duc ! arrêter le Premier ministre du roi Charles Ier ! Y pensez-vous, Sire ? Quel éclat ! et si alors les soupçons de Votre Majesté, ce dont je continue à douter, avaient quelque consistance, quel éclat terrible ! quel scandale désespérant !

— Mais puisqu'il s'exposait comme un vagabond et un larronneur, il fallait...

Louis XIII s'arrêta lui-même, effrayé de ce qu'il allait dire, tandis que Richelieu, allongeant le cou, attendait inutilement la parole qui était restée sur les lèvres du roi.

— Il fallait ?

— Rien, dit le roi, rien. Mais, pendant tout le temps qu'il a été à Paris, vous ne l'avez pas perdu de vue ?

— Non, Sire.

— Où logeait-il ?

— Rue de La Harpe, n° 75.

— Où est-ce, cela ?

— Du côté du Luxembourg.

— Et vous êtes sûr que la reine et lui ne se sont pas vus ?

— Je crois la reine trop attachée à ses devoirs, Sire.

— Mais ils ont correspondu, c'est à lui que la reine a écrit toute la journée ; Monsieur le duc, il me faut ces lettres !

— Sire, cependant...

— Monsieur le duc, à quelque prix que ce soit, je les veux.

— Je ferai pourtant observer à Votre Majesté...

— Me trahissez-vous donc aussi, Monsieur le cardinal, pour vous opposer toujours ainsi à mes volontés ? Êtes-vous aussi d'accord avec l'Espagnol et avec l'Anglais, avec Mme de Chevreuse et avec la reine ?

— Sire, répondit en soupirant le cardinal, je croyais être à l'abri d'un pareil soupçon.

— Monsieur le cardinal, vous m'avez entendu ; je veux ces lettres.

— Il n'y aurait qu'un moyen.

— Lequel ?

— Ce serait de charger de cette mission M. le garde

des sceaux Séguier. La chose rentre complètement dans les devoirs de sa charge.

— Qu'on l'envoie chercher à l'instant même !

— Il doit être chez moi, Sire ; je l'avais fait prier de passer, et lorsque je suis venu au Louvre, j'ai laissé l'ordre, s'il se présentait, de le faire attendre.

— Qu'on aille le chercher à l'instant même !

— Les ordres de Votre Majesté seront exécutés ; mais...

— Mais quoi ?

— Mais la reine se refusera peut-être à obéir.

— À mes ordres ?

— Oui, si elle ignore que ces ordres viennent du roi.

— Eh bien ! pour qu'elle n'en doute pas, je vais la prévenir moi-même.

— Votre Majesté n'oubliera pas que j'ai fait tout ce que j'ai pu pour prévenir une rupture.

— Oui, duc, je sais que vous êtes fort indulgent pour la reine, trop indulgent peut-être ; et nous aurons, je vous en préviens, à parler plus tard de cela.

— Quand il plaira à Votre Majesté ; mais je serai toujours heureux et fier, Sire, de me sacrifier à la bonne harmonie que je désire voir régner entre vous et la reine de France.

— Bien, cardinal, bien ; mais en attendant envoyez chercher M. le garde des sceaux ; moi, j'entre chez la reine.

Et Louis XIII, ouvrant la porte de communication, s'engagea dans le corridor qui conduisait de chez lui chez Anne d'Autriche.

La reine était au milieu de ses femmes, Mme de Guitaut, Mme de Sablé, Mme de Montbazon et Mme de Guéménée. Dans un coin était cette camériste[1], espagnole doña Estefania, qui l'avait suivie de Madrid. Mme de Guéménée faisait la lecture, et tout le monde écoutait avec attention la lectrice, à l'exception de la reine, qui, au contraire, avait provoqué cette lecture afin de pouvoir, tout en feignant d'écouter, suivre le fil de ses propres pensées.

Ces pensées, toutes dorées qu'elles étaient par un dernier reflet d'amour, n'en étaient pas moins tristes. Anne d'Autriche, privée de la confiance de son mari, poursuivie par la haine du cardinal, qui ne pouvait lui pardonner d'avoir repoussé un sentiment plus doux, ayant sous les yeux l'exemple de la reine mère, que cette haine avait tourmentée toute sa vie – quoique Marie de Médicis, s'il faut en croire les mémoires du temps, eût commencé par accorder au cardinal le sentiment qu'Anne d'Autriche finit toujours par lui refuser –, Anne d'Autriche avait vu tomber autour d'elle ses serviteurs les plus dévoués, ses confidents les plus intimes, ses favoris les plus chers. Comme ces malheureux doués d'un don funeste, elle portait malheur à tout ce qu'elle touchait, son amitié était un signe fatal

---

1. Femme de chambre.

qui appelait la persécution. Mme de Chevreuse et Mme du Vernet étaient exilées ; enfin La Porte ne cachait pas à sa maîtresse qu'il s'attendait à être arrêté d'un instant à l'autre.

C'est au moment où elle était plongée au plus profond et au plus sombre de ces réflexions, que la porte de la chambre s'ouvrit et que le roi entra.

La lectrice se tut à l'instant même, toutes les dames se levèrent, et il se fit un profond silence.

Quant au roi, il ne fit aucune démonstration de politesse ; seulement, s'arrêtant devant la reine :

— Madame, dit-il d'une voix altérée, vous allez recevoir la visite de M. le chancelier, qui vous communiquera certaines affaires dont je l'ai chargé.

La malheureuse reine, qu'on menaçait sans cesse de divorce, d'exil et de jugement même, pâlit sous son rouge et ne put s'empêcher de dire :

— Mais pourquoi cette visite, Sire ? Que me dira M. le chancelier que Votre Majesté ne puisse me dire elle-même ?

Le roi tourna sur ses talons sans répondre, et presque au même instant le capitaine des gardes, M. de Guitaut, annonça la visite de M. le chancelier.

La reine était encore debout quand il entra, mais à peine l'eut-elle aperçu, qu'elle se rassit sur son fauteuil et fit signe à ses femmes de se rasseoir sur leurs coussins et leurs tabourets, et, d'un ton de suprême hauteur :

— Que désirez-vous, Monsieur, demanda Anne d'Autriche, et dans quel but vous présentez-vous ici ?

— Pour y faire au nom du roi, Madame, et sauf tout le respect que j'ai l'honneur de devoir à Votre Majesté, une perquisition exacte dans vos papiers.

— Comment, Monsieur ! une perquisition dans mes papiers...À moi ! mais voilà une chose indigne !

— Veuillez me le pardonner, Madame, mais, dans cette circonstance, je ne suis que l'instrument dont le roi se sert. Sa Majesté ne sort-elle pas d'ici, et ne vous a-t-elle pas invitée elle-même à vous préparer à cette visite ?

— Fouillez donc, Monsieur ; je suis une criminelle, à ce qu'il paraît : Estefania, donnez les clefs de mes tables et de mes secrétaires.

Le chancelier fit pour la forme une visite dans les meubles, mais il savait bien que ce n'était pas dans un meuble que la reine avait dû serrer la lettre importante qu'elle avait écrite dans la journée.

Quand le chancelier eut rouvert et refermé vingt fois les tiroirs du secrétaire, il fallut bien, quelque hésitation qu'il éprouvât, il fallut bien, dis-je, en venir à la conclusion de l'affaire, c'est-à-dire à fouiller la reine elle-même. Le chancelier s'avança donc vers Anne d'Autriche, et d'un ton très perplexe et d'un air fort embarrassé :

— Et maintenant, dit-il, il me reste à faire la perquisition principale.

— Laquelle ? demanda la reine, qui ne comprenait pas ou plutôt qui ne voulait pas comprendre.

— Sa Majesté est certaine qu'une lettre a été écrite par vous dans la journée ; elle sait qu'elle n'a pas encore été envoyée à son adresse. Cette lettre ne se trouve ni dans votre table, ni dans votre secrétaire, et cependant cette lettre est quelque part.

— Oserez-vous porter la main sur votre reine ? dit Anne d'Autriche en se dressant de toute sa hauteur et en fixant sur le chancelier ses yeux, dont l'expression était devenue presque menaçante.

— Je suis un fidèle sujet du roi, Madame ; et tout ce que Sa Majesté ordonnera, je le ferai.

— Eh bien ! c'est vrai, dit Anne d'Autriche, et les espions de M. le cardinal l'ont bien servi. J'ai écrit aujourd'hui une lettre, cette lettre n'est point partie. La lettre est là.

Et la reine ramena sa belle main à son corsage.

— Alors donnez-moi cette lettre, Madame, dit le chancelier.

— Je ne la donnerai qu'au roi, Monsieur, dit Anne.

— Si le roi eût voulu que cette lettre lui fût remise, Madame, il vous l'eût demandée lui-même. Mais, je vous le répète, c'est moi qu'il a chargé de vous la réclamer, et si vous ne la rendiez pas...

— Eh bien ?

— C'est encore moi qu'il a chargé de vous la prendre.

— Comment, que voulez-vous dire ?

— Que mes ordres vont loin, Madame, et que je suis autorisé à chercher le papier suspect sur la personne même de Votre Majesté.

— Quelle horreur ! s'écria la reine.

— Veuillez donc, Madame, agir plus facilement.

— Cette conduite est d'une violence infâme ; savez-vous cela, Monsieur ?

— Le roi commande, Madame, excusez-moi.

— Je ne le souffrirai pas ; non, non, plutôt mourir ! s'écria la reine, chez laquelle se révoltait le sang impérieux de l'Espagnole et de l'Autrichienne.

Le chancelier fit une profonde révérence, puis avec l'intention bien patente[1] de ne pas reculer d'une semelle dans l'accomplissement de la commission dont il s'était chargé, il s'approcha d'Anne d'Autriche, des yeux de laquelle on vit à l'instant même jaillir des pleurs de rage.

La reine était, comme nous l'avons dit, d'une grande beauté.

La commission pouvait donc passer pour délicate, et le roi en était arrivé, à force de jalousie contre Buckingham, à n'être plus jaloux de personne.

Sans doute le chancelier Séguier chercha des yeux à ce moment le cordon de la fameuse cloche ; mais, ne le trouvant pas, il en prit son parti et tendit la main

---

1. Évidente, manifeste.

vers l'endroit où la reine avait avoué que se trouvait le papier.

Anne d'Autriche fit un pas en arrière, si pâle qu'on eût dit qu'elle allait mourir ; et, s'appuyant de la main gauche, pour ne pas tomber, à une table qui se trouvait derrière elle, elle tira de la droite un papier de sa poitrine et le tendit au garde des Sceaux.

— Tenez, Monsieur, la voilà, cette lettre, s'écria la reine d'une voix entrecoupée et frémissante, prenez-la, et me délivrez de votre odieuse présence.

Le chancelier, qui de son côté tremblait d'une émotion facile à concevoir, prit la lettre, salua jusqu'à terre et se retira.

À peine la porte se fut-elle refermée sur lui, que la reine tomba à demi évanouie dans les bras de ses femmes.

Le chancelier alla porter la lettre au roi sans en avoir lu un seul mot. Le roi la prit d'une main tremblante, chercha l'adresse, qui manquait, devint très pâle, l'ouvrit lentement, puis, voyant par les premiers mots qu'elle était adressée au roi d'Espagne, il lut très rapidement.

C'était tout un plan d'attaque contre le cardinal. La reine invitait son frère et l'empereur d'Autriche à faire semblant, blessés qu'ils étaient par la politique de Richelieu, dont l'éternelle préoccupation fut l'abaissement de la maison d'Autriche, de déclarer la guerre à la France et d'imposer comme condition de la paix le renvoi du cardinal : mais d'amour, il n'y en avait pas un seul mot dans toute cette lettre.

Le roi, tout joyeux, s'informa si le cardinal était encore au Louvre. On lui dit que Son Éminence attendait, dans le cabinet de travail, les ordres de Sa Majesté.

Le roi se rendit aussitôt près de lui.

— Tenez, duc, lui dit-il, vous aviez raison, et c'est moi qui avais tort ; toute l'intrigue est politique, et il n'était aucunement question d'amour dans cette lettre, que voici. En échange, il y est fort question de vous.

Le cardinal prit la lettre et la lut avec la plus grande attention ; puis, lorsqu'il fut arrivé au bout, il la relut une seconde fois.

— Eh bien ! Votre Majesté, dit-il, vous voyez jusqu'où vont mes ennemis : on vous menace de deux guerres, si vous ne me renvoyez pas. À votre place, en vérité, Sire, je céderais à de si puissantes instances, et ce serait de mon côté avec un véritable bonheur que je me retirerais des affaires.

— Que dites-vous là, duc ?

— Je dis, Sire, que ma santé se perd dans ces luttes excessives et dans ces travaux éternels. Je dis que, selon toute probabilité, je ne pourrai pas soutenir les fatigues du siège de La Rochelle, et que mieux vaut que vous nommiez là ou M. de Condé, ou M. de Bassompierre, ou enfin quelque vaillant homme dont c'est l'état[1] de mener la guerre, et non pas moi qui suis homme d'Église et qu'on détourne sans cesse de ma vocation pour m'appliquer à des choses auxquelles je n'ai aucune aptitude. Vous en serez plus heureux à l'intérieur, Sire, et je ne doute pas que vous n'en soyez plus grand à l'étranger.

— Monsieur le duc, dit le roi, je comprends, soyez tranquille ; tous ceux qui sont nommés dans cette lettre seront punis comme ils le méritent, et la reine elle-même.

— Que dites-vous là, Sire ? Dieu me garde que, pour moi, la reine éprouve la moindre contrariété ! elle m'a toujours cru son ennemi, Sire, quoique Votre Majesté puisse attester que j'ai toujours pris chaudement son parti, même contre vous. Oh ! si elle trahissait Votre Majesté à l'endroit de son honneur, ce serait autre chose, et je serais le premier à dire : « Pas de grâce, Sire, pas de grâce pour la coupable ! » Heureusement il n'en est rien, et Votre Majesté vient d'en acquérir une nouvelle preuve.

— C'est vrai, Monsieur le cardinal, dit le roi, et vous aviez raison, comme toujours ; mais la reine n'en mérite pas moins toute ma colère.

— C'est vous, Sire, qui avez encouru la sienne ; et véritablement, quand elle bouderait sérieusement Votre Majesté, je le comprendrais ; Votre Majesté l'a traitée avec une sévérité !...

---

1. Le métier, la profession.

— C'est ainsi que je traiterai toujours mes ennemis et les vôtres, duc, si haut placés qu'ils soient et quelque péril que je coure à agir sévèrement avec eux.

— La reine est mon ennemie, mais n'est pas la vôtre, Sire ; au contraire, elle est épouse dévouée, soumise et irréprochable ; laissez-moi donc, Sire, intercéder pour elle près de Votre Majesté.

— Qu'elle s'humilie alors, et qu'elle revienne à moi la première !

— Au contraire, Sire, donnez l'exemple ; vous avez eu le premier tort, puisque c'est vous qui avez soupçonné la reine.

— Moi, revenir le premier ? dit le roi ; jamais !

— Sire, je vous en supplie.

— D'ailleurs, comment reviendrais-je le premier ?

— En faisant une chose que vous sauriez lui être agréable.

— Laquelle ?

— Donnez un bal ; vous savez combien la reine aime la danse ; je vous réponds que sa rancune ne tiendra point à une pareille attention.

— Monsieur le cardinal, vous savez que je n'aime pas tous les plaisirs mondains.

— La reine ne vous en sera que plus reconnaissante, puisqu'elle sait votre antipathie pour ce plaisir ; d'ailleurs ce sera une occasion pour elle de mettre ces beaux ferrets de diamants que vous lui avez donnés l'autre jour à sa fête, et dont elle n'a pas encore eu le temps de se parer.

— Nous verrons, Monsieur le cardinal, nous verrons, dit le roi, qui, dans sa joie de trouver la reine coupable d'un crime dont il se souciait peu, et innocente d'une faute qu'il redoutait fort, était tout prêt à se raccommoder avec elle ; nous verrons, mais, sur mon honneur, vous êtes trop indulgent.

— Sire, dit le cardinal, laissez la sévérité aux ministres, l'indulgence est la vertu royale ; usez-en, et vous verrez que vous vous en trouverez bien.

Sur quoi le cardinal, entendant la pendule sonner onze heures, s'inclina profondément, demandant congé au roi pour se retirer, et le suppliant de se raccommoder avec la reine.

Anne d'Autriche, qui, à la suite de la saisie de sa lettre, s'attendait à quelque reproche, fut fort étonnée de voir le lendemain le roi faire près d'elle des tentatives de rapprochement. Son premier mouvement fut répulsif, son orgueil de femme et sa dignité de reine avaient été tous deux si cruellement offensés, qu'elle ne pouvait revenir ainsi du premier coup ; mais, vaincue par le conseil de ses femmes, elle eut enfin l'air de commencer à oublier. Le roi profita de ce premier moment de retour pour lui dire qu'incessamment il comptait donner une fête.

C'était une chose si rare qu'une fête pour la pauvre Anne d'Autriche, qu'à cette annonce, ainsi que l'avait pensé le cardinal, la dernière trace de ses ressentiments disparut sinon dans son cœur, du moins sur son visage. Elle demanda quel jour cette fête devait avoir lieu, mais le roi répondit qu'il fallait qu'il s'entendît sur ce point avec le cardinal.

En effet, chaque jour le roi demandait au cardinal à quelle époque cette fête aurait lieu, et chaque jour le cardinal, sous un prétexte quelconque, différait de la fixer.

Dix jours s'écoulèrent ainsi.

Le huitième jour après la scène que nous avons racontée, le cardinal reçut une lettre, au timbre de Londres, qui contenait seulement ces quelques lignes :

« Je les ai ; mais je ne puis quitter Londres, attendu que je manque d'argent ; envoyez-moi cinq cents pistoles, et quatre ou cinq jours après les avoir reçues, je serai à Paris. »

Le jour même où le cardinal avait reçu cette lettre, le roi lui adressa sa question habituelle.

Richelieu compta sur ses doigts et se dit tout bas :

« Elle arrivera, dit-elle, quatre ou cinq jours après avoir reçu l'argent ; il faut quatre ou cinq jours à l'argent pour aller, quatre ou cinq jours à elle pour revenir, cela fait dix jours ; maintenant faisons la part des vents contraires, des mauvais hasards, des faiblesses de femme, et mettons cela à douze jours. »

— Eh bien ! Monsieur le duc, dit le roi, vous avez calculé ?

— Oui, Sire : nous sommes aujourd'hui le 20 septembre ; les échevins[1] de la ville donnent une fête le 3 octobre. Cela s'arrangera à merveille, car vous n'aurez pas l'air de faire un retour vers la reine.

Puis le cardinal ajouta :

— À propos, Sire, n'oubliez pas de dire à Sa Majesté, la veille de cette fête, que vous désirez voir comment lui vont ses ferrets de diamants.

---

1. Magistrats municipaux.

17

Le ménage Bonacieux

C'était la seconde fois que le cardinal revenait sur ce point des ferrets de diamants avec le roi. Louis XIII fut donc frappé de cette insistance, et pensa que cette recommandation cachait un mystère.

Plus d'une fois le roi avait été humilié que le cardinal, dont la police, sans avoir atteint encore la perfection de la police moderne, était excellente, fût mieux instruit que lui-même de ce qui se passait dans son propre ménage. Il espéra donc, dans une conversation avec Anne d'Autriche, tirer quelque lumière de cette conversation et revenir ensuite près de Son Éminence avec quelque secret que le cardinal sût ou ne sût pas, ce qui, dans l'un ou l'autre cas, le rehaussait infiniment aux yeux de son ministre.

Il alla donc trouver la reine, et, selon son habitude, l'aborda avec de nouvelles menaces contre ceux qui l'entouraient. Anne d'Autriche baissa la tête, laissa s'écouler le torrent sans répondre et espérant qu'il finirait par s'arrêter ; mais ce n'était pas cela que voulait Louis XIII ; Louis XIII voulait une discussion de laquelle jaillît une lumière quelconque, convaincu qu'il était que le cardinal avait quelque arrière-pensée et lui machinait une surprise terrible comme en savait faire Son Éminence. Il arriva à ce but par sa persistance à accuser.

— Mais, s'écria Anne d'Autriche, lassée de ces vagues attaques ; mais, Sire, vous ne me dites pas tout ce que vous avez dans le cœur. Qu'ai-je donc fait ? Voyons, quel crime ai-je donc commis ? Il est impossible que Votre Majesté fasse tout ce bruit pour une lettre écrite à mon frère.

Le roi, attaqué à son tour d'une manière si directe, ne sut que répondre ; il pensa que c'était là le moment de placer la recommandation qu'il ne devait faire que la veille de la fête.

— Madame, dit-il avec majesté, il y aura incessamment bal à l'hôtel de ville ; j'entends que, pour faire honneur à nos braves échevins, vous y paraissiez en habit de cérémonie, et surtout parée des ferrets de dia-

280

mants que je vous ai donnés pour votre fête. Voici ma réponse.

La réponse était terrible. Anne d'Autriche crut que Louis XIII savait tout, et que le cardinal avait obtenu de lui cette longue dissimulation de sept ou huit jours, qui était au reste dans son caractère. Elle devint excessivement pâle, appuya sur une console sa main d'une admirable beauté, et qui semblait alors une main de cire, et, regardant le roi avec des yeux épouvantés, elle ne répondit pas une seule syllabe.

Nax

— Vous entendez, Madame, dit le roi, qui jouissait de cet embarras dans toute son étendue, mais sans en deviner la cause, vous entendez ?

— Oui, Sire, j'entends, balbutia la reine.

— Vous paraîtrez à ce bal ?

— Oui.

— Avec vos ferrets !

— Oui.

La pâleur de la reine augmenta encore, s'il était possible ; le roi s'en aperçut, et en jouit avec cette froide cruauté qui était un des mauvais côtés de son caractère.

— Alors, c'est convenu, dit le roi, et voilà tout ce que j'avais à vous dire.

— Mais quel jour ce bal aura-t-il lieu ? demanda Anne d'Autriche.

Louis XIII sentit instinctivement qu'il ne devait pas

répondre à cette question, la reine l'ayant faite d'une voix presque mourante.

— Mais très incessamment, Madame, dit-il ; mais je ne me rappelle plus précisément la date du jour, je la demanderai au cardinal.

— C'est donc le cardinal qui vous a annoncé cette fête ? s'écria la reine.

— Oui, Madame, répondit le roi étonné ; mais pourquoi cela ?

— C'est lui qui vous a dit de m'inviter à y paraître avec ces ferrets ?

— C'est-à-dire, Madame...

— C'est lui. Sire, c'est lui !

— Eh bien ! qu'importe que ce soit lui ou moi ? y a-t-il un crime à cette invitation ?

— Non, Sire.

— Alors vous paraîtrez ?

— Oui, Sire.

— C'est bien, dit le roi en se retirant, c'est bien, j'y compte.

La reine fit une révérence, moins par étiquette que parce que ses genoux se dérobaient sous elle.

Le roi partit enchanté.

— Je suis perdue, murmura la reine, perdue, car le cardinal sait tout, et c'est lui qui pousse le roi, qui ne sait rien encore, mais qui saura tout bientôt. Je suis perdue ! Mon Dieu ! mon Dieu ! mon Dieu !

Elle s'agenouilla sur un coussin et pria, la tête enfoncée entre ses bras palpitants.

En effet, la position était terrible. Buckingham était retourné à Londres, Mme de Chevreuse était à Tours. Plus surveillée que jamais, la reine sentait sourdement qu'une de ses femmes la trahissait, sans savoir dire laquelle. La Porte ne pouvait pas quitter le Louvre. Elle n'avait pas une âme au monde à qui se fier.

Aussi, en présence du malheur qui la menaçait et de l'abandon qui était le sien, éclata-t-elle en sanglots.

— Ne puis-je donc être bonne à rien à Votre Majesté ? dit tout à coup une voix pleine de douceur et de pitié.

La reine se retourna vivement, car il n'y avait pas à se tromper à l'expression de cette voix : c'était une amie qui parlait ainsi.

En effet, à l'une des portes qui donnaient dans l'appartement de la reine apparut la jolie Mme Bonacieux ; elle était occupée à ranger les robes et le linge dans un cabinet, lorsque le roi était entré ; elle n'avait pas pu sortir, et avait tout entendu.

La reine poussa un cri perçant en se voyant surprise, car dans son trouble elle ne reconnut pas d'abord la jeune femme qui lui avait été donnée par La Porte.

— Oh ! ne craignez rien, Madame, dit la jeune femme en joignant les mains et en pleurant elle-même des angoisses de la reine ; je suis à Votre Majesté corps et âme, et si loin que je sois d'elle, si inférieure que soit ma position, je crois que j'ai trouvé un moyen de tirer Votre Majesté de peine.

— Vous ! ô Ciel ! vous ! s'écria la reine ; mais voyons, regardez-moi en face. Je suis trahie de tous côtés, puis-je me fier à vous ?

— Oh ! Madame ! s'écria la jeune femme en tombant à genoux : sur mon âme, je suis prête à mourir pour Votre Majesté !

Ce cri était sorti du plus profond du cœur, et, comme le premier, il n'y avait pas à se tromper.

— Oui, continua Mme Bonacieux, oui, il y a des traîtres ici ; mais, par le saint nom de la Vierge, je vous jure que personne n'est plus dévoué que moi à Votre Majesté. Ces ferrets que le roi redemande, vous les avez donnés au duc de Buckingham, n'est-ce pas ? Ces ferrets étaient enfermés dans une petite boîte en bois de rose qu'il tenait sous son bras ? Est-ce que je me trompe ? Est-ce que ce n'est pas cela ?

— Oh ! mon Dieu ! mon Dieu ! murmura la reine dont les dents claquaient d'effroi.

— Eh bien ! ces ferrets, continua Mme Bonacieux, il faut les ravoir.

— Oui, sans doute, il le faut, s'écria la reine ; mais comment faire, comment y arriver ?

— Il faut envoyer quelqu'un au duc.

— Mais qui ?... qui ?... À qui me fier ?

— Ayez confiance en moi, Madame ; faites-moi cet honneur, ma reine, et je trouverai le messager, moi !

— Mais il faudra écrire !

— Oh ! oui. C'est indispensable. Deux mots de la main de Votre Majesté et votre cachet particulier.

— Mais ces deux mots, c'est ma condamnation. C'est le divorce, l'exil !

— Oui, s'ils tombent entre des mains infâmes ! Mais je réponds que ces deux mots seront remis à leur adresse.

— Oh ! mon Dieu ! il faut donc que je remette ma vie, mon honneur, ma réputation entre vos mains !

— Oui ! oui, Madame, il le faut, et je sauverai tout cela, moi !

— Mais comment ? dites-le-moi, au moins.

— Mon mari a été remis en liberté il y a deux ou trois jours ; je n'ai pas encore eu le temps de le revoir. C'est un brave et honnête homme qui n'a ni haine, ni amour pour personne. Il fera ce que je voudrai : il partira sur un ordre de moi, sans savoir ce qu'il porte, et il remettra la lettre de Votre Majesté, sans même savoir qu'elle est de Votre Majesté, à l'adresse qu'elle indiquera.

La reine prit les deux mains de la jeune femme avec un élan passionné, la regarda comme pour lire au fond de son cœur, et ne voyant que sincérité dans ses beaux yeux, elle l'embrassa tendrement.

— Fais cela, s'écria-t-elle, et tu m'auras sauvé la vie, tu m'auras sauvé l'honneur !

— Oh ! n'exagérez pas le service que j'ai le bonheur de vous rendre ; je n'ai rien à sauver à Votre Majesté, qui est seulement victime de perfides complots.

— C'est vrai, c'est vrai, mon enfant, dit la reine, et tu as raison.

— Donnez-moi donc cette lettre, Madame, le temps presse.

La reine courut à une petite table sur laquelle se trouvaient encre, papier et plumes : elle écrivit deux lignes, cacheta la lettre de son cachet et la remit à Mme Bonacieux.

— Et maintenant, dit la reine, nous oublions une chose nécessaire.

— Laquelle ?

— L'argent.

Mme Bonacieux rougit.

— Oui, c'est vrai, dit-elle, et j'avouerai à Votre Majesté que mon mari...

— Ton mari n'en a pas, c'est cela que tu veux dire.

— Si fait, il en a, mais il est fort avare, c'est là son défaut. Cependant, que Votre Majesté ne s'inquiète pas, nous trouverons moyen...

— C'est que je n'en ai pas non plus, dit la reine ; mais, attends.

Anne d'Autriche courut à son écrin. box

— Tiens, dit-elle, voici une bague d'un grand prix, à ce qu'on assure ; elle vient de mon frère le roi d'Espagne, elle est à moi et j'en puis disposer. Prends cette bague et fais-en de l'argent, et que ton mari parte.

— Dans une heure, vous serez obéie.

— Tu vois l'adresse, ajouta la reine, parlant si bas qu'à peine pouvait-on entendre ce qu'elle disait : À Milord duc de Buckingham, à Londres.

— La lettre sera remise à lui-même.

— Généreuse enfant ! s'écria Anne d'Autriche.

Mme Bonacieux baisa les mains de la reine, cacha le papier dans son corsage et disparut avec la légèreté d'un oiseau.

Dix minutes après, elle était chez elle ; comme elle l'avait dit à la reine, elle n'avait pas revu son mari depuis sa mise en liberté ; elle ignorait donc le changement qui s'était fait en lui à l'endroit du cardinal, changement qu'avaient opéré la flatterie et l'argent de Son Éminence et qu'avaient corroboré[1], depuis, deux ou trois visites du comte de Rochefort, devenu le meilleur ami de Bonacieux, auquel il avait fait croire sans beaucoup de peine qu'aucun sentiment coupable n'avait amené l'enlèvement de sa femme, mais que c'était seulement une précaution politique.

Elle trouva M. Bonacieux seul : le pauvre homme remettait à grand-peine de l'ordre dans la maison, dont il avait trouvé les meubles à peu près brisés et les armoires à peu près vides. Quant à la servante, elle s'était enfuie lors de l'arrestation de son maître. La ter-

_____
1. Confirmé, fortifié.

reur avait gagné la pauvre fille au point qu'elle n'avait cessé de marcher de Paris jusqu'en Bourgogne, son pays natal.

Le digne mercier avait, aussitôt sa rentrée dans sa maison, fait part à sa femme de son heureux retour, et sa femme lui avait répondu pour le féliciter et pour lui dire que le premier moment qu'elle pourrait dérober à ses devoirs serait consacré tout entier à lui rendre visite.

Ce premier moment s'était fait attendre cinq jours, ce qui, dans toute autre circonstance, eût paru un peu bien long à maître Bonacieux ; mais il avait, dans la visite qu'il avait faite au cardinal et dans les visites que lui faisait Rochefort, ample sujet à réflexion, et, comme on sait, rien ne fait passer le temps comme de réfléchir.

D'autant plus que les réflexions de Bonacieux étaient toutes couleur de rose. Rochefort l'appelait son ami, son cher Bonacieux, et ne cessait de lui dire que le cardinal faisait le plus grand cas de lui. Le mercier se voyait déjà sur le chemin des honneurs et de la fortune.

De son côté, Mme Bonacieux avait réfléchi, mais, il faut le dire, à tout autre chose que l'ambition ; malgré elle, ses pensées avaient eu pour mobile constant ce beau jeune homme si brave et qui paraissait si amoureux. Mariée à dix-huit ans à M. Bonacieux, ayant toujours vécu au milieu des amis de son mari, peu susceptibles d'inspirer un sentiment quelconque à une jeune femme dont le cœur était plus élevé que sa position[1], Mme Bonacieux était restée insensible aux séductions vulgaires ; mais, à cette époque surtout, le titre de gentilhomme avait une grande influence sur la bourgeoisie, et d'Artagnan était gentilhomme ; de plus, il portait l'uniforme des gardes, qui, après l'uniforme des mousquetaires, était le plus apprécié des dames. Il était, nous le répétons, beau, jeune, aventureux ; il parlait d'amour en homme qui aime et qui a soif d'être aimé ; il y en avait là plus qu'il n'en fallait pour tourner une tête de vingt-trois ans, et Mme Bonacieux en était arrivée juste à cet âge heureux de la vie.

Les deux époux, quoiqu'ils ne se fussent pas vus depuis plus de huit jours, et que pendant cette semaine de graves événements eussent passé entre eux, s'abordèrent donc avec une certaine préoccupation ; néanmoins, M. Bonacieux manifesta une joie réelle et s'avança vers sa femme à bras ouverts.

Mme Bonacieux lui présenta le front[2].

— Causons un peu, dit-elle.

— Comment ? dit Bonacieux étonné.

— Oui, sans doute, j'ai une chose de la plus haute importance à vous dire.

— Au fait, et moi aussi, j'ai quelques questions

---

1. Condition sociale.
2. L'aborda directement, sans ménagement.

assez sérieuses à vous adresser. Expliquez-moi un peu votre enlèvement, je vous prie.

— Il ne s'agit point de cela pour le moment, dit Mme Bonacieux.

— Et de quoi s'agit-il donc ? de ma captivité ?

— Je l'ai apprise le jour même ; mais comme vous n'étiez coupable d'aucun crime, comme vous n'étiez complice d'aucune intrigue, comme vous ne saviez rien enfin qui pût vous compromettre, ni vous, ni personne, je n'ai attaché à cet événement que l'importance qu'il méritait.

— Vous en parlez bien à votre aise, Madame ! reprit Bonacieux blessé du peu d'intérêt que lui témoignait sa femme ; savez-vous que j'ai été plongé un jour et une nuit dans un cachot de la Bastille ?

— Un jour et une nuit sont bientôt passés ; laissons donc votre captivité, et revenons à ce qui m'amène près de vous.

— Comment ? ce qui vous amène près de moi ! N'est-ce donc pas le désir de revoir un mari dont vous êtes séparée depuis huit jours ? demanda le mercier piqué au vif.

— C'est cela d'abord, et autre chose ensuite.

— Parlez !

— Une chose du plus haut intérêt et de laquelle dépend notre fortune à venir peut-être.

— Notre fortune a fort changé de face depuis que je vous ai vue, Madame Bonacieux, et je ne serais pas étonné que d'ici à quelques mois elle ne fît envie à beaucoup de gens.

— Oui, surtout si vous voulez suivre les instructions que je vais vous donner.

— À moi ?

— Oui, à vous. Il y a une bonne et sainte action à faire, Monsieur, et beaucoup d'argent à gagner en même temps.

Mme Bonacieux savait qu'en parlant d'argent à son mari, elle le prenait par son faible.

Mais un homme, fût-ce un mercier, lorsqu'il a causé dix minutes avec le cardinal de Richelieu, n'est plus le même homme.

— Beaucoup d'argent à gagner ! dit Bonacieux en allongeant les lèvres.

— Oui, beaucoup.

— Combien, à peu près ?

— Mille pistoles peut-être.

— Ce que vous avez à me demander est donc bien grave ?

— Oui.

— Que faut-il faire ?

— Vous partirez sur-le-champ, je vous remettrai un papier dont vous ne vous dessaisirez sous aucun prétexte, et que vous remettrez en main propre.

— Et pour où partirai-je ?

— Pour Londres.

— Moi, pour Londres ! Allons donc, vous raillez, je n'ai pas affaire à Londres.

— Mais d'autres ont besoin que vous y alliez.

— Quels sont ces autres ? Je vous avertis, je ne fais plus rien en aveugle, et je veux savoir non seulement à quoi je m'expose, mais encore pour qui je m'expose.

— Une personne illustre vous envoie, une personne illustre vous attend : la récompense dépassera vos désirs, voilà tout ce que je puis vous promettre.

— Des intrigues encore, toujours des intrigues ! merci, je m'en défie maintenant, et M. le cardinal m'a éclairé là-dessus.

— Le cardinal ! s'écria Mme Bonacieux, vous avez vu le cardinal !

— Il m'a fait appeler, répondit fièrement le mercier.

— Et vous vous êtes rendu à son invitation, imprudent que vous êtes.

— Je dois dire que je n'avais pas le choix de m'y rendre ou de ne pas m'y rendre, car j'étais entre deux gardes. Il est vrai encore de dire que, comme alors je ne connaissais pas Son Éminence, si j'avais pu me dispenser de cette visite, j'en eusse été fort enchanté.

— Il vous a donc maltraité ? il vous a donc fait des menaces ?

— Il m'a tendu la main et m'a appelé son ami, – son ami ! entendez-vous, Madame ? – je suis l'ami du grand cardinal !

— Du grand cardinal !

— Lui contesteriez-vous ce titre, par hasard, Madame ?

— Je ne lui conteste rien, mais je vous dis que la faveur d'un ministre est éphémère, et qu'il faut être fou pour s'attacher à un ministre ; il est des pouvoirs au-dessus du sien, qui ne reposent pas sur le caprice d'un homme ou l'issue d'un événement ; c'est à ces pouvoirs qu'il faut se rallier.

— J'en suis fâché, Madame, mais je ne connais pas d'autre pouvoir que celui du grand homme que j'ai l'honneur de servir.

— Vous servez le cardinal ?

— Oui, Madame, et comme son serviteur je ne permettrai pas que vous vous livriez à des complots contre la sûreté de l'État, et que vous serviez, vous, les intrigues d'une femme qui n'est pas Française et qui a le cœur espagnol. Heureusement, le grand cardinal est là, son regard vigilant surveille et pénètre jusqu'au fond du cœur.

Bonacieux répétait mot pour mot une phrase qu'il avait entendu dire au comte de Rochefort ; mais la pauvre femme, qui avait compté sur son mari et qui, dans cet espoir, avait répondu de lui à la reine, n'en frémit pas moins, et du danger dans lequel elle avait failli se jeter, et de l'impuissance dans laquelle elle se trouvait. Cependant, connaissant la faiblesse et surtout la cupidité de son mari, elle ne désespérait pas de l'amener à ses fins.

— Ah ! vous êtes cardinaliste, Monsieur, s'écriat-elle ; ah ! vous servez le parti de ceux qui maltraitent votre femme et qui insultent votre reine !

— Les intérêts particuliers ne sont rien devant les intérêts de tous. Je suis pour ceux qui sauvent l'État, dit avec emphase Bonacieux.

C'était une autre phrase du comte de Rochefort, qu'il avait retenue et qu'il trouvait l'occasion de placer.

— Et savez-vous ce que c'est que l'État dont vous parlez ? dit Mme Bonacieux en haussant les épaules. Contentez-vous d'être un bourgeois sans finesse aucune, et tournez-vous du côté qui vous offre le plus d'avantages.

— Eh ! eh ! dit Bonacieux en frappant sur un sac à la panse arrondie et qui rendit un son argentin ; que dites-vous de ceci, Madame la prêcheuse ?

— D'où vient cet argent ?

— Vous ne devinez pas ?

— Du cardinal !

— De lui et de mon ami le comte de Rochefort.

— Le comte de Rochefort ! mais c'est lui qui m'a enlevée !

— Cela se peut, Madame.

— Et vous recevez de l'argent de cet homme ?

— Ne m'avez-vous pas dit que cet enlèvement était tout politique ?

— Oui ; mais cet enlèvement avait pour but de me faire trahir ma maîtresse, de m'arracher par des tortures des aveux qui pussent compromettre l'honneur et peut-être la vie de mon auguste maîtresse.

— Madame, reprit Bonacieux, votre auguste maîtresse est une perfide Espagnole, et ce que le cardinal fait est bien fait.

— Monsieur, dit la jeune femme, je vous savais lâche, avare et imbécile, mais je ne vous savais pas infâme !

— Madame, dit Bonacieux, qui n'avait jamais vu sa femme en colère, et qui reculait devant le courroux conjugal ; Madame, que dites-vous donc ?

— Je dis que vous êtes un misérable ! continua Mme Bonacieux, qui vit qu'elle reprenait quelque influence sur son mari. Ah ! vous faites de la politique, vous ! et de la politique cardinaliste encore ! Ah ! vous vous vendez, corps et âme, au démon pour de l'argent.

— Non, mais au cardinal.

— C'est la même chose ! s'écria la jeune femme. Qui dit Richelieu dit Satan.

— Taisez-vous, Madame, taisez-vous, on pourrait vous entendre !

— Oui, vous avez raison, et je serais honteuse pour vous de votre lâcheté.

— Mais qu'exigez-vous donc de moi ? voyons !

— Je vous l'ai dit : que vous partiez à l'instant même, Monsieur, que vous accomplissiez loyalement la commission dont je daigne vous charger, et à cette condition j'oublie tout, je pardonne, et il y a plus – elle lui tendit la main – je vous rends mon amitié.

Bonacieux était poltron et avare ; mais il aimait sa femme : il fut attendri. Un homme de cinquante ans ne tient pas longtemps rancune à une femme de vingt-trois. Mme Bonacieux vit qu'il hésitait :

— Allons, êtes-vous décidé ? dit-elle.

— Mais, ma chère amie, réfléchissez donc un peu à ce que vous exigez de moi ; Londres est loin de Paris, fort loin, et peut-être la commission dont vous me chargez n'est-elle pas sans dangers.

— Qu'importe, si vous les évitez !

— Tenez, Madame Bonacieux, dit le mercier, tenez, décidément, je refuse : les intrigues me font peur. J'ai vu la Bastille, moi. Brrrrou ! c'est affreux, la Bastille ! Rien que d'y penser, j'en ai la chair de poule. On m'a menacé de la torture. Savez-vous ce que c'est que la torture ? Des coins de bois qu'on vous enfonce entre les jambes jusqu'à ce que les os éclatent ! Non, décidément, je n'irai pas. Et morbleu ! que n'y allez-vous vous-même ? car, en vérité, je crois que je me suis trompé sur votre compte jusqu'à présent : je crois que vous êtes un homme, et des plus enragés encore !

— Et vous, vous êtes une femme, une misérable femme, stupide et abrutie. Ah ! vous avez peur ! Eh bien ! si vous ne partez pas à l'instant même, je vous fais arrêter par l'ordre de la reine, et je vous fais mettre à cette Bastille que vous craignez tant.

Bonacieux tomba dans une réflexion profonde ; il pesa mûrement les deux colères dans son cerveau, celle du cardinal et celle de la reine : celle du cardinal l'emporta énormément.

— Faites-moi arrêter de la part de la reine, dit-il, et moi je me réclamerai de Son Éminence.

Pour le coup, Mme Bonacieux vit qu'elle avait été trop loin, et elle fut épouvantée de s'être si fort avancée. Elle contempla un instant avec effroi cette figure stupide, d'une résolution invincible, comme celle des sots qui ont peur.

— Eh bien, soit ! dit-elle. Peut-être, au bout du compte, avez-vous raison : un homme en sait plus long que les femmes en politique, et vous surtout, Monsieur Bonacieux, qui avez causé avec le cardinal. Et cependant, il est bien dur, ajouta-t-elle, que mon mari, un homme sur l'affection duquel je croyais pouvoir compter, me traite aussi disgracieusement et ne satisfasse point à ma fantaisie.

— C'est que vos fantaisies peuvent mener trop loin, reprit Bonacieux triomphant, et je m'en défie.

— J'y renoncerai donc, dit la jeune femme en soupirant ; c'est bien, n'en parlons plus.

— Si, au moins, vous me disiez quelle chose je vais faire à Londres, reprit Bonacieux, qui se rappelait un peu tard que Rochefort lui avait recommandé d'essayer de surprendre les secrets de sa femme.

— Il est inutile que vous le sachiez, dit la jeune femme, qu'une défiance instinctive repoussait maintenant en arrière : il s'agissait d'une bagatelle comme en désirent les femmes, d'une emplette sur laquelle il y avait beaucoup à gagner.

Mais plus la jeune femme se défendait, plus au contraire Bonacieux pensa que le secret qu'elle refusait de lui confier était important. Il résolut donc de courir à l'instant même chez le comte de Rochefort, et de lui dire que la reine cherchait un messager pour l'envoyer à Londres.

— Pardon, si je vous quitte, ma chère Madame Bonacieux, dit-il ; mais, ne sachant pas que vous me viendriez voir, j'avais pris rendez-vous avec un de mes amis ; je reviens à l'instant même, et si vous voulez m'attendre seulement une demi-minute, aussitôt que j'en aurai fini avec cet ami, je reviens vous prendre, et, comme il commence à se faire tard, je vous reconduis au Louvre.

— Merci, Monsieur, répondit Mme Bonacieux : vous n'êtes point assez brave pour m'être d'une utilité quelconque, et je m'en retournerai bien au Louvre toute seule.

— Comme il vous plaira. Madame Bonacieux, reprit l'ex-mercier. Vous reverrai-je bientôt ?

— Sans doute ; la semaine prochaine, je l'espère,

mon service me laissera quelque liberté, et j'en profiterai pour revenir mettre de l'ordre dans nos affaires, qui doivent être quelque peu dérangées.

— C'est bien ; je vous attendrai. Vous ne m'en voulez pas ?

— Moi ! pas le moins du monde.

— À bientôt, alors ?

— À bientôt.

Bonacieux baisa la main de sa femme, et s'éloigna rapidement.

— Allons, dit Mme Bonacieux, lorsque son mari eut refermé la porte de la rue, et qu'elle se trouva seule, il ne manquait plus à cet imbécile que d'être cardinaliste ! Et moi qui avais répondu à la reine, moi qui avais promis à ma pauvre maîtresse... Ah ! mon Dieu, mon Dieu ! elle va me prendre pour quelqu'une de ces misérables dont fourmille le palais, et qu'on a placées près d'elle pour l'espionner ! Ah ! Monsieur Bonacieux ! je ne vous ai jamais beaucoup aimé ; maintenant, c'est bien pis : je vous hais ! et, sur ma parole, vous me le paierez !

Au moment où elle disait ces mots, un coup frappé au plafond lui fit lever la tête, et une voix, qui parvint à elle à travers le plancher, lui cria :

— Chère Madame Bonacieux, ouvrez-moi la petite porte de l'allée, et je vais descendre près de vous.

18

L'amant et le mari

— Ah ! Madame, dit d'Artagnan en entrant par la porte que lui ouvrait la jeune femme, permettez-moi de vous le dire, vous avez là un triste mari.

— Vous avez donc entendu notre conversation ? demanda vivement Mme Bonacieux en regardant d'Artagnan avec inquiétude.

— Tout entière.

— Mais comment cela ? mon Dieu !

— Par un procédé à moi connu, et par lequel j'ai entendu aussi la conversation plus animée que vous avez eue avec les sbires du cardinal.

— Et qu'avez-vous compris dans ce que nous disions ?

— Mille choses : d'abord, que votre mari est un niais et un sot, heureusement ; puis, que vous étiez embarrassée, ce dont j'ai été fort aise, et que cela me donne une occasion de me mettre à votre service, et Dieu sait si je suis prêt à me jeter dans le feu pour vous ; enfin que la reine a besoin qu'un homme brave, intelligent et dévoué fasse pour elle un voyage à Londres. J'ai au moins deux des trois qualités qu'il vous faut, et me voilà.

Mme Bonacieux ne répondit pas, mais son cœur battait de joie, et une secrète espérance brilla à ses yeux.

— Et quelle garantie me donnerez-vous, demanda-t-elle, si je consens à vous confier cette mission ?

— Mon amour pour vous. Voyons, dites, ordonnez : que faut-il faire ?

— Mon Dieu ! mon Dieu ! murmura la jeune femme, dois-je vous confier un pareil secret, Monsieur ? Vous êtes presque un enfant !

— Allons, je vois qu'il vous faut quelqu'un qui vous réponde de moi.

— J'avoue que cela me rassurerait fort.

— Connaissez-vous Athos ?

— Non.

— Porthos ?

— Non.

— Aramis ?

— Non. Quels sont ces Messieurs ?

— Des mousquetaires du roi. Connaissez-vous M. de Tréville, leur capitaine ?

— Oh ! oui, celui-là, je le connais, non pas personnellement, mais pour en avoir entendu plus d'une fois parler à la reine comme d'un brave et loyal gentilhomme.

— Vous ne craignez pas que lui vous trahisse pour le cardinal, n'est-ce pas ?

— Oh ! non, certainement.

— Eh bien ! révélez-lui votre secret, et demandez-lui, si important, si précieux, si terrible qu'il soit, si vous pouvez me le confier.

— Mais ce secret ne m'appartient pas, et je ne puis le révéler ainsi.

— Vous l'alliez bien confier à M. Bonacieux, dit d'Artagnan avec dépit.

— Comme on confie une lettre au creux d'un arbre, à l'aile d'un pigeon, au collier d'un chien.

— Et cependant, moi, vous voyez bien que je vous aime.

— Vous le dites.

— Je suis un galant homme !

— Je le crois.

— Je suis brave !

— Oh ! cela, j'en suis sûre.

— Alors, mettez-moi donc à l'épreuve.

Mme Bonacieux regarda le jeune homme, retenue par une dernière hésitation. Mais il y avait une telle ardeur dans ses yeux, une telle persuasion dans sa voix, qu'elle se sentit entraînée à se fier à lui. D'ailleurs elle se trouvait dans une de ces circonstances où il faut risquer le tout pour le tout. La reine était aussi bien perdue par une trop grande retenue que par une trop grande confiance. Puis, avouons-le, le sentiment involontaire qu'elle éprouvait pour ce jeune protecteur la décida à parler.

— Écoutez, lui dit-elle, je me rends à vos protestations et je cède à vos assurances. Mais je vous jure devant Dieu qui nous entend, que si vous me trahissez et que mes ennemis me pardonnent, je me tuerai en vous accusant de ma mort.

— Et moi, je vous jure devant Dieu, Madame, dit d'Artagnan, que si je suis pris en accomplissant les ordres que vous me donnez, je mourrai avant de rien faire ou dire qui compromette quelqu'un.

Alors la jeune femme lui confia le terrible secret dont le hasard lui avait déjà révélé une partie en face de la Samaritaine. Ce fut leur mutuelle déclaration d'amour.

D'Artagnan rayonnait de joie et d'orgueil. Ce secret qu'il possédait, cette femme qu'il aimait, la confiance et l'amour, faisaient de lui un géant.

— Je pars, dit-il, je pars sur-le-champ.

— Comment ! vous partez ! s'écria Mme Bonacieux, et votre régiment, votre capitaine ?

— Sur mon âme, vous m'aviez fait oublier tout cela, chère Constance ! oui, vous avez raison, il me faut un congé.

— Encore un obstacle, murmura Mme Bonacieux avec douleur.

— Oh ! celui-là, s'écria d'Artagnan après un moment de réflexion, je le surmonterai, soyez tranquille.

— Comment cela ?

— J'irai trouver ce soir même M. de Tréville, que je chargerai de demander pour moi cette faveur à son beau-frère, M. des Essarts.

— Maintenant, autre chose.

— Quoi ? demanda d'Artagnan, voyant que Mme Bonacieux hésitait à continuer.

— Vous n'avez peut-être pas d'argent ?

— Peut-être est de trop, dit d'Artagnan en souriant.

— Alors, reprit Mme Bonacieux en ouvrant une armoire et en tirant de cette armoire le sac qu'une demi-heure auparavant caressait si amoureusement son mari, prenez ce sac.

— Celui du cardinal ! s'écria en éclatant de rire d'Artagnan qui, comme on s'en souvient, grâce à ses carreaux enlevés, n'avait pas perdu une syllabe de la conversation du mercier et de sa femme.

— Celui du cardinal, répondit Mme Bonacieux ; vous voyez qu'il se présente sous un aspect assez respectable.

— Pardieu ! s'écria d'Artagnan, ce sera une chose doublement divertissante que de sauver la reine avec l'argent de Son Éminence !

— Vous êtes un aimable et charmant jeune homme, dit Mme Bonacieux. Croyez que Sa Majesté ne sera point ingrate.

— Oh ! je suis déjà grandement récompensé ! s'écria d'Artagnan. Je vous aime, vous me permettez de vous le dire ; c'est déjà plus de bonheur que je n'en osais espérer.

— Silence ! dit Mme Bonacieux en tressaillant.

— Quoi ?

— On parle dans la rue.

— C'est la voix...

— De mon mari. Oui, je l'ai reconnue !

D'Artagnan courut à la porte et poussa le verrou.

— Il n'entrera pas que je ne sois parti, dit-il, et quand je serai parti, vous lui ouvrirez.

— Mais je devrais être partie aussi, moi. Et la disparition de cet argent, comment la justifier si je suis là ?

— Vous avez raison, il faut sortir.

— Sortir, comment ? Il nous verra si nous sortons.

— Alors il faut monter chez moi.

— Ah ! s'écria Mme Bonacieux, vous me dites cela d'un ton qui me fait peur.

Mme Bonacieux prononça ces paroles avec une larme dans les yeux. D'Artagnan vit cette larme, et, troublé, attendri, il se jeta à ses genoux.

— Chez moi, dit-il, vous serez en sûreté comme dans un temple, je vous en donne ma parole de gentilhomme.

— Partons, dit-elle, je me fie à vous, mon ami.

D'Artagnan rouvrit avec précaution le verrou, et tous deux, légers comme des ombres, se glissèrent par la porte intérieure dans l'allée, montèrent sans bruit l'escalier et rentrèrent dans la chambre de d'Artagnan.

Une fois chez lui, pour plus de sûreté, le jeune homme barricada la porte ; ils s'approchèrent tous deux de la fenêtre, et par une fente du volet ils virent M. Bonacieux qui causait avec un homme en manteau.

À la vue de l'homme en manteau, d'Artagnan bondit, et, tirant son épée à demi, s'élança vers la porte. C'était l'homme de Meung.

— Qu'allez-vous faire ? s'écria Mme Bonacieux ; vous nous perdez.

— Mais j'ai juré de tuer cet homme ! dit d'Artagnan.

— Votre vie est vouée en ce moment et ne vous appartient pas. Au nom de la reine, je vous défends de vous jeter dans aucun péril étranger à celui du voyage.

— Et en votre nom, n'ordonnez-vous rien ?

barricade

— En mon nom, dit Mme Bonacieux avec une vive émotion ; en mon nom, je vous en prie. Mais écoutons, il me semble qu'ils parlent de moi.

D'Artagnan se rapprocha de la fenêtre et prêta l'oreille.

M. Bonacieux avait rouvert sa porte, et voyant l'appartement vide, il était revenu à l'homme au manteau qu'un instant il avait laissé seul.

— Elle est partie, dit-il, elle sera retournée au Louvre.

— Vous êtes sûr, répondit l'étranger, qu'elle ne s'est pas doutée dans quelles intentions vous êtes sorti ?

— Non, répondit Bonacieux avec suffisance ; c'est une femme trop superficielle.

— Le cadet aux gardes est-il chez lui ?

— Je ne le crois pas ; comme vous le voyez, son volet est fermé, et l'on ne voit aucune lumière briller à travers les fentes.

— C'est égal, il faudrait s'en assurer.

— Comment cela ?

— En allant frapper à sa porte.

— Je demanderai à son valet.

— Allez.

Bonacieux rentra chez lui, passa par la même porte qui venait de donner passage aux deux fugitifs, monta jusqu'au palier de d'Artagnan et frappa.

Personne ne répondit. Porthos, pour faire plus

grande figure, avait emprunté ce soir-là Planchet. Quant à d'Artagnan, il n'avait garde de donner signe d'existence.

Au moment où le doigt de Bonacieux résonna sur la porte, les deux jeunes gens sentirent bondir leurs cœurs.

— Il n'y a personne chez lui, dit Bonacieux.

— N'importe, rentrons toujours chez vous, nous serons plus en sûreté que sur le seuil d'une porte.

— Ah ! mon Dieu ! murmura Mme Bonacieux, nous n'allons plus rien entendre.

— Au contraire, dit d'Artagnan, nous n'entendrons que mieux.

D'Artagnan enleva trois ou quatre carreaux étendit un tapis à terre, se mit à genoux, et fit signe à Mme Bonacieux de se pencher, comme il le faisait, vers l'ouverture.

— Vous êtes sûr qu'il n'y a personne ? dit l'inconnu.

— J'en réponds, dit Bonacieux.

— Et vous pensez que votre femme ?...

— Est retournée au Louvre.

— Sans parler à aucune personne qu'à vous ?

— J'en suis sûr.

— C'est un point important, comprenez-vous ?

— Ainsi, la nouvelle que je vous ai apportée a donc une valeur... ?

— Très grande, mon cher Bonacieux, je ne vous le cache pas.

— Alors le cardinal sera content de moi ?

— Je n'en doute pas.

— Le grand cardinal !

— Vous êtes sûr que, dans sa conversation avec vous, votre femme n'a pas prononcé de noms propres ?

— Je ne crois pas.

— Elle n'a nommé ni Mme de Chevreuse, ni M. de Buckingham, ni Mme de Vernet ?

— Non, elle m'a dit seulement qu'elle voulait m'envoyer à Londres pour servir les intérêts d'une personne illustre.

— Le traître ! murmura Mme Bonacieux.

— Silence ! dit d'Artagnan en lui prenant une main qu'elle lui abandonna sans y penser.

— N'importe, continua l'homme au manteau, vous êtes un niais de n'avoir pas feint d'accepter la commission, vous auriez la lettre à présent ; l'État qu'on menace était sauvé, et vous...

— Et moi ?

— Eh bien, vous ! le cardinal vous donnait des lettres de noblesse...

— Il vous l'a dit ?

— Oui, je sais qu'il voulait vous faire cette surprise.

— Soyez tranquille, reprit Bonacieux ; ma femme m'adore, et il est encore temps.

— Le niais ! murmura Mme Bonacieux.

— Silence ! dit d'Artagnan en lui serrant plus fortement la main.

— Comment est-il encore temps ? reprit l'homme au manteau.

— Je retourne au Louvre, je demande Mme Bonacieux, je dis que j'ai réfléchi, je renoue l'affaire, j'obtiens la lettre, et je cours chez le cardinal.

— Eh bien ! allez vite ; je reviendrai bientôt savoir le résultat de votre démarche.

L'inconnu sortit.

— L'infâme ! dit Mme Bonacieux en adressant encore cette épithète à son mari.

— Silence ! répéta d'Artagnan en lui serrant la main plus fortement encore.

Un hurlement terrible interrompit alors les réflexions de d'Artagnan et de Mme Bonacieux. C'était son mari, qui s'était aperçu de la disparition de son sac et qui criait au voleur.

— Oh ! mon Dieu ! s'écria Mme Bonacieux, il va ameuter tout le quartier.

Bonacieux cria longtemps ; mais comme de pareils cris, attendu leur fréquence, n'attiraient personne dans la rue des Fossoyeurs, et que d'ailleurs la maison du mercier était depuis quelque temps assez mal famée, voyant que personne ne venait, il sortit en continuant de crier, et l'on entendit sa voix qui s'éloignait dans la direction de la rue du Bac.

— Et maintenant qu'il est parti, à votre tour de vous éloigner, dit Mme Bonacieux ; du courage, mais surtout de la prudence, et songez que vous vous devez à la reine.

— À elle et à vous ! s'écria d'Artagnan. Soyez tranquille, belle Constance, je reviendrai digne de sa reconnaissance ; mais reviendrai-je aussi digne de votre amour ?

La jeune femme ne répondit que par la vive rougeur qui colora ses joues. Quelques instants après, d'Artagnan sortit à son tour, enveloppé, lui aussi, d'un grand manteau que retroussait cavalièrement le fourreau d'une longue épée.

Mme Bonacieux le suivit des yeux avec ce long regard d'amour dont la femme accompagne l'homme qu'elle se sent aimer ; mais lorsqu'il eut disparu à l'angle de la rue, elle tomba à genoux, et joignant les mains :

— Ô mon Dieu ! s'écria-t-elle, protégez la reine, protégez-moi !

19

Plan de campagne

D'Artagnan se rendit droit chez M. de Tréville. Il avait
réfléchi que, dans quelques minutes, le cardinal serait
averti par ce damné inconnu, qui paraissait être son
agent, et il pensait avec raison qu'il n'y avait pas un
instant à perdre.

Le cœur du jeune homme débordait de joie. Une
occasion où il y avait à la fois gloire à acquérir et argent
à gagner se présentait à lui, et, comme premier encou-
ragement, venait de le rapprocher d'une femme qu'il
adorait. Ce hasard faisait donc presque du premier
coup, pour lui, plus qu'il n'eût osé demander à la Pro-
vidence.

M. de Tréville était dans son salon avec sa cour habituelle de gentilshommes. D'Artagnan, que l'on connaissait comme un familier de la maison, alla droit à son cabinet et le fit prévenir qu'il l'attendait pour chose d'importance.

D'Artagnan était là depuis cinq minutes à peine, lorsque M. de Tréville entra. Au premier coup d'œil et à la joie qui se peignait sur son visage, le digne capitaine comprit qu'il se passait effectivement quelque chose de nouveau.

Tout le long de la route, d'Artagnan s'était demandé s'il se confierait à M. de Tréville, ou si seulement il lui demanderait de lui accorder carte blanche pour une affaire secrète. Mais M. de Tréville avait toujours été si parfait pour lui, il était si fort dévoué au roi et à la reine, il haïssait si cordialement le cardinal, que le jeune homme résolut de tout lui dire.

— Vous m'avez fait demander, mon jeune ami ? dit M. de Tréville.

— Oui, Monsieur, dit d'Artagnan, et vous me pardonnerez, je l'espère, de vous avoir dérangé, quand vous saurez de quelle chose importante il est question.

— Dites alors, je vous écoute.

— Il ne s'agit de rien de moins, dit d'Artagnan, en baissant la voix, que de l'honneur et peut-être de la vie de la reine.

— Que dites-vous là ? demanda M. de Tréville en

regardant tout autour de lui s'ils étaient bien seuls, et en ramenant son regard interrogateur sur d'Artagnan.

— Je dis, Monsieur, que le hasard m'a rendu maître d'un secret...

— Que vous garderez, j'espère, jeune homme, sur votre vie.

— Mais que je dois vous confier, à vous, Monsieur, car vous seul pouvez m'aider dans la mission que je viens de recevoir de Sa Majesté.

— Ce secret est-il à vous ?

— Non, Monsieur, c'est celui de la reine.

— Êtes-vous autorisé par Sa Majesté à me le confier ?

— Non, Monsieur, car au contraire le plus profond mystère m'est recommandé.

— Et pourquoi donc allez-vous le trahir vis-à-vis de moi ?

— Parce que, je vous le dis, sans vous je ne puis rien, et que j'ai peur que vous ne me refusiez la grâce que je viens vous demander, si vous ne savez pas dans quel but je vous la demande.

— Gardez votre secret, jeune homme, et dites-moi ce que vous désirez.

— Je désire que vous obteniez pour moi, de M. des Essarts, un congé de quinze jours.

— Quand cela ?

— Cette nuit même.

— Vous quittez Paris ?

— Je vais en mission.

— Pouvez-vous me dire où ?

— À Londres.

— Quelqu'un a-t-il intérêt à ce que vous n'arriviez pas à votre but ?

— Le cardinal, je le crois, donnerait tout au monde pour m'empêcher de réussir.

— Et vous partez seul ?

— Je pars seul.

— En ce cas, vous ne passerez pas Bondy ; c'est moi qui vous le dis, foi de Tréville.

— Comment cela ?

— On vous fera assassiner.

— Je serai mort en faisant mon devoir.

— Mais votre mission ne sera pas remplie.

— C'est vrai, dit d'Artagnan.

— Croyez-moi, continua Tréville, dans les entreprises de ce genre, il faut être quatre pour arriver un.

— Ah ! vous avez raison, Monsieur, dit d'Artagnan ; mais vous connaissez Athos, Porthos et Aramis, et vous savez si je puis disposer d'eux.

— Sans leur confier le secret que je n'ai pas voulu savoir ?

— Nous nous sommes juré, une fois pour toutes, confiance aveugle et dévouement à toute épreuve ; d'ailleurs vous pouvez leur dire que vous avez toute confiance en moi, et ils ne seront pas plus incrédules que vous.

— Je puis leur envoyer à chacun un congé de quinze jours, voilà tout : à Athos, que sa blessure fait toujours souffrir, pour aller aux eaux de Forges ! à Porthos et à Aramis, pour suivre leur ami, qu'ils ne veulent pas abandonner dans une si douloureuse position. L'envoi de leur congé sera la preuve que j'autorise leur voyage.

— Merci, Monsieur, et vous êtes cent fois bon.

— Allez donc les trouver à l'instant même, et que tout s'exécute cette nuit. Ah ! et d'abord écrivez-moi votre requête à M. des Essarts. Peut-être aviez-vous un espion à vos trousses, et votre visite, qui dans ce cas est déjà connue du cardinal, sera légitimée ainsi.

D'Artagnan formula cette demande, et M. de Tréville, en la recevant de ses mains, assura qu'avant deux heures du matin les quatre congés seraient au domicile respectif des voyageurs.

— Ayez la bonté d'envoyer le mien chez Athos, dit d'Artagnan. Je craindrais, en rentrant chez moi, d'y faire quelque mauvaise rencontre.

— Soyez tranquille. Adieu et bon voyage ! À propos ! dit M. de Tréville en le rappelant.

D'Artagnan revint sur ses pas.

— Avez-vous de l'argent ?

D'Artagnan fit sonner le sac qu'il avait dans sa poche.

— Assez ? demanda M. de Tréville.

— Trois cents pistoles.

— C'est bien, on va au bout du monde avec cela ; allez donc.

D'Artagnan salua M. de Tréville, qui lui tendit la main ; d'Artagnan la lui serra avec un respect mêlé de reconnaissance. Depuis qu'il était arrivé à Paris, il n'avait eu qu'à se louer de cet excellent homme, qu'il avait toujours trouvé digne, loyal et grand.

Sa première visite fut pour Aramis ; il n'était pas revenu chez son ami depuis la fameuse soirée où il avait suivi Mme Bonacieux. Il y a plus : à peine avait-il vu le jeune mousquetaire, et à chaque fois qu'il l'avait revu, il avait cru remarquer une profonde tristesse empreinte sur son visage.

Ce soir encore, Aramis veillait sombre et rêveur ; d'Artagnan lui fit quelques questions sur cette mélancolie profonde ; Aramis s'excusa sur un commentaire du dix-huitième chapitre de saint Augustin qu'il était forcé d'écrire en latin pour la semaine suivante, et qui le préoccupait beaucoup.

Comme les deux amis causaient depuis quelques instants, un serviteur de M. de Tréville entra porteur d'un paquet cacheté.

— Qu'est-ce là ? demanda Aramis.

— Le congé que Monsieur a demandé, répondit le laquais.

— Moi, je n'ai pas demandé de congé.

— Taisez-vous et prenez, dit d'Artagnan. Et vous, mon ami, voici une demi-pistole pour votre peine ;

vous direz à M. de Tréville que M. Aramis le remercie bien sincèrement. Allez.

Le laquais salua jusqu'à terre et sortit.

— Que signifie cela ? demanda Aramis.

— Prenez ce qu'il vous faut pour un voyage de quinze jours, et suivez-moi.

— Mais je ne puis quitter Paris en ce moment, sans savoir...

Aramis s'arrêta.

— Ce qu'elle est devenue, n'est-ce pas ? continua d'Artagnan.

— Qui ? reprit Aramis.

— La femme qui était ici, la femme au mouchoir brodé.

— Qui vous a dit qu'il y avait une femme ici ? répliqua Aramis en devenant pâle comme la mort.

— Je l'ai vue.

— Et vous savez qui elle est ?

— Je crois m'en douter, du moins.

— Écoutez, dit Aramis, puisque vous savez tant de choses, savez-vous ce qu'est devenue cette femme ?

— Je présume qu'elle est retournée à Tours.

— À Tours ? oui, c'est bien cela ; vous la connaissez. Mais comment est-elle retournée à Tours sans me rien dire ?

— Parce qu'elle a craint d'être arrêtée.

— Comment ne m'a-t-elle pas écrit ?

— Parce qu'elle craint de vous compromettre.

— D'Artagnan, vous me rendez la vie ! s'écria Aramis. Je me croyais méprisé, trahi. J'étais si heureux de la revoir ! Je ne pouvais croire qu'elle risquât sa liberté pour moi, et cependant pour quelle cause serait-elle revenue à Paris ?

— Pour la cause qui aujourd'hui nous fait aller en Angleterre.

— Eh bien ! donc, puisqu'elle a quitté Paris et que vous en êtes sûr, d'Artagnan, rien ne m'y arrête plus, et je suis prêt à vous suivre. Vous dites que nous allons ?...

— Chez Athos, pour le moment, et si vous voulez venir, je vous invite même à vous hâter, car nous avons déjà perdu beaucoup de temps. À propos, prévenez Bazin.

— Bazin vient avec nous ? demanda Aramis.

— Peut-être. En tout cas, il est bon qu'il nous suive pour le moment chez Athos.

Aramis appela Bazin, et après lui avoir ordonné de le venir joindre chez Athos :

— Partons donc, dit-il en prenant son manteau, son épée et ses trois pistolets, et en ouvrant inutilement trois ou quatre tiroirs pour voir s'il n'y trouverait pas quelque pistole égarée.

Puis, quand il se fut bien assuré que cette recherche était superflue, il suivit d'Artagnan en se demandant comment il se faisait que le jeune cadet aux gardes sût aussi bien que lui quelle était la femme à laquelle il avait donné l'hospitalité, et sût mieux que lui ce qu'elle était devenue.

Seulement, en sortant, Aramis posa sa main sur le bras de d'Artagnan, et le regardant fixement :

— Vous n'avez parlé de cette femme à personne ? dit-il.

— À personne au monde.

— Pas même à Athos et à Porthos ?

— Je ne leur en ai pas soufflé le moindre mot.

— À la bonne heure.

Et, tranquille sur ce point important, Aramis continua son chemin avec d'Artagnan, et tous deux arrivèrent bientôt chez Athos.

Ils le trouvèrent tenant son congé d'une main et la lettre de M. de Tréville de l'autre.

— Pouvez-vous m'expliquer ce que signifient ce congé et cette lettre que je viens de recevoir ? dit Athos étonné.

« Mon cher Athos, je veux bien, puisque votre santé l'exige absolument, que vous vous reposiez quinze jours. Allez donc prendre les eaux de Forges ou telles autres qui vous conviendront, et rétablissez-vous promptement.

« Votre affectionné

« TRÉVILLE. »

— Eh bien, ce congé et cette lettre signifient qu'il faut me suivre, Athos.

— Aux eaux de Forges ?

— Là ou ailleurs.

— Pour le service du roi ?

— Du roi ou de la reine : ne sommes-nous pas serviteurs de Leurs Majestés ?

En ce moment, Porthos entra.

— Pardieu, dit-il, voici une chose étrange : depuis quand, dans les mousquetaires, accorde-t-on aux gens des congés sans qu'ils les demandent ?

— Depuis, dit d'Artagnan, qu'ils ont des amis qui les demandent pour eux.

— Ah ! ah ! dit Porthos, il paraît qu'il y a du nouveau ici ?

— Oui, nous partons, dit Aramis.

— Pour quel pays ? demanda Porthos.

— Ma foi, je n'en sais trop rien, dit Athos : demande cela à d'Artagnan.

— Pour Londres, Messieurs, dit d'Artagnan.

— Pour Londres ! s'écria Porthos ; et qu'allons-nous faire à Londres ?

— Voilà ce que je ne puis vous dire, Messieurs, et il faut vous fier à moi.

— Mais pour aller à Londres, ajouta Porthos, il faut de l'argent, et je n'en ai pas.

— Ni moi, dit Aramis.

— Ni moi, dit Athos.

— J'en ai, moi, reprit d'Artagnan en tirant son trésor de sa poche et en le posant sur la table. Il y a dans ce sac trois cents pistoles ; prenons-en chacun soixante-quinze ; c'est autant qu'il en faut pour aller à Londres et pour en revenir. D'ailleurs, soyez tranquilles, nous n'y arriverons pas tous, à Londres.

— Et pourquoi cela ?

— Parce que, selon toute probabilité, il y en aura quelques-uns d'entre nous qui resteront en route.

— Mais est-ce donc une campagne que nous entreprenons ?

— Et des plus dangereuses, je vous en avertis.

— Ah çà, mais, puisque nous risquons de nous faire tuer, dit Porthos, je voudrais bien savoir pourquoi, au moins ?

— Tu en seras bien plus avancé ! dit Athos.

— Cependant, dit Aramis, je suis de l'avis de Porthos.

— Le roi a-t-il l'habitude de vous rendre des comptes ? Non ; il vous dit tout bonnement : « Messieurs, on se bat en Gascogne ou dans les Flandres ; allez vous battre », et vous y allez. Pourquoi ? vous ne vous en inquiétez même pas.

— D'Artagnan a raison, dit Athos, voilà nos trois congés qui viennent de M. de Tréville, et voilà trois cents pistoles qui viennent je ne sais d'où. Allons nous faire tuer où l'on nous dit d'aller. La vie vaut-elle la peine de faire autant de questions ? D'Artagnan, je suis prêt à te suivre.

— Et moi aussi, dit Porthos.

— Et moi aussi, dit Aramis. Aussi bien, je ne suis pas fâché de quitter Paris. J'ai besoin de distractions.

— Eh bien ! vous en aurez, des distractions, Messieurs, soyez tranquilles, dit d'Artagnan.

— Et maintenant, quand partons-nous ? dit Athos.

— Tout de suite, répondit d'Artagnan, il n'y a pas une minute à perdre.

— Holà ! Grimaud, Planchet, Mousqueton, Bazin ! crièrent les quatre jeunes gens appelant leurs laquais, graissez nos bottes et ramenez les chevaux de l'hôtel.

En effet, chaque mousquetaire laissait à l'hôtel général comme à une caserne son cheval et celui de son laquais.

Planchet, Grimaud, Mousqueton et Bazin partirent en toute hâte.

— Maintenant, dressons le plan de campagne, dit Porthos. Où allons-nous d'abord ?

— À Calais, dit d'Artagnan ; c'est la ligne la plus directe pour arriver à Londres.

— Eh bien ! dit Porthos, voici mon avis.

— Parle.

— Quatre hommes voyageant ensemble seraient suspects : d'Artagnan nous donnera à chacun ses instructions, je partirai en avant par la route de Boulogne pour éclairer le chemin ; Athos partira deux heures après par celle d'Amiens ; Aramis nous suivra par celle de Noyon ; quant à d'Artagnan, il partira par celle qu'il voudra, avec les habits de Planchet, tandis que Planchet nous suivra en d'Artagnan et avec l'uniforme des gardes.

— Messieurs, dit Athos, mon avis est qu'il ne convient pas de mettre en rien des laquais dans une pareille affaire : un secret peut par hasard être trahi par des gentilshommes, mais il est presque toujours vendu par des laquais.

— Le plan de Porthos me semble impraticable, dit d'Artagnan, en ce que j'ignore moi-même quelles instructions je puis vous donner. Je suis porteur d'une lettre, voilà tout. Je n'ai pas et ne puis faire trois copies de cette lettre, puisqu'elle est scellée ; il faut donc, à mon avis, voyager de compagnie. Cette lettre est là, dans cette poche. Et il montra la poche où était la lettre. Si je suis tué, l'un de vous la prendra et vous continuerez la route ; s'il est tué, ce sera le tour d'un autre, et ainsi de suite ; pourvu qu'un seul arrive, c'est tout ce qu'il faut.

— Bravo, d'Artagnan ! ton avis est le mien, dit Athos. Il faut être conséquent[1], d'ailleurs : je vais prendre les eaux, vous m'accompagnerez ; au lieu des eaux de Forges, je vais prendre les eaux de mer ; je suis libre. On veut nous arrêter, je montre la lettre de M. de

----

1. Logique.

Tréville, et vous montrez vos congés ; on nous attaque, nous nous défendons ; on nous juge, nous soutenons mordicus que nous n'avions d'autre intention que de nous tremper un certain nombre de fois dans la mer ; on aurait trop bon marché de quatre hommes isolés, tandis que quatre hommes réunis font une troupe. Nous armerons les quatre laquais de pistolets et de mousquetons ; si l'on envoie une armée contre nous, nous livrerons bataille, et le survivant, comme l'a dit d'Artagnan, portera la lettre.

— Bien dit, s'écria Aramis ; tu ne parles pas souvent, Athos, mais quand tu parles, c'est comme saint Jean Bouche d'or[1]. J'adopte le plan d'Athos. Et toi, Porthos ?

— Moi aussi, dit Porthos, s'il convient à d'Artagnan. D'Artagnan, porteur de la lettre, est naturellement le chef de l'entreprise ; qu'il décide, et nous exécuterons.

— Eh bien ! dit d'Artagnan, je décide que nous adoptions le plan d'Athos et que nous partions dans une demi-heure.

— Adopté ! reprirent en chœur les trois mousquetaires.

Et chacun, allongeant la main vers le sac, prit soixante-quinze pistoles et fit ses préparatifs pour partir à l'heure convenue.

---

1. Saint Jean Chrysostome (« Bouche d'or » en grec), père de l'Église.

20

Voyage

À deux heures du matin, nos quatre aventuriers sortirent de Paris par la barrière Saint-Denis ; tant qu'il fit nuit, ils restèrent muets ; malgré eux, ils subissaient l'influence de l'obscurité et voyaient des embûches partout.

Aux premiers rayons du jour, leurs langues se délièrent ; avec le soleil, la gaieté revint : c'était comme à la veille d'un combat, le cœur battait, les yeux riaient ; on sentait que la vie qu'on allait peut-être quitter était, au bout du compte, une bonne chose.

L'aspect de la caravane, au reste, était des plus formidables : les chevaux noirs des mousquetaires, leur tournure martiale, cette habitude de l'escadron qui fait marcher régulièrement ces nobles compagnons du soldat, eussent trahi le plus strict incognito.

Les valets suivaient, armés jusqu'aux dents.

Tout alla bien jusqu'à Chantilly, où l'on arriva vers les huit heures du matin. Il fallait déjeuner. On descendit devant une auberge que recommandait une enseigne représentant saint Martin donnant la moitié de son manteau à un pauvre. On enjoignit aux laquais de ne pas desseller les chevaux et de se tenir prêts à repartir immédiatement.

On entra dans la salle commune, et l'on se mit à table.

Un gentilhomme, qui venait d'arriver par la route de Dammartin, était assis à cette même table et déjeunait. Il entama la conversation sur la pluie et le beau temps ; les voyageurs répondirent : il but à leur santé ; les voyageurs lui rendirent sa politesse.

Mais au moment où Mousqueton venait annoncer que les chevaux étaient prêts et où l'on se levait de table, l'étranger proposa à Porthos la santé du cardinal. Porthos répondit qu'il ne demandait pas mieux, si l'étranger à son tour voulait boire à la santé du roi. L'étranger s'écria qu'il ne connaissait d'autre roi que Son Éminence. Porthos l'appela ivrogne ; l'étranger tira son épée.

— Vous avez fait une sottise, dit Athos ; n'importe, il n'y a plus à reculer maintenant : tuez cet

328

homme et venez nous rejoindre le plus vite que vous pourrez.

Et tous trois remontèrent à cheval et repartirent à toute bride, tandis que Porthos promettait à son adversaire de le perforer de tous les coups connus dans l'escrime.

— Et d'un ! dit Athos au bout de cinq cents pas.

— Mais pourquoi cet homme s'est-il attaqué à Porthos plutôt qu'à tout autre ? demanda Aramis.

— Parce que, Porthos parlant plus haut que nous tous, il l'a pris pour le chef, dit d'Artagnan.

— J'ai toujours dit que ce cadet de Gascogne était un puits de sagesse, murmura Athos.

Et les voyageurs continuèrent leur route.

À Beauvais, on s'arrêta deux heures, tant pour faire souffler les chevaux que pour attendre Porthos. Au bout de deux heures, comme Porthos n'arrivait pas, ni aucune nouvelle de lui, on se remit en chemin.

À une lieue de Beauvais, à un endroit où le chemin se trouvait resserré entre deux talus, on rencontra huit ou dix hommes qui, profitant de ce que la route était dépavée en cet endroit, avaient l'air d'y travailler en y creusant des trous et en pratiquant des ornières boueuses.

Aramis, craignant de salir ses bottes dans ce mortier artificiel, les apostropha durement. Athos voulut le retenir, il était trop tard. Les ouvriers se mirent à railler les voyageurs, et firent perdre par leur insolence la tête même au froid Athos qui poussa son cheval contre l'un d'eux.

Alors chacun de ces hommes recula jusqu'au fossé et y prit un mousquet caché ; il en résulta que nos sept voyageurs furent littéralement passés par les armes. Aramis reçut une balle qui lui traversa l'épaule, et Mousqueton une autre balle qui se logea dans les parties charnues qui prolongent le bas des reins. Cependant Mousqueton seul tomba de cheval, non pas qu'il fût grièvement blessé, mais, comme il ne pouvait voir sa blessure, sans doute il crut être plus dangereusement blessé qu'il ne l'était.

— C'est une embuscade, dit d'Artagnan, ne brûlons pas une amorce[1], et en route.

Aramis, tout blessé qu'il était, saisit la crinière de son cheval, qui l'emporta avec les autres. Celui de Mousqueton les avait rejoints, et galopait tout seul à son rang.

— Cela nous fera un cheval de rechange, dit Athos.

— J'aimerais mieux un chapeau, dit d'Artagnan ; le mien a été emporté par une balle. C'est bien heureux, ma foi, que la lettre que je porte n'ait pas été dedans.

— Ah çà, mais ils vont tuer le pauvre Porthos quand il passera, dit Aramis.

— Si Porthos était sur ses jambes, il nous aurait rejoints maintenant, dit Athos. M'est avis que, sur le terrain, l'ivrogne se sera dégrisé.

---

1. Ne tirons pas un coup de pistolet.

Et l'on galopa encore pendant deux heures, quoique les chevaux fussent si fatigués, qu'il était à craindre qu'ils ne refusassent bientôt le service.

Les voyageurs avaient pris la traverse, espérant de cette façon être moins inquiétés, mais, à Crèvecœur, Aramis déclara qu'il ne pouvait aller plus loin. En effet, il avait fallu tout le courage qu'il cachait sous sa forme élégante et sous ses façons polies pour arriver jusque-là. À tout moment il pâlissait, et l'on était obligé de le soutenir sur son cheval ; on le descendit à la porte d'un cabaret, on lui laissa Bazin qui, au reste, dans une escarmouche, était plus embarrassant qu'utile, et l'on repartit dans l'espérance d'aller coucher à Amiens.

— Morbleu ! dit Athos, quand ils se retrouvèrent en route, réduits à deux maîtres et à Grimaud et Planchet, morbleu ! je ne serai plus leur dupe, et je vous réponds qu'ils ne me feront pas ouvrir la bouche ni tirer l'épée d'ici à Calais. J'en jure...

— Ne jurons pas, dit d'Artagnan, galopons, si toutefois nos chevaux y consentent.

Et les voyageurs enfoncèrent leurs éperons dans le ventre de leurs chevaux, qui, vigoureusement stimulés, retrouvèrent des forces. On arriva à Amiens à minuit, et l'on descendit à l'auberge du *Lis d'Or*. L'hôtelier avait l'air du plus honnête homme de la terre, il reçut les voyageurs son bougeoir d'une main et son bonnet de coton de l'autre ; il voulut loger les deux voyageurs chacun dans une charmante chambre, malheureusement chacune de ces chambres était à l'extrémité de l'hôtel. D'Artagnan et Athos refusèrent ; l'hôte répondit qu'il n'y en avait cependant pas d'autres dignes de Leurs Excellences ; mais les voyageurs déclarèrent qu'ils coucheraient dans la chambre commune, chacun sur un matelas qu'on leur jetterait à terre. L'hôte insista, les voyageurs tinrent bon ; il fallut faire ce qu'ils voulurent.

Ils venaient de disposer leur lit et de barricader leur porte en dedans, lorsqu'on frappa au volet de la cour ; ils demandèrent qui était là, reconnurent la voix de leurs valets et ouvrirent.

En effet, c'étaient Planchet et Grimaud.

— Grimaud suffira pour garder les chevaux, dit Planchet ; si ces Messieurs veulent, je coucherai en travers de leur porte ; de cette façon-là, ils seront sûrs qu'on n'arrivera pas jusqu'à eux.

— Et sur quoi coucheras-tu ? dit d'Artagnan.

— Voici mon lit, répondit Planchet.

Et il montra une botte de paille.

— Viens donc, dit d'Artagnan, tu as raison : la figure de l'hôte ne me convient pas, elle est trop gracieuse.

— Ni à moi non plus, dit Athos.

Planchet monta par la fenêtre, s'installa en travers de la porte, tandis que Grimaud allait s'enfermer dans l'écurie, répondant qu'à cinq heures du matin lui et les quatre chevaux seraient prêts.

La nuit fut assez tranquille, on essaya bien vers les deux heures du matin d'ouvrir la porte ; mais comme Planchet se réveilla en sursaut et cria : *Qui va là ?* on répondit qu'on se trompait, et on s'éloigna.

À quatre heures du matin, on entendit un grand bruit dans les écuries. Grimaud avait voulu réveiller les garçons d'écurie, et les garçons d'écurie le battaient. Quand on ouvrit la fenêtre, on vit le pauvre garçon sans connaissance, la tête fendue d'un coup de manche à fourche.

Planchet descendit dans la cour et voulut seller les chevaux ; les chevaux étaient fourbus. Celui de Mousqueton seul, qui avait voyagé sans maître pendant cinq ou six heures la veille, aurait pu continuer la route ; mais, par une erreur inconcevable, le chirurgien vétérinaire qu'on avait envoyé chercher, à ce qu'il paraît, pour saigner le cheval de l'hôte, avait saigné celui de Mousqueton.

Cela commençait à devenir inquiétant : tous ces accidents successifs étaient peut-être le résultat du hasard, mais ils pouvaient tout aussi bien être le fruit d'un complot. Athos et d'Artagnan sortirent, tandis que Planchet allait s'informer s'il n'y avait pas trois chevaux à vendre dans les environs. À la porte étaient deux chevaux tout équipés, frais et vigoureux. Cela faisait bien l'affaire. Il demanda où étaient les maîtres ;

on lui dit que les maîtres avaient passé la nuit dans l'auberge et réglaient leur compte à cette heure avec le maître.

Athos descendit pour payer la dépense, tandis que d'Artagnan et Planchet se tenaient sur la porte de la rue ; l'hôtelier était dans une chambre basse et reculée, on pria Athos d'y passer.

Athos entra sans défiance et tira deux pistoles pour payer : l'hôte était seul et assis devant son bureau, dont un des tiroirs était entrouvert. Il prit l'argent que lui présenta Athos, le tourna et le retourna dans ses mains, et tout à coup, s'écriant que la pièce était fausse, il déclara qu'il allait le faire arrêter, lui et son compagnon, comme faux monnayeurs.

— Drôle ! dit Athos, en marchant sur lui, je vais te couper les oreilles !

Au même moment, quatre hommes armés jusqu'aux dents entrèrent par les portes latérales et se jetèrent sur Athos.

— Je suis pris, cria Athos de toutes les forces de ses poumons ; au large, d'Artagnan ! pique, pique ! et il lâcha deux coups de pistolet.

D'Artagnan et Planchet ne se le firent pas répéter à deux fois, ils détachèrent les deux chevaux qui attendaient à la porte, sautèrent dessus, leur enfoncèrent leurs éperons dans le ventre et partirent au triple galop.

— Sais-tu ce qu'est devenu Athos ? demanda d'Artagnan à Planchet en courant.

— Ah ! Monsieur, dit Planchet, j'en ai vu tomber deux à ses deux coups, et il m'a semblé, à travers la porte vitrée, qu'il ferraillait avec les autres.

— Brave Athos ! murmura d'Artagnan. Et quand on pense qu'il faut l'abandonner ! Au reste, autant nous attend peut-être à deux pas d'ici. En avant, Planchet, en avant ! tu es un brave homme.

— Je vous l'ai dit. Monsieur, répondit Planchet, les Picards, ça se reconnaît à l'user[1] ; d'ailleurs je suis ici dans mon pays, ça m'excite.

Et tous deux, piquant de plus belle, arrivèrent à Saint-Omer d'une seule traite. À Saint-Omer, ils firent souffler les chevaux la bride passée à leurs bras, de peur d'accident, et mangèrent un morceau sur le pouce tout debout dans la rue, après quoi ils repartirent.

À cent pas des portes de Calais, le cheval de d'Artagnan s'abattit, et il n'y eut pas moyen de le faire se relever : le sang lui sortait par le nez et par les yeux ; restait celui de Planchet, mais celui-là s'était arrêté, et il n'y eut plus moyen de le faire repartir.

Heureusement, comme nous l'avons dit, ils étaient à cent pas de la ville ; ils laissèrent les deux montures sur le grand chemin et coururent au port. Planchet fit remarquer à son maître un gentilhomme qui arrivait

---

1. À l'usage.

335

avec son valet et qui ne les précédait que d'une cinquantaine de pas.

Ils s'approchèrent vivement de ce gentilhomme, qui
paraissait fort affairé. Il avait ses bottes couvertes de
poussière, et s'informait s'il ne pourrait point passer à
l'instant même en Angleterre.

— Rien ne serait plus facile, répondit le patron
d'un bâtiment prêt à mettre à la voile ; mais, ce matin,
est arrivé l'ordre de ne laisser partir personne sans une
permission expresse de M. le cardinal.

— J'ai cette permission, dit le gentilhomme en
tirant un papier de sa poche ; la voici.

— Faites-la viser par le gouverneur du port, dit le
patron, et donnez-moi la préférence.

— Où trouverai-je le gouverneur ?

— À sa campagne.

— Et cette campagne est située ?

— À un quart de lieue de la ville ; tenez, vous la
voyez d'ici, au pied de cette petite éminence, ce toit
en ardoises.

— Très bien ! dit le gentilhomme.

Et, suivi de son laquais, il prit le chemin de la maison de campagne du gouverneur.

D'Artagnan et Planchet suivirent le gentilhomme à
cinq cents pas de distance.

Une fois hors de la ville, d'Artagnan pressa le pas
et rejoignit le gentilhomme comme il entrait dans un
petit bois.

— Monsieur, lui dit d'Artagnan, vous me paraissez fort pressé ?

— On ne peut plus pressé, Monsieur.

— J'en suis désespéré, dit d'Artagnan, car, comme je suis très pressé aussi, je voulais vous prier de me rendre un service.

— Lequel ?

— De me laisser passer le premier.

— Impossible, dit le gentilhomme, j'ai fait soixante lieues en quarante-quatre heures, et il faut que demain à midi je sois à Londres.

— J'ai fait le même chemin en quarante heures, et il faut que demain à dix heures du matin je sois à Londres.

— Désespéré, Monsieur ; mais je suis arrivé le premier et je ne passerai pas le second.

— Désespéré, Monsieur ; mais je suis arrivé le second, et je passerai le premier.

— Service du roi ! dit le gentilhomme.

— Service de moi ! dit d'Artagnan.

— Mais c'est une mauvaise querelle que vous me cherchez là, ce me semble.

— Parbleu que voulez-vous que ce soit ?

— Que désirez-vous ?

— Vous voulez le savoir ?

— Certainement.

— Eh bien ! je veux l'ordre dont vous êtes porteur, attendu que je n'en ai pas, moi, et qu'il m'en faut un.

— Vous plaisantez, je présume.

— Je ne plaisante jamais.

— Laissez-moi passer !

— Vous ne passerez pas.

— Mon brave jeune homme, je vais vous casser la tête. Holà, Lubin ! mes pistolets.

— Planchet, dit d'Artagnan, charge-toi du valet, je me charge du maître.

Planchet, enhardi par le premier exploit, sauta sur Lubin, et comme il était fort et vigoureux, il le renversa les reins contre terre et lui mit le genou sur la poitrine.

— Faites votre affaire, Monsieur, dit Planchet ; moi, j'ai fait la mienne.

Voyant cela, le gentilhomme tira son épée et fondit sur d'Artagnan ; mais il avait affaire à forte partie. En trois secondes d'Artagnan lui fournit trois coups d'épée en disant à chaque coup :

— Un pour Athos, un pour Porthos, un pour Aramis.

Au troisième coup, le gentilhomme tomba comme une masse.

D'Artagnan le crut mort, ou tout au moins évanoui, et s'approcha pour lui prendre l'ordre ; mais au moment où il étendait le bras afin de le fouiller, le blessé qui n'avait pas lâché son épée, lui porta un coup de pointe dans la poitrine en disant :

— Un pour vous.

— Et un pour moi ! au dernier les bons ! s'écria d'Artagnan furieux, en le clouant par terre d'un quatrième coup d'épée dans le ventre.

Cette fois, le gentilhomme ferma les yeux et s'évanouit.

D'Artagnan fouilla dans la poche où il l'avait vu remettre l'ordre de passage, et le prit. Il était au nom du comte de Wardes.

Puis, jetant un dernier coup d'œil sur le beau jeune homme, qui avait vingt-cinq ans à peine et qu'il laissait là, gisant, privé de sentiment et peut-être mort, il poussa un soupir sur cette étrange destinée qui porte les hommes à se détruire les uns les autres pour les intérêts de gens qui leur sont étrangers et qui souvent ne savent pas même qu'ils existent.

Mais il fut bientôt tiré de ces réflexions par Lubin, qui poussait des hurlements et criait de toutes ses forces au secours.

Planchet lui appliqua la main sur la gorge et serra de toutes ses forces.

— Monsieur, dit-il, tant que je le tiendrai ainsi, il ne criera pas, j'en suis bien sûr ; mais aussitôt que je le lâcherai, il va se remettre à crier. Je le reconnais pour un Normand, et les Normands sont entêtés. En effet, tout comprimé qu'il était, Lubin essayait encore de filer des sons.

— Attends ! dit d'Artagnan.

Et prenant son mouchoir, il le bâillonna. *to gag*

— Maintenant, dit Planchet, lions-le à un arbre.

La chose fut faite en conscience, puis on tira le comte de Wardes près de son domestique ; et comme la nuit commençait à tomber et que le garrotté et le blessé étaient tous deux à quelques pas dans le bois, il était évident qu'ils devaient rester jusqu'au lendemain.

— Et maintenant, dit d'Artagnan, chez le gouverneur !

— Mais vous êtes blessé, ce me semble ? dit Planchet.

— Ce n'est rien, occupons-nous du plus pressé ; puis nous reviendrons à ma blessure, qui, au reste, ne me paraît pas très dangereuse.

Et tous deux s'acheminèrent à grands pas vers la campagne du digne fonctionnaire.

On annonça M. le comte de Wardes.

D'Artagnan fut introduit.

— Vous avez un ordre signé du cardinal ? dit le gouverneur.

— Oui, Monsieur, répondit d'Artagnan, le voici.

— Ah ! ah ! il est en règle et bien recommandé, dit le gouverneur.

— C'est tout simple, répondit d'Artagnan, je suis de ses plus fidèles.

— Il paraît que Son Éminence veut empêcher quelqu'un de parvenir en Angleterre.

— Oui, un certain d'Artagnan, un gentilhomme

béarnais qui est parti de Paris avec trois de ses amis dans l'intention de gagner Londres.

— Le connaissez-vous personnellement ? demanda le gouverneur.

— Qui cela ?

— Ce d'Artagnan ?

— À merveille.

— Donnez-moi son signalement alors.

— Rien de plus facile.

Et d'Artagnan donna trait pour trait le signalement du comte de Wardes.

— Est-il accompagné ? demanda le gouverneur.

— Oui, d'un valet nommé Lubin.

— On veillera sur eux, et si on leur met la main dessus, Son Éminence peut être tranquille, ils seront reconduits à Paris sous bonne escorte.

— Et ce faisant, Monsieur le gouverneur, dit d'Artagnan, vous aurez bien mérité du cardinal.

— Vous le reverrez à votre retour, Monsieur le comte ?

— Sans aucun doute.

— Dites-lui, je vous prie, que je suis bien son serviteur.

— Je n'y manquerai pas.

Et joyeux de cette assurance, le gouverneur visa le laissez-passer et le remit à d'Artagnan.

D'Artagnan ne perdit pas son temps en compliments inutiles, il salua le gouverneur, le remercia et partit. Une fois dehors, lui et Planchet prirent leur course, et faisant un long détour, ils évitèrent le bois et rentrèrent par une autre porte.

Le bâtiment était toujours prêt à partir, le patron attendait sur le port.

— Eh bien ? dit-il en apercevant d'Artagnan.

— Voici ma passe[1] visée, dit celui-ci.

— Et cet autre gentilhomme ?

— Il ne partira pas aujourd'hui, dit d'Artagnan, mais soyez tranquille, je paierai le passage pour nous deux.

— En ce cas, partons, dit le patron.

— Partons ! répéta d'Artagnan.

Et il sauta avec Planchet dans le canot ; cinq minutes après, ils étaient à bord.

Il était temps : à une demi-lieue en mer, d'Artagnan vit briller une lumière et entendit une détonation.

C'était le coup de canon qui annonçait la fermeture du port.

Il était temps de s'occuper de sa blessure ; heureusement, comme l'avait pensé d'Artagnan, elle n'était pas des plus dangereuses : la pointe de l'épée avait rencontré une côte et avait glissé le long de l'os ; de plus, la chemise s'était collée aussitôt à la plaie, et à peine avait-elle répandu quelques gouttes de sang.

D'Artagnan était brisé de fatigue : on lui étendit un matelas sur le pont, il se jeta dessus et s'endormit.

---

1. Mon passeport, mon sauf-conduit.

Le lendemain, au point du jour, il se trouva à trois ou quatre lieues seulement des côtes d'Angleterre ; la brise avait été faible toute la nuit, et l'on avait peu marché.

À dix heures, le bâtiment jetait l'ancre dans le port de Douvres.

À dix heures et demie, d'Artagnan mettait le pied sur la terre d'Angleterre, en s'écriant :

— Enfin, m'y voilà !

Mais ce n'était pas tout : il fallait gagner Londres. En Angleterre, la poste[1] était assez bien servie. D'Artagnan et Planchet prirent chacun un bidet, un postillon courut devant eux ; en quatre heures ils arrivèrent aux portes de la capitale.

D'Artagnan ne connaissait pas Londres, d'Artagnan ne savait pas un mot d'anglais ; mais il écrivit le nom de Buckingham sur un papier, et chacun lui indiqua l'hôtel du duc.

Le duc était à la chasse à Windsor[2], avec le roi.

D'Artagnan demanda le valet de chambre de confiance du duc, qui, l'ayant accompagné dans tous ses voyages, parlait parfaitement français ; il lui dit qu'il arrivait de Paris pour affaire de vie et de mort, et qu'il fallait qu'il parlât à son maître à l'instant même.

La confiance avec laquelle parlait d'Artagnan

---

1. Le réseau de chevaux de poste pour le service des voyageurs.
2. Château de la famille royale près de Londres.

convainquit Patrice ; c'était le nom de ce ministre du ministre. Il fit seller deux chevaux et se chargea de conduire le jeune garde. Quant à Planchet, on l'avait descendu de sa monture, raide comme un jonc : le pauvre garçon était au bout de ses forces ; d'Artagnan semblait de fer.

On arriva au château ; là on se renseigna : le roi et Buckingham chassaient à l'oiseau dans des marais situés à deux ou trois lieues de là.

En vingt minutes on fut au lieu indiqué. Bientôt Patrice entendit la voix de son maître, qui appelait son faucon.

— Qui faut-il que j'annonce à Milord duc ? demanda Patrice.

— Le jeune homme qui, un soir, lui a cherché une querelle sur le Pont-Neuf, en face de la Samaritaine.

— Singulière recommandation !

— Vous verrez qu'elle en vaut bien une autre.

Patrice mit son cheval au galop, atteignit le duc et lui annonça dans les termes que nous avons dits qu'un messager l'attendait.

Buckingham reconnut d'Artagnan à l'instant même, et se doutant que quelque chose se passait en France dont on lui faisait parvenir la nouvelle, il ne prit que le temps de demander où était celui qui la lui apportait ; et ayant reconnu de loin l'uniforme des gardes, il mit son cheval au galop et vint droit à d'Artagnan. Patrice, par discrétion, se tint à l'écart.

— Il n'est point arrivé malheur à la reine ? s'écria Buckingham, répandant toute sa pensée et tout son amour dans cette interrogation.

— Je ne crois pas ; cependant je crois qu'elle court quelque grand péril dont Votre Grâce seule peut la tirer.

— Moi ? s'écria Buckingham. Eh quoi ! je serais assez heureux pour lui être bon à quelque chose ! Parlez ! parlez !

— Prenez cette lettre, dit d'Artagnan.

— Cette lettre ! de qui vient cette lettre ?

— De Sa Majesté, à ce que je pense.

— De Sa Majesté ! dit Buckingham, pâlissant si fort que d'Artagnan crut qu'il allait se trouver mal.

Et il brisa le cachet.

— Quelle est cette déchirure ? dit-il en montrant à d'Artagnan un endroit où elle était percée à jour.

— Ah ! ah ! dit d'Artagnan, je n'avais pas vu cela ; c'est l'épée du comte de Wardes qui aura fait ce beau coup en me trouant la poitrine.

— Vous êtes blessé ? demanda Buckingham en rompant le cachet.

— Oh ! rien ! dit d'Artagnan, une égratignure.

— Juste Ciel ! qu'ai-je lu ! s'écria le duc. Patrice, reste ici, ou plutôt rejoins le roi partout où il sera, et dis à Sa Majesté que je la supplie bien humblement de m'excuser, mais qu'une affaire de la plus haute importance me rappelle à Londres. Venez, Monsieur, venez.

Et tous deux reprirent au galop le chemin de la capitale.

21

La comtesse de Winter

Les chevaux allaient comme le vent, et en quelques minutes ils furent aux portes de Londres. D'Artagnan avait cru qu'en arrivant dans la ville le duc allait ralentir l'allure du sien, mais il n'en fut pas ainsi : il continua sa route à fond de train, s'inquiétant peu de renverser ceux qui étaient sur son chemin. En effet, en traversant la Cité, deux ou trois accidents de ce genre arrivèrent ; mais Buckingham ne détourna pas même la tête pour regarder ce qu'étaient devenus ceux qu'il avait culbutés. D'Artagnan le suivait au milieu de cris qui ressemblaient fort à des malédictions.

En entrant dans la cour de l'hôtel, Buckingham

sauta à bas de son cheval, et, sans s'inquiéter de ce qu'il deviendrait, il lui jeta la bride sur le cou et s'élança vers le perron. D'Artagnan en fit autant, avec un peu plus d'inquiétude, cependant, pour ces nobles animaux dont il avait pu apprécier le mérite ; mais il eut la consolation de voir que trois ou quatre valets s'étaient déjà élancés des cuisines et des écuries, et s'emparaient aussitôt de leurs montures.

Le duc marchait si rapidement, que d'Artagnan avait peine à le suivre. Il traversa successivement plusieurs salons d'une élégance dont les plus grands seigneurs de France n'avaient pas même l'idée, et il parvint enfin dans une chambre à coucher qui était à la fois un miracle de goût et de richesse. Dans l'alcôve de cette chambre était une porte, prise dans la tapisserie, que le duc ouvrit avec une petite clef d'or qu'il portait suspendue à son cou par une chaîne du même métal. Par discrétion, d'Artagnan était resté en arrière ; mais au moment où Buckingham franchissait le seuil de cette porte, il se retourna, et voyant l'hésitation du jeune homme :

— Venez, lui dit-il, et si vous avez le bonheur d'être admis en la présence de Sa Majesté, dites-lui ce que vous avez vu.

Encouragé par cette invitation, d'Artagnan suivit le duc, qui referma la porte derrière lui.

Tous deux se trouvèrent alors dans une petite chapelle toute tapissée de soie de Perse et brochée d'or, ardemment éclairée par un grand nombre de bougies. Au-dessus d'une espèce d'autel, et au-dessous d'un dais[1] de velours bleu surmonté de plumes blanches et rouges, était un portrait de grandeur naturelle représentant Anne d'Autriche, si parfaitement ressemblant, que d'Artagnan poussa un cri de surprise : on eût cru que la reine allait parler.

Sur l'autel, et au-dessous du portrait, était le coffret qui renfermait les ferrets de diamants.

Le duc s'approcha de l'autel, s'agenouilla comme eût pu faire un prêtre devant le Christ ; puis il ouvrit le coffret.

— Tenez, lui dit-il en tirant du coffre un gros nœud de ruban bleu tout étincelant de diamants ; tenez, voici ces précieux ferrets avec lesquels j'avais fait le serment d'être enterré. La reine me les avait donnés, la reine me les reprend : sa volonté, comme celle de Dieu, soit faite en toutes choses.

Puis il se mit à baiser les uns après les autres ces ferrets dont il fallait se séparer. Tout à coup, il poussa un cri terrible.

— Qu'y a-t-il ? demanda d'Artagnan avec inquiétude, et que vous arrive-t-il, Milord ?

— Il y a que tout est perdu, s'écria Buckingham en devenant pâle comme un trépassé ; deux de ces ferrets manquent, il n'y en a plus que dix.

---

1. Tissu qui forme toit au-dessus de l'autel.

— Milord les a-t-il perdus, ou croit-il qu'on les lui ait volés ?

— On me les a volés, reprit le duc, et c'est le cardinal qui a fait le coup. Tenez, voyez, les rubans qui les soutenaient ont été coupés avec des ciseaux.

— Si Milord pouvait se douter qui a commis le vol... Peut-être la personne les a-t-elle encore entre les mains.

— Attendez, attendez ! s'écria le duc. La seule fois que j'ai mis ces ferrets, c'était au bal du roi, il y a huit jours, à Windsor. La comtesse de Winter, avec laquelle j'étais brouillé, s'est rapprochée de moi à ce bal. Ce raccommodement, c'était une vengeance de femme jalouse. Depuis ce jour, je ne l'ai pas revue. Cette femme est un agent du cardinal.

— Mais il en a donc dans le monde entier ! s'écria d'Artagnan.

— Oh ! oui, oui, dit Buckingham en serrant les dents de colère ; oui, c'est un terrible lutteur. Mais cependant, quand doit avoir lieu ce bal ?

— Lundi prochain.

— Lundi prochain ! cinq jours encore, c'est plus de temps qu'il ne nous en faut. Patrice ! s'écria le duc en ouvrant la porte de la chapelle, Patrice !

Son valet de chambre de confiance parut.

— Mon joaillier et mon secrétaire !

Le valet de chambre sortit avec une promptitude et

350

un mutisme qui prouvaient l'habitude qu'il avait contractée d'obéir aveuglément et sans réplique.

Mais, quoique ce fût le joaillier qui eût été appelé le premier, ce fut le secrétaire qui parut d'abord. C'était tout simple, il habitait l'hôtel. Il trouva Buckingham assis devant une table dans sa chambre à coucher, et écrivant quelques ordres de sa propre main.

— Monsieur Jackson, lui dit-il, vous allez vous rendre de ce pas chez le lord-chancelier, et lui dire que je le charge de l'exécution de ces ordres. Je désire qu'ils soient promulgués à l'instant même.

— Mais, Monseigneur, si le lord-chancelier m'interroge sur les motifs qui ont pu porter Votre Grâce à une mesure si extraordinaire, que répondrai-je ?

— Que tel a été mon bon plaisir, et que je n'ai de compte à rendre à personne de ma volonté.

— Sera-ce la réponse qu'il devra transmettre à Sa Majesté, reprit en souriant le secrétaire, si par hasard Sa Majesté avait la curiosité de savoir pourquoi aucun vaisseau ne peut sortir des ports de la Grande-Bretagne ?

— Vous avez raison, Monsieur, répondit Buckingham ; il dirait en ce cas au roi que j'ai décidé la guerre, et que cette mesure est mon premier acte d'hostilité contre la France.

Le secrétaire s'inclina et sortit.

— Nous voilà tranquilles de ce côté, dit Buckingham en se retournant vers d'Artagnan. Si les ferrets

ne sont point déjà partis pour la France, ils n'y arrive-
ront qu'après vous.

— Comment cela ?

— Je viens de mettre un embargo sur tous les bâtiments qui se trouvent à cette heure dans les ports de
Sa Majesté, et, à moins de permission particulière, pas
un seul n'osera lever l'ancre.

D'Artagnan regarda avec stupéfaction cet homme
qui mettait le pouvoir illimité dont il était revêtu par
la confiance d'un roi au service de ses amours. Buckingham vit, à l'expression du visage du jeune homme, ce
qui se passait dans sa pensée, et il sourit.

— Oui, dit-il, oui, c'est qu'Anne d'Autriche est ma
véritable reine ; sur un mot d'elle, je trahirais mon
pays, je trahirais mon roi, je trahirais mon Dieu. Elle
m'a demandé de ne point envoyer aux protestants de
La Rochelle le secours que je leur avais promis, et je
l'ai fait. Je manquais à ma parole, mais qu'importe !
j'obéissais à son désir ; n'ai-je point été grandement
payé de mon obéissance, dites ? car c'est à cette obéissance que je dois son portrait.

D'Artagnan admira à quels fils fragiles et inconnus
sont parfois suspendues les destinées d'un peuple et
la vie des hommes.

Il en était au plus profond de ses réflexions, lorsque
l'orfèvre entra : c'était un Irlandais des plus habiles
dans son art, et qui avouait lui-même qu'il gagnait cent
mille livres par an avec le duc de Buckingham.

— Monsieur O'Reilly, lui dit le duc en le conduisant dans la chapelle, voyez ces ferrets de diamants, et dites-moi ce qu'ils valent la pièce.

L'orfèvre jeta un seul coup d'œil sur la façon élégante dont ils étaient montés, calcula l'un dans l'autre la valeur des diamants, et sans hésitation aucune :

— Quinze cents pistoles la pièce, Milord, répondit-il.

— Combien faudrait-il de jours pour faire deux ferrets comme ceux-là ? Vous voyez qu'il en manque deux.

— Huit jours, Milord.

— Je les paierai trois mille pistoles la pièce, il me les faut après-demain.

— Milord les aura.

— Vous êtes un homme précieux, Monsieur O'Reilly, mais ce n'est pas le tout : ces ferrets ne peuvent être confiés à personne, il faut qu'ils soient faits dans ce palais.

— Impossible, Milord, il n'y a que moi qui puisse les exécuter pour qu'on ne voie pas la différence entre les nouveaux et les anciens.

— Aussi, mon cher Monsieur O'Reilly, vous êtes mon prisonnier, et vous voudriez sortir à cette heure de mon palais que vous ne le pourriez pas ; prenez-en donc votre parti. Nommez-moi ceux de vos garçons dont vous aurez besoin, et désignez-moi les ustensiles qu'ils doivent apporter.

L'orfèvre connaissait le duc, il savait que toute observation était inutile, il en prit donc à l'instant même son parti.

— Il me sera permis de prévenir ma femme ? demanda-t-il.

— Oh ! il vous sera même permis de la voir, mon cher Monsieur O'Reilly : votre captivité sera douce, soyez tranquille ; et comme tout dérangement vaut un dédommagement, voici, en dehors du prix des deux ferrets, un bon de mille pistoles pour vous faire oublier l'ennui que je vous cause.

D'Artagnan ne revenait pas de la surprise que lui causait ce ministre, qui remuait à pleines mains les hommes et les millions.

Quant à l'orfèvre, il écrivit à sa femme en lui envoyant le bon de mille pistoles, et en la chargeant de lui retourner en échange son plus habile apprenti, un assortiment de diamants dont il lui donnait le poids et le titre, et une liste des outils qui lui étaient nécessaires.

Buckingham conduisit l'orfèvre dans la chambre qui lui était destinée, et qui, au bout d'une demi-heure, fut transformée en atelier. Puis il mit une sentinelle à chaque porte, avec défense de laisser entrer qui que ce fût, à l'exception de son valet de chambre Patrice. Il est inutile d'ajouter qu'il était absolument défendu à l'orfèvre O'Reilly et à son aide de sortir sous quelque prétexte que ce fût.

Ce point réglé, le duc revint à d'Artagnan.

— Maintenant, mon jeune ami, dit-il, l'Angleterre est à nous deux ; que voulez-vous, que désirez-vous ?

— Un lit, répondit d'Artagnan ; c'est, pour le moment, je l'avoue, la chose dont j'ai le plus besoin.

Buckingham donna à d'Artagnan une chambre qui touchait à la sienne. Il voulait garder le jeune homme sous sa main, non pas qu'il se défiât de lui, mais pour avoir quelqu'un à qui parler constamment de la reine.

Une heure après fut promulguée dans Londres l'ordonnance de ne laisser sortir des ports aucun bâtiment chargé pour la France, pas même le paquebot des lettres. Aux yeux de tous, c'était une déclaration de guerre entre les deux royaumes.

Le surlendemain, à onze heures, les deux ferrets en diamants étaient achevés, mais si exactement imités, mais si parfaitement pareils, que Buckingham ne put reconnaître les nouveaux des anciens, et que les plus exercés en pareille matière y auraient été trompés comme lui.

Aussitôt il fit appeler d'Artagnan.

— Tenez, lui dit-il, voici les ferrets de diamants que vous êtes venu chercher, et soyez mon témoin que tout ce que la puissance humaine pouvait faire, je l'ai fait.

— Soyez tranquille, Milord : je dirai ce que j'ai vu ; mais Votre Grâce me remet les ferrets sans la boîte ?

— La boîte vous embarrasserait. D'ailleurs la boîte

m'est d'autant plus précieuse, qu'elle me reste seule.
Vous direz que je la garde.

— Je ferai votre commission mot à mot, Milord.

— Et maintenant, reprit Buckingham en regardant
fixement le jeune homme, comment m'acquitterai-je
jamais envers vous ?

D'Artagnan rougit jusqu'au blanc des yeux. Il vit
que le duc cherchait un moyen de lui faire accepter
quelque chose, et cette idée que le sang de ses compagnons et le sien lui allait être payé par de l'or anglais
lui répugnait étrangement.

— Entendons-nous, Milord, répondit d'Artagnan,
et pesons bien les faits d'avance, afin qu'il n'y ait point
de méprise. Je suis au service du roi et de la reine de
France, et fais partie de la compagnie des gardes de
M. des Essarts, lequel, ainsi que son beau-frère M. de
Tréville, est tout particulièrement attaché à Leurs
Majestés. J'ai donc tout fait pour la reine et rien pour
Votre Grâce. Il y a plus, c'est que peut-être n'eussé-je
rien fait de tout cela, s'il ne se fût agi d'être agréable
à quelqu'un qui est ma dame à moi, comme la reine
est la vôtre.

— Oui, dit le duc en souriant, et je crois même
connaître cette autre personne, c'est...

— Milord, je ne l'ai point nommée, interrompit
vivement le jeune homme.

— C'est juste, dit le duc ; c'est donc à cette personne que je dois être reconnaissant de votre dévouement.

— Vous l'avez dit, Milord, car justement à cette heure qu'il est question de guerre, je vous avoue que je ne vois dans Votre Grâce qu'un Anglais, et par conséquent qu'un ennemi que je serais encore plus enchanté de rencontrer sur le champ de bataille que dans le parc de Windsor ou dans les corridors du Louvre ; ce qui, au reste, ne m'empêchera pas d'exécuter de point en point ma mission et de me faire tuer, si besoin est, pour l'accomplir ; mais, je le répète à Votre Grâce, sans qu'elle ait personnellement pour cela plus à me remercier de ce que je fais pour moi dans cette seconde entrevue, que de ce que j'ai déjà fait pour elle dans la première.

— Nous disons, nous : « Fier comme un Écossais », murmura Buckingham.

— Et nous disons, nous : « Fier comme un Gascon », répondit d'Artagnan. Les Gascons sont les Écossais de la France.

D'Artagnan salua le duc et s'apprêta à partir.

— Eh bien ! vous vous en allez comme cela ? Par où ? Comment ?

— C'est vrai.

— Dieu me damne ! les Français ne doutent de rien !

— J'avais oublié que l'Angleterre était une île, et que vous en étiez le roi.

— Allez au port, demandez le brick[1] le *Sund*, remettez cette lettre au capitaine ; il vous conduira à un petit port où certes on ne vous attend pas, et où n'abordent ordinairement que des bâtiments pêcheurs.

— Ce port s'appelle ?

— Saint-Valery ; mais, attendez donc : arrivé là, vous entrerez dans une mauvaise auberge sans nom et sans enseigne, un véritable bouge[2] à matelots ; il n'y a pas à vous tromper, il n'y en a qu'une.

— Après ?

— Vous demanderez l'hôte, et vous lui direz : *Forward*.

— Ce qui veut dire ?

— En avant : c'est le mot d'ordre. Il vous donnera un cheval tout sellé et vous indiquera le chemin que vous devez suivre ; vous trouverez ainsi quatre relais sur votre route. Si vous voulez, à chacun d'eux, donner votre adresse à Paris, les quatre chevaux vous y suivront ; vous en connaissez déjà deux, et vous m'avez paru les apprécier en amateur : ce sont ceux que nous montions ; rapportez-vous-en à moi, les autres ne leur sont point inférieurs. Ces quatre chevaux sont équipés pour la campagne. Si fier que vous soyez, vous ne refuserez pas d'en accepter un et de faire accepter les trois autres à vos compagnons : c'est

---

1. Navire à voile à deux mâts.
2. Taudis, lieu malpropre.

pour nous faire la guerre, d'ailleurs. La fin excuse les moyens, comme vous dites, vous autres Français, n'est-ce pas ?

— Oui, Milord, j'accepte, dit d'Artagnan ; et s'il plaît à Dieu, nous ferons bon usage de vos présents.

— Maintenant, votre main, jeune homme ; peut-être nous rencontrerons-nous bientôt sur le champ de bataille ; mais, en attendant, nous nous quitterons bons amis, je l'espère.

— Oui, Milord, mais avec l'espérance de devenir ennemis bientôt.

— Soyez tranquille, je vous le promets.

— Je compte sur votre parole, Milord.

D'Artagnan salua le duc et s'avança vivement vers le port.

En face de la Tour de Londres, il trouva le bâtiment désigné, remit sa lettre au capitaine, qui la fit viser par le gouverneur du port, et appareilla aussitôt.

Cinquante bâtiments étaient en partance et attendaient.

En passant bord à bord de l'un d'eux, d'Artagnan crut reconnaître la femme de Meung, la même que le gentilhomme inconnu avait appelée « Milady », et que lui, d'Artagnan, avait trouvée si belle ; mais grâce au courant du fleuve et au bon vent qui soufflait, son navire allait si vite qu'au bout d'un instant on fut hors de vue.

Le lendemain, vers neuf heures du matin, on aborda à Saint-Valery.

D'Artagnan se dirigea à l'instant même vers l'auberge indiquée, et la reconnut aux cris qui s'en échappaient : on parlait de guerre entre l'Angleterre et la France comme de chose prochaine et indubitable, et les matelots joyeux faisaient bombance. *carousing*

D'Artagnan fendit la foule, s'avança vers l'hôte, et prononça le mot *Forward*. À l'instant même, l'hôte lui fit signe de le suivre, sortit avec lui par une porte qui donnait dans la cour, le conduisit à l'écurie où l'attendait un cheval tout sellé, et lui demanda s'il avait besoin de quelque autre chose.

— J'ai besoin de connaître la route que je dois suivre, dit d'Artagnan.

— Allez d'ici à Blangy, et de Blangy à Neufchâtel. À Neufchâtel, entrez à l'auberge de la *Herse d'Or*, donnez le mot d'ordre à l'hôtelier, et vous trouverez comme ici un cheval tout sellé.

— Dois-je quelque chose ? demanda d'Artagnan.

— Tout est payé, dit l'hôte, et largement. Allez donc, et que Dieu vous conduise !

— Amen ! répondit le jeune homme en partant au galop.

Quatre heures après, il était à Neufchâtel.

Il suivit strictement les instructions reçues ; à Neufchâtel, comme à Saint-Valery, il trouva une monture toute sellée et qui l'attendait ; il voulut transporter les pistolets de la selle qu'il venait de quitter à la selle qu'il allait prendre : les fontes[1] étaient garnies de pistolets pareils.

— Votre adresse à Paris ?

— Hôtel des Gardes, compagnie des Essarts.

— Bien, répondit celui-ci.

— Quelle route faut-il prendre ? demanda à son tour d'Artagnan.

— Celle de Rouen ; mais vous laisserez la ville à votre droite. Au petit village d'Ecouis, vous vous arrêterez, il n'y a qu'une auberge, l'*Écu de France*. Ne la jugez pas d'après son apparence ; elle aura dans ses écuries un cheval qui vaudra celui-ci.

— Même mot d'ordre ?

— Exactement.

— Adieu, maître !

— Bon voyage, gentilhomme ! avez-vous besoin de quelque chose ?

D'Artagnan fit signe de la tête que non, et repartit à fond de train. À Ecouis, la même scène se répéta : il trouva un hôte aussi prévenant, un cheval frais et reposé ; il laissa son adresse comme il l'avait fait, et repartit du même train pour Pontoise. À Pontoise, il changea une dernière fois de monture, et à neuf heures il entrait au grand galop dans la cour de l'hôtel de M. de Tréville.

Il avait fait près de soixante lieues en douze heures.

---

1. Fourreaux de cuir suspendues à la selle où se placent les pistolets.

M. de Tréville le reçut comme s'il l'avait vu le matin même ; seulement, en lui serrant la main un peu plus vivement que de coutume, il lui annonça que la compagnie de M. des Essarts était de garde au Louvre et qu'il pouvait se rendre à son poste.

22

Le ballet de la Merlaison

[handwritten annotation: municipal magistrate]

Le lendemain, il n'était bruit dans tout Paris que du bal que MM. les échevins de la ville donnaient au roi et à la reine, et dans lequel Leurs Majestés devaient danser le fameux ballet de la Merlaison, qui était le ballet favori du roi.

Depuis huit jours on préparait, en effet, toutes choses à l'Hôtel de Ville pour cette solennelle soirée. Le menuisier de la ville avait dressé des échafauds[1] sur lesquels devaient se tenir les dames invitées ; l'épicier de la ville avait garni les salles de deux cents flambeaux de cire blanche, ce qui était un luxe inouï pour cette

---

1. Estrades de bois.

époque ; enfin vingt violons avaient été prévenus, et le prix qu'on leur accordait avait été fixé au double du prix ordinaire, attendu, dit ce rapport, qu'ils devaient sonner[1] toute la nuit.

À dix heures du matin, le sieur de La Coste, enseigne des gardes du roi, suivi de deux exempts et de plusieurs archers du corps, vint demander au greffier de la ville, nommé Clément, toutes les clefs des portes, des chambres et bureaux de l'Hôtel. Ces clefs lui furent remises à l'instant même ; chacune d'elles portait un billet[2] qui devait servir à la faire reconnaître, et à partir de ce moment le sieur de La Coste fut chargé de la garde de toutes les portes et de toutes les avenues.

À onze heures vint à son tour Duhallier, capitaine des gardes, amenant avec lui cinquante archers qui se répartirent aussitôt dans l'Hôtel de Ville, aux portes qui leur avaient été assignées.

À trois heures arrivèrent deux compagnies des gardes, l'une française, l'autre suisse. La compagnie des gardes françaises était composée moitié des hommes de M. Duhallier, moitié des hommes de M. des Essarts.

À six heures du soir, les invités commencèrent à entrer. À mesure qu'ils entraient, ils étaient placés dans la grande salle, sur les échafauds préparés.

1. Jouer.
2. Une étiquette.

À neuf heures arriva Mme la première présidente[1]. Comme c'était, après la reine, la personne la plus considérable de la fête, elle fut reçue par Messieurs de la ville et placée dans la loge en face de celle que devait occuper la reine.

À dix heures on dressa la collation des confitures pour le roi, dans la petite salle du côté de l'église Saint-Jean, et cela en face du buffet d'argent de la ville, qui était gardé par quatre archers.

À minuit on entendit de grands cris et de nombreuses acclamations : c'était le roi qui s'avançait à travers les rues qui conduisent du Louvre à l'Hôtel de Ville, et qui étaient toutes illuminées avec des lanternes de couleur.

Aussitôt MM. les échevins, vêtus de leurs robes de drap et précédés de six sergents tenant chacun un flambeau à la main, allèrent au-devant du roi, qu'ils rencontrèrent sur les degrés, où le prévôt des marchands[2] lui fit compliment sur sa bienvenue, compliment auquel Sa Majesté répondit en s'excusant d'être venue si tard, mais en rejetant la faute sur M. le cardinal, lequel l'avait retenue jusqu'à onze heures pour parler des affaires de l'État.

Sa Majesté, en habit de cérémonie, était accompagnée de S. A. R. Monsieur, du comte de Soissons, du grand prieur, du duc de Longueville, du duc d'Elbeuf,

1. La femme du Premier Président du Parlement de Paris.
2. Chef de l'Hôtel de Ville.

du comte d'Harcourt, du comte de La Roche-Guyon, de M. de Liancourt, de M. de Baradas, du comte de Cramail et du chevalier de Souveray.

Chacun remarqua que le roi avait l'air triste et préoccupé.

Un cabinet avait été préparé pour le roi, et un autre pour Monsieur. Dans chacun de ces cabinets étaient déposés des habits de masques[1]. Autant avait été fait pour la reine et pour Mme la présidente. Les seigneurs et les dames de la suite de Leurs Majestés devaient s'habiller deux par deux dans des chambres préparées à cet effet.

Avant d'entrer dans le cabinet, le roi recommanda qu'on le vînt prévenir aussitôt que paraîtrait le cardinal.

municipal magistrate

Une demi-heure après l'entrée du roi, de nouvelles acclamations retentirent : celles-là annonçaient l'arrivée de la reine : les échevins firent ainsi qu'ils avaient fait déjà, et, précédés des sergents, ils s'avancèrent au-devant de leur illustre convive.

La reine entra dans la salle : on remarqua que, comme le roi, elle avait l'air triste et surtout fatigué.

Au moment où elle entrait, le rideau d'une petite tribune qui jusque-là était resté fermé s'ouvrit, et l'on vit apparaître la tête pâle du cardinal vêtu en cavalier espagnol. Ses yeux se fixèrent sur ceux de la reine, et

1. Des déguisements.

un sourire de joie terrible passa sur ses lèvres : la reine n'avait pas ses ferrets de diamants.

La reine resta quelque temps à recevoir les compliments de Messieurs de la ville et à répondre aux saluts des dames.

Tout à coup, le roi apparut avec le cardinal à l'une des portes de la salle. Le cardinal lui parlait tout bas, et le roi était très pâle.

Le roi fendit la foule et, sans masque, les rubans de son pourpoint à peine noués, il s'approcha de la reine, et d'une voix altérée :

— Madame, lui dit-il, pourquoi donc, s'il vous plaît, n'avez-vous point vos ferrets de diamants, quand vous savez qu'il m'eût été agréable de les voir ?

La reine étendit son regard autour d'elle, et vit derrière le roi le cardinal qui souriait d'un sourire diabolique.

— Sire, répondit la reine d'une voix altérée, parce qu'au milieu de cette grande foule j'ai craint qu'il ne leur arrivât malheur.

— Et vous avez eu tort, Madame ! Si je vous ai fait ce cadeau, c'était pour que vous vous en pariez. Je vous dis que vous avez eu tort.

Et la voix du roi était tremblante de colère ; chacun regardait et écoutait avec étonnement, ne comprenant rien à ce qui se passait.

— Sire, dit la reine, je puis les envoyer chercher au

Louvre, où ils sont, et ainsi les désirs de Votre Majesté seront accomplis.

— Faites, Madame, faites, et cela au plus tôt : car dans une heure le ballet va commencer.

La reine salua en signe de soumission et suivit les dames qui devaient la conduire à son cabinet.

De son côté, le roi regagna le sien.

Il y eut dans la salle un moment de trouble et de confusion.

Tout le monde avait pu remarquer qu'il s'était passé quelque chose entre le roi et la reine ; mais tous deux avaient parlé si bas, que, chacun par respect s'étant éloigné de quelques pas, personne n'avait rien entendu. Les violons sonnaient de toutes leurs forces, mais on ne les écoutait pas.

Le roi sortit le premier de son cabinet ; il était en costume de chasse des plus élégants, et Monsieur et les autres seigneurs étaient habillés comme lui. C'était le costume que le roi portait le mieux, et vêtu ainsi il semblait véritablement le premier gentilhomme de son royaume.

Le cardinal s'approcha du roi et lui remit une boîte. Le roi l'ouvrit et y trouva deux ferrets de diamants.

— Que veut dire cela ? demanda-t-il au cardinal.

— Rien, répondit celui-ci ; seulement si la reine a les ferrets, ce dont je doute, comptez-les, Sire, et si vous n'en trouvez que dix, demandez à Sa Majesté qui peut lui avoir dérobé les deux ferrets que voici.

Le roi regarda le cardinal comme pour l'interroger ; mais il n'eut le temps de lui adresser aucune question : un cri d'admiration sortit de toutes les bouches. Si le roi semblait le premier gentilhomme de son royaume, la reine était à coup sûr la plus belle femme de France.

Il est vrai que sa toilette de chasseresse lui allait à merveille ; elle avait un chapeau de feutre avec des plumes bleues, un surtout[1] en velours gris perle rattaché avec des agrafes de diamants, et une jupe de satin bleu toute brodée d'argent. Sur son épaule gauche étincelaient les ferrets soutenus par un nœud de même couleur que les plumes et la jupe.

Le roi tressaillit de joie et le cardinal de colère ; cependant, distants comme ils l'étaient de la reine, ils ne pouvaient compter les ferrets ; la reine les avait, seulement en avait-elle dix ou en avait-elle douze ?

En ce moment, les violons sonnèrent le signal du ballet. Le roi s'avança vers Mme la présidente, avec laquelle il devait danser, et S. A. R. Monsieur avec la reine. On se mit en place, et le ballet commença.

Le roi figurait en face de la reine, et chaque fois qu'il passait près d'elle, il dévorait du regard ces ferrets, dont il ne pouvait savoir le compte. Une sueur froide couvrait le front du cardinal.

Le ballet dura une heure ; il avait seize entrées[2].

Le ballet finit au milieu des applaudissements de

---

1. Vêtement que l'on met sur les autres habits.
2. Séquences du ballet.

toute la salle, chacun reconduisit sa dame à sa place ; mais le roi profita du privilège qu'il avait de laisser la sienne où il se trouvait, pour s'avancer vivement vers la reine.

— Je vous remercie, Madame, lui dit-il, de la déférence que vous avez montrée pour mes désirs, mais je crois qu'il vous manque deux ferrets, et je vous les rapporte.

À ces mots, il tendit à la reine les deux ferrets que lui avait remis le cardinal.

— Comment, Sire ! s'écria la jeune reine jouant la surprise, vous m'en donnez encore deux autres ; mais alors, cela m'en fera donc quatorze ?

En effet, le roi compta, et les douze ferrets se trouvèrent sur l'épaule de Sa Majesté.

Le roi appela le cardinal :

— Eh bien ! que signifie cela, Monsieur le cardinal ? demanda le roi d'un ton sévère.

— Cela signifie, Sire, répondit le cardinal, que je désirais faire accepter ces deux ferrets à Sa Majesté, et que n'osant les lui offrir moi-même, j'ai adopté ce moyen.

— Et j'en suis d'autant plus reconnaissante à Votre Éminence, répondit Anne d'Autriche avec un sourire qui prouvait qu'elle n'était pas dupe de cette ingénieuse galanterie, que je suis certaine que ces deux ferrets vous coûtent aussi cher à eux seuls que les douze autres ont coûté à Sa Majesté.

Puis, ayant salué le roi et le cardinal, la reine reprit le chemin de la chambre où elle s'était habillée et où elle devait se dévêtir.

QUELQUES DATES DANS LA VIE
ET L'ŒUVRE D'ALEXANDRE DUMAS

1802 : 24 juillet : Alexandre Dumas naît à Villers-Cotterêts (Aisne) ; il est le fils de Thomas Alexandre Dumas Davy de la Pailleterie, général de division, et de Marie-Louise Labouret, fille d'un hôtelier de Villers-Cotterêts ; il est le petit-fils d'un aristocrate établi à Saint-Domingue, dans les Antilles, et d'une esclave noire dont il portera le nom.

1806 : Mort du général Dumas, tenu en disgrâce par Napoléon car trop républicain[1] à son goût. Le jeune Alexandre passera son enfance à Villers-Cotterêts. Sa

_____

1. Partisan des acquis de la Révolution française.

scolarité est assez négligée et il commencera à travailler très tôt.

1817 : Alexandre entre comme « saute-ruisseau » (commis) chez un avoué de Villers-Cotterêts, puis à Crépy-en-Valois (Oise).

1820-1821 : Il commence à écrire ses premières pièces de théâtre en collaboration avec un ami, Adolphe Ribbing de Leuven.

1823 : Il s'installe définitivement à Paris et est engagé dans les bureaux du duc d'Orléans[1], grâce à sa belle écriture et à la recommandation du général Foy.

1824 : Naissance d'Alexandre Dumas fils, enfant naturel de Laure Labay, couturière. Alexandre installe sa mère à Paris.

1826 : De cette époque datent ses premiers essais littéraires sérieux, comme ses trois *Nouvelles contemporaines*.

1829 : Immense succès de sa pièce *Henri III et sa cour*, un drame historique, qui lui apporte gloire et fortune. Avec Hugo, il devient le grand homme du romantisme.

1830 : Farouche républicain comme son père, il participe activement à la révolution de Juillet[2].

---

1. Le futur Louis-Philippe, roi de France sous la monarchie de Juillet (1830-1848).
2. Les « Trois Glorieuses » des 27, 28 et 29 juillet 1830, qui provoquèrent l'abdication du roi Charles X et l'instauration de la monarchie de Juillet.

1831 : Il reconnaît son fils naturel, qui est confié à sa garde. Les rapports sont parfois difficiles entre le père, ses nombreuses compagnes, et le fils, qui sera mis en pension la plupart du temps.

1833 : Naissance d'une fille, Marie Alexandrine, qu'il a avec la comédienne Belle Krelsamer ; Dumas la reconnaît et vivra longtemps avec elle, notamment à Bruxelles.

1834-1836 : Première édition du *Théâtre* d'Alexandre Dumas. Voyages dans le Midi, en Suisse et en Italie.

Grand succès en 1836 avec *Kean ou Désordre et génie*, portrait d'un tragédien joué par Frédérick Lemaître (le rôle a été récemment repris par Jean-Paul Belmondo).

1838 : Mort de la mère d'Alexandre. Dumas rencontre Auguste Maquet, jeune professeur d'histoire au lycée Charlemagne, qui sera son principal collaborateur pour l'écriture de romans-feuilletons (grande nouveauté à cette époque, ceux-ci paraissent d'abord dans des journaux avant d'être édités en livre).

1840 : Mariage avec la comédienne Ida Ferrier ; Chateaubriand est son témoin (le mariage durera peu et sera rompu en 1844).

1840-1842 : Nouveaux voyages en Italie et en Méditerranée. Dumas découvre l'île de Monte-Cristo.

1844 : La collaboration avec Maquet s'amplifie et ils commencent à produire à la chaîne. Elle a pour résultat sa trilogie la plus célèbre, se déroulant à l'époque de Louis XIII et de Louis XIV : *Les trois mousquetaires*, *Vingt ans après* (1845) et *Le vicomte de Bragelonne ou Dix ans plus tard* (1848-1850). Au théâtre également, le même univers est représenté avec *Les mousquetaires* (1845) et *La jeunesse des mousquetaires* (1849).

1845 : Autre cycle, au temps des guerres de religion cette fois, avec *La reine Margot*, *La dame de Monsoreau* (1846) et *Les quarante-cinq* (1847-1848).

Le comte de Monte-Cristo (1844-1845), issu également de la collaboration avec Maquet, s'inspire d'un fait divers contemporain.

Parution du pamphlet d'Eugène de Mirecourt, *Fabrique de romans : Maison Alexandre Dumas et Cie*.

1846 : Voyage en Espagne avec Maquet et Dumas fils, puis surtout en Algérie sur un navire de guerre ; Dumas est chargé de la publicité pour l'établissement de nouveaux colons.

Nouveau cycle qui fait revivre le XVIIIe siècle à travers les *Mémoires d'un médecin* (quatre épisodes) : *Joseph Balsamo* (1846-1848), *Le collier de la reine* (1849-1850), *Ange Pitou* (1851) et *La comtesse de Charny* (1852-1855).

1847 : Ouverture du Théâtre-Historique, que Dumas a fait construire tout spécialement pour représenter ses romans à la scène ; début avec *La reine Mar-*

got, drame historique qui dure de dix-huit heures à trois heures du matin !

1848 : Dumas participe à la Révolution..., qui met à mal les recettes du Théâtre-Historique. Les dettes atteignent bientôt un chiffre astronomique. Il se présente à la députation en Seine-et-Oise et dans l'Yonne, mais est battu.

1851 : Ruiné, Dumas s'exile de lui-même en Belgique, pour fuir le nouveau régime[1] et ses créanciers. La collaboration avec Maquet s'interrompt d'elle-même, Dumas ne pouvant plus payer son « nègre[2] ».

Naissance d'Henry Bauër, fils de Dumas et d'Anna Bauër, une femme mariée.

1852 : Un jugement prononce la faillite de Dumas. Triomphe la même année de *La dame aux camélias* de Dumas fils, pièce tirée de son roman de 1848.

1853 : Retour en France moyennant un compromis financier. Dumas crée son propre journal, *Le Mousquetaire*, qui deviendra *Le Monte-Cristo* (1857-1860).

1854 : Début de parution pour *Les mohicans de Paris* (écrit en collaboration avec Paul Bocage), un roman-fleuve dont la publication va s'étaler sur cinq ans et qui a pour cadre la société française après la chute de l'Empire.

---

1. Le Second Empire de Napoléon III, instauré à la suite du coup d'État du 2 décembre 1851.
2. Celui qui écrit plus ou moins les ouvrages signés par un écrivain célèbre.

1857 : Voyage en Angleterre avec Dumas fils. Début d'un procès contre Maquet à propos de leurs œuvres écrites en collaboration.

1858-1859 : Grand voyage en Russie et dans le Caucase.

1860 : Signature d'un contrat avec Michel Lévy pour l'édition de son œuvre. Il part pour un voyage en Méditerranée et reste quatre ans en Italie afin d'aider Garibaldi[1] dans son entreprise de *risorgimento*.

1864-1865 : Retour à Paris. Parution de *La San Felice*. Il accompagne les comédiens de sa pièce, *Les gardes forestiers*, dans une tournée en banlieue et en province ; grande fête en son honneur dans sa ville natale.

1866 : Voyages dans l'empire autrichien et en Italie. Les problèmes d'argent, qui s'étaient un peu atténués, réapparaissent.

1867 : Dumas rencontre l'une de ses dernières conquêtes, Adah Menken, une Américaine, écuyère et actrice.

1869 : Voyage en Bretagne et dans le Midi ; Dumas se sent malade et fatigué. Sa santé se détériore.

1870 : 5 décembre : Dumas meurt chez son fils à Puys, près de Dieppe (Seine-Maritime). Deux ans plus tard, il est enterré à Villers-Cotterêts près de ses parents. Durant sa vie, Dumas a écrit quelque quatre-

---

1. Giuseppe Garibaldi (1807-1882), homme politique italien qui joua un grand rôle dans le processus d'unification de son pays (*risorgimento*).

vingts romans, puisant largement dans l'histoire natio-
nale.

2002 : Les restes de Dumas sont transférés au Pan-
théon à Paris, hommage de la Nation à son grand
homme.

TABLE

1. Les trois présents de M. d'Artagnan père   7

2. L'antichambre de M. de Tréville   33

3. L'audience   47

4. L'épaule d'Athos, le baudrier de Porthos
et le mouchoir d'Aramis   67

5. Les mousquetaires du roi et les gardes
de M. le cardinal   81

6. Sa Majesté le roi Louis treizième   97

7. L'intérieur des mousquetaires   129

8. Une intrigue de cour   139

9. D'Artagnan se dessine   153

10. Une souricière au XVIIᵉ siècle   163

11. L'intrigue se noue 179
12. Georges Villiers, duc de Buckingham 203
13. Monsieur Bonacieux 217
14. L'homme de Meung 231
15. Gens de robe et gens d'épée 249
16. Où M. le garde des Sceaux Séguier chercha plus d'une fois la cloche pour la sonner comme il le faisait autrefois 263
17. Le ménage Bonacieux 279
18. L'amant et le mari 301
19. Plan de campagne 313
20. Voyage 327
21. La comtesse de Winter 347
22. Le ballet de la Merlaison 363

« Pour l'éditeur, le principe est d'utiliser des papiers composés de fibres naturelles, renouvelables, recyclables et fabriquées à partir de bois issus de forêts qui adoptent un système d'aménagement durable. En outre, l'éditeur attend de ses fournisseurs de papier qu'ils s'inscrivent dans une démarche de certification environnementale reconnue. »

Composition JOUVE - 62300 LENS
N° 1042753g
Imprimé en Espagne par LITOGRAFIA ROSÉS, S.A.
32.10.2664.4/02 - ISBN: 978-2-01-322664-6
Loi n° 49-956 du 16 juillet 1949 sur les publications destinées à la jeunesse
Dépôt légal : août 2009